Teología Urbana

Rafael Mendoza Vital

ÍNDICE

PRESENTACIÓN

Centro del marco educativo de la Facultad de Teología para América Latina conocí más cercanamente al joven pastor Rafael Juan Mendoza Vital. Me impresionó su capacidad de comprensión, su serenidad y su habilidad para redactar concisamente, utilizando un lenguaje apropiado producto de una mente cultivada. Era 1995 en H. Matamoros Tamaulipas mi ciudad querida, donde la Facultad se asentó por algún tiempo. Años después nos volvimos a encontrar en San Luis Potosí en la antesala a la conclusión de su primera maestría.

Los estudiantes de ISUM forman una clase especial en las Américas, y los que se proyectan a la Facultad para obtener su maestría, son dignos de doble mérito. Esto quiere decir que ya cursaron los tres años del Instituto Bíblico básico, los cuatro del Instituto de Superación Ministerial (ISUM) y que por contar con estudios seculares de Preparatoria o equivalente, pueden enfrentar los cinco años de largas vigilias y arduas tareas que representa el currículum de la Facultad de Teología. A ese grupo selecto pertenece Rafael.

Nacido y crecido en Pachuca, la bella airosa, capital del progresista e industrializado estado de Hidalgo, cuyas escuelas tienen fama de exigentes, pues surgieron bajo la influencia de la rigidez inglesa, que además de enseñar a los mineros a exprimir las vetas de oro y plata, les enseñaron a principios del Siglo XX a jugar el futbol soccer que corre por las venas de cada niño mexicano.

Pachuca también es la cuna de la Iglesia Cristiana Independiente Pentecostés, que sembró literalmente con sangre el precioso evangelio redentor en las montañas y valles de Hidalgo, San Luis Potosí, Puebla, Guerrero y Veracruz. Lo corroboran catorce pastores mártires que fueron sacrificados por turbas hostiles, pero que nunca se arredraron junto a las miles de vigilias intercesoras de piadosos creyentes y en las concentraciones de la fiesta del Pentecostés que dieron testimonio de su fe cada junio, en las calles de Pachuca.

Producto de esas oraciones clamando por jóvenes sembradores y ministros, no cabe ninguna duda, surgió el pastor-maestro-escritor Rafael Juan Mendoza Vital. Esas oraciones Dios las contesta con creces y ramificadas, sembrando retoños aún en otros viñedos. De Pachuca se fue a Durango para cursar estudios en el Instituto Bíblico Bethsaida de las

Asambleas de Dios, escuela de productiva prosapia. De allí, lleno de ilusiones, cruzó todo México para predicar a Cristo en el Estado de Chiapas a fin de servir en dos pastorados. Y lo cruzó de nuevo para ser pastor en Baja California Sur. Regresó al solar nativo para sellar su destino junto a Rosa María Elena la esposa amada, quien le dio cuatro hijos, que fueron "criándose bajo las bancas", cuando pastoreó sacrificadamente en Hidalgo y Veracruz. Y aún, ¿quién lo imaginaría?, en la misma ciudad de San Juan de los Lagos, Jalisco.

Pachuca lo esperaba. Allí desde el 2003, ha sido el centro de operaciones misioneras, evangelísticas y educativas. Ya sea para plantar nuevas iglesias o para enseñar en Institutos Bíblicos básicos e Institutos para pastores en servicio. Centros de formación en diversas ciudades de México, sin contar los diversos centros educativos del extranjero. Y ahora en la Facultad de Teología de las Asambleas de Dios de América Latina. Enseñando materias en campos tan variados como la Teología Bíblica y la Contemporánea; la Antropología y Misionología a la par de Plantación de iglesias, Administración Eclesiástica y Liderazgo; e impartiendo también Psicología Pastoral, Ética Pastoral, Consejería Pastoral y Sociología junto a Iglecrecimiento y otras más.

Erudición teológica y denuedo plantador, con más de 30 años de carrera ministerial lo han confirmado ya. Su pluma también ha sido rica, pues no solamente ha colaborado nacionalmente con ECCAD, la amada casa publicadora de las Asambleas de Dios en México (en donde pusimos nuestro granito en los cimientos), sino también en CONOZCA que sirve a América Latina con enfoque interdenominacional.

Rafael, un varón valiente que tomó la nación mexicana como su púlpito. Díganlo las almas salvadas y discipuladas en Chiapas y Baja California, así como en Jalisco, Veracruz, ciudad de México e Hidalgo. Ratifíquenlo los jóvenes y líderes que se nutrieron después con su cátedra avanzada. Y confírmelo usted amado lector al leer este libro que ahora le entrega, fruto de su ya madura experiencia y de su visión.

Respetuosamente en Cristo:

DR. TEÓFILO J. AGUILLÓN
Presidente de The Aguillon Family Fundation del proyecto La Biblia Continental de las Asambleas de Dios
Director y Fundador del Seminario de Superación Teológica
Superintendente General de las Asambleas de Dios en México
1980 -1984.
Superintendente de Gulf Latin American District of the Assemblies of God 1996-2002; 2002-2006.

CITAS

El profesor Rafael Mendoza presenta en su trabajo de investigación *Teología Urbana* el logro de interpretar la cruda y difícil realidad que le ha tocado vivir a la Iglesia en este nuevo siglo XXI. Propone con ello un nuevo paradigma pastoral que traslada la evangelización de las zonas rurales a las zonas urbanas con absoluta determinación. Ante ello las iglesias están llamadas a prepararse para responder contundentemente al reto que la teología urbana trae consigo. Creo firmemente que las verdades plasmadas en este libro son un modelo teológico emergente para los creyentes de América Latina y el mundo.

OHTIEL ANTONIO MORALES POLANCO (MTH)
Pastor en Coro, Venezuela.
Vicepresidente de la Federación del Concilio General de las Asambleas de Dios de Venezuela.
Delegado de Venezuela al congreso Mundial de Lausana en Sudáfrica.

He leído con suma atención *Teología Urbana* y concluyo que debe estar en manos de cada ministro evangélico para ampliar su visión de llegar a la ciudad. La importancia de esta obra se manifiesta en los resultados de una profunda investigación lógica, sistemática y analítica. El autor con mucha seriedad y conocimiento analiza los problemas sociales, económicos, morales y espirituales que aquejan a los habitantes de las grandes ciudades. Plasma el interés de Dios por alcanzar las grandes ciudades que han surgido en la historia de la humanidad hasta nuestros días. El libro desafía a la iglesia a ingresar sin temor en la ciudad, manifestar el amor de Dios en acciones concretas y mostrar la misericordia de Dios con pasión. El autor da una invitación abierta para que cada lector aplique las enseñas en su propio entorno social urbano.

FRANCISCO VALDIZÓN (MTH)
Representante de ISUM en El Salvador.
Profesor de ISUM y del Instituto Bíblico Betel Central Asambleas de Dios de El Salvador.
Fundador del templo Betel Central de las Asambleas de Dios en Santa Tecla, El Salvador.

Desde una pastoral y con el conocimiento de lo que significa ser iglesia en el contexto urbano, el autor nos introduce en cada tema desarrollado al quehacer ministerial en la ciudad. Su obra, *Teología Urbana* aclara conceptos que en la praxis ya son parte de nuestro bagaje de conocimiento empírico pero sin profundidad teológica hasta la llegada de esta investigación seria y profunda. Somos testigos de cómo las zonas urbanas crecen diariamente hasta ser metrópolis y megalópolis convirtiéndose en centros comerciales, industriales, empresariales y tecnológicos que han transformado la conducta del ser humano. Este libro es oportuno para todo creyente citadino y para quienes están siendo absorbidos por la ciudad. Se ha convertido en lectura necesaria para el ministerio urbano y ya es texto de Seminarios y escuelas teológicas en Latinoamérica para una mejor comprensión académica en el desempeño ministerial.

LIC. HÉCTOR ARMANDO BARILLAS SOLIS
Pastor y Presbítero del Distrito Petepa de las Asambleas de Dios en Guatemala
Profesor de ISUM

Veo la necesidad de vencer el prurito de la competencia entre pastores, el abigeato ministerial, las pretensiones de mega iglesia, las ínfulas propias de orgullo y egoísmo ministerial. Por ello es vital un carácter transformado en cada pastor, es indispensable un espíritu de santidad, urge anhelar un corazón para hacer un equipo que ora los unos por los otros, ver avanzar el plan de Dios en nuestra ciudad y que el hombre fuerte de ella sea atado, y despojado del precioso botín. Entonces nuestro testimonio avalará infinitamente nuestro mensaje y la obra prosperará en el lugar donde el Señor nos ha puesto a servir. Soy un tenaz defensor de cualquier estrategia urbana que tengamos a la mano con el fin de fundar nuevas congregaciones. Conocí a Rafael en las aulas del Instituto Bíblico Bethsaida en la ciudad de Durango, siendo su profesor. Sé que esta obra, *Teología Urbana*, que ahora nos presenta es un tema que necesitamos para seguir ampliando la visión donde muchos colegas se han quedado bisoños en cuanto a dejar crecer iglesias locales y plantar nuevos centros de predicación.

GILBERTO CORDERO FOURZÁN
Pastor de la iglesia del Templo El Redentor en Chihuahua, México.
Superintendente del Distrito Norte 1980 -1988 (Chihuahua, México).

He visto en las dos últimas décadas el desarrollo e infraestructura de la ciudad, así como en educación, política, cultura, economía y otras áreas. A la par se ha dado un crecimiento extraordinario de la iglesia aunque el criterio de sus ministros ha sido mucho más lento en los cambios que se necesitan. Las formas cambiantes de la metrópoli demandan aplicar estrategias para alcanzar a otros. Se necesita preparar a la siguiente generación que enfrentará este crecimiento poblacional, social y tecnológico aún más galopante. Habrá que equipar a los nuevos creyentes con una visión efectiva para establecer el Reino de Dios. *Teología Urbana* es una herramienta para llevar a cabo transformaciones y desafiar a las siguientes generaciones de líderes a obtener la correcta visión de la ciudad.

LIC. HELLIOT LUIS SÁNCHEZ MARTÍNEZ

Lic. en Teología por el Instituto de Superación Ministerial (ISUM). Diplomado en Consejería Familiar por la Universidad Madero de Puebla. Diplomado en Gestión Pública Municipal por el Tecnológico de Monterrey. Consultor y Enlace con Organizaciones de la Sociedad Civil. Fundador de Casa de Paz en Puebla y de Desarrollo y Salud para las Familias A. C. Funcionario Público del Ayuntamiento de Puebla, Puebla 2011-2014.

Conocí a Rafael cuando estudiamos en el Instituto de Superación Ministerial (ISUM) y más tarde nos volvimos a encontrar en la biblioteca de la Facultad de Teología de las Asambleas de Dios. Siempre inquieto por el conocimiento y la información teológica, tratando de alcanzar niveles más profundos, verdades más intrincadas, para traerlas al nivel de la grey de Dios y así lograr nuevas alturas en el fascinante conocimiento de Jehová. Hoy me es un honor que tanto estudio brote a través de su libro *Teología Urbana*. Es excelentemente bueno y útil para todo pastor, plantador de iglesias y estudiante de la Biblia y sé que el lector se enfrentará a través de sus páginas con el desafío de no descuidar el evangelismo de la urbe, ya que Dios ama los habitantes de estas, además de adquirir herramientas y estrategias útiles para tan loable misión.

DR. ROBERTO GONZÁLEZ PEÑA

Pastor en South Bend, IN. Director del Instituto Bíblico Bethel Bethel en South Bend, IN. Director Internacional del Seminario Teológico Bethel en Indiana, USA.

La población ha aumentado en número hoy en día hasta el punto que hay más seres humanos vivos sobre la faz de la tierra que enterrados en las tumbas de todos los siglos pasados. La migración ha poblado toda la superficie de la tierra, inclusive las regiones más inhóspitas de ella. Los avances tecnológicos han hecho posible un dominio sin precedentes sobre todas las áreas de la existencia humana. En toda la tierra, el individuo está migrando a la mega ciudad donde se brinda la tecnología, la economía y la cultura que puede posibilitar la realización de todo el potencial humano. Dios ha creado a su iglesia con una misión redentora y esta misión es triple ir a todo el mundo (migración), hacer discípulos (reproducción), y enseñar la obediencia a Cristo (dominio) con ello rescata todas las dimensiones de la misión humana en la tierra. Esto significa que donde vaya el ser humano la iglesia tiene que ir. Si los pecadores se encuentran en las ciudades, Jesús se encuentra allí también y la iglesia que sigue fiel a su Maestro tornará su mirada hacia la ciudad. Es bueno pensar, escribir y planificar estrategias para alcanzar la ciudad y esta obra, *Teología Urbana* es una excelente herramienta para ello. Es mejor seguir a Jesús e invitar a todo el mundo que lo sigan. Felicidades a todos los que han escuchado la voz del Jesús que ha entrado en la ciudad y dice, "Sígueme."

DR. JOSEPH CASTLEBERRY
Presidente de Northwest University.

El entorno mundial urbano que nos ha tocado vivir está cambiando dramáticamente cada diez años y tecnológicamente sucede cada dos años. La inmigración y migración son dos de los factores fundamentales en estos cambios. Esto debe ocuparnos y preocuparnos para que la Gran Comisión que Jesús nos dejó se cumpla en cada ciudad del planeta. Como sabemos la Biblia siempre tiene la respuesta y el desafío, y en este tópico *Teología Urbana* es de gran ayuda para visualizar lo que indudablemente viviremos los próximos años. Prepárate para iniciar este maravilloso viaje a través de las páginas de este libro.

DR. JUAN ALFREDO RAMÍREZ MÁYER
Consejo Empresarial y Profesional Cristiano A. C.
Coordinador de Noches de Gloria en México.

Rafael Juan Mendoza Vital ha sido un escritor acertado e inspirador. *Teología Urbana* es un libro que brota de la magistral pluma del hermano Mendoza Vital. En él refleja su acertado conocimiento de un tema que tengo la seguridad bendecirá a muchos consiervos e iglesias que Dios ha levantado en las ciudades. Ayudará a realizar nuestro ministerio urbano con mayor eficiencia en los años de servicio que Dios nos permita vivir y así ganar más personas para el Reino de Dios; aquí y ahora mientras estemos en circulación.

GUILLERMO FUENTES ORTIZ
Fundador y Pastor del Centro Evangelístico Emmanuel en la Ciudad de México.
Superintendente Nacional de las Asambleas de Dios en México 1960 - 1980.

La urbanización mundial es un gran fenómeno sociológico que no es un hecho único de América Latina, ya lo es de la parte oriental de Asia y de las áreas metropolitanas de las principales ciudades africanas. Se puede afirmar con seguridad que más de la mitad de la población mundial ya vive en ciudades. Este fenómeno urbano es el mayor reto misiológico y eclesiológico del siglo XXI. Difícilmente encontramos en librerías cristianas latinoamericanas una obra con una reflexión teológica hecha en este contexto acerca de ese tema tan complejo. *Teología Urbana*, obra del Dr. Mendoza, llena ese espacio con una perspectiva bíblica y teológica vigorosa. Magistralmente despliega amplio conocimiento de alguien que vive en la realidad latinoamericana, presenta una pastoral relevante para nuestro contexto y desafía a exhibir un testimonio influyente de vida cristiana en la cultura urbana. El autor ha logrado de manera excelente que la Iglesia centre su atención a los problemas y soluciones que se deben llevar a cabo como agente transformador de la ciudad dentro del desafío de la Gran Comisión de Mateo 28.

ANTONIO D. ROMUALDO
Pastor asociado en Gateway Christian Center, Tampa, Florida.
Director de Oasis International School of Theology (Tampa, Florida).

Desde que escribí la *Ponencia Eclesiológica* he esperado un documento como este, que revela la realidad sociológica de las iglesias, escrita por el Dr. Rafael Juan Mendoza Vital, quien ha sido formado en todo el quehacer pastoral y ministerial en nuestras instituciones. ¡En hora buena! por *Teología Urbana*.

DR. ALFONSO DE LOS REYES VALDEZ
Superintendente General de las Asambleas de Dios en México 1984 - 1996.
Escritor prolífico de varias obras y formador de varias generaciones de ministros en México y América Latina.

En el mejor momento de la historia asambleísta llega a nuestras manos este extraordinario libro: *Teología Urbana*. He leído con sumo interés y emoción sus páginas y aseguro que sus aportes serán francamente contributivos para todos los que nos empeñamos en la conquista espiritual de nuestras grandes urbes.

ENRIQUE GONZÁLEZ VÁZQUEZ
Superintendente General de las Asambleas de Dios en México 1996 - 2002
2019-2022.

El escritor Rafael Juan Mendoza Vital nos bendice con esta gran obra, a través de la cual observamos el desafío urbi-eclesiástico que se plantea. Para los analistas del proceso eclesiológico este documento, *Teología Urbana*, nos ilustra la perspectiva que le ha dado carta de ciudadanía al desarrollo de las iglesias en la nueva realidad urbana del siglo 21. Con este libro como herramienta vale la pena hacer círculos pastorales de discusión que ayuden a vislumbrar espacios en la visión de trabajar para su obra.

DR. DANIEL DE LOS REYES VILLARREAL
Superintendente General de las Asambleas de Dios en México 2002 - 2008.
Gerente General de la Sociedad Bíblica de México.
Pastor fundador en Altamira, Tamaulipas, México.

Rafael, amigo de muchos años, enfoca un tema poco conocido pero de gran relevancia para nuestros días: *Teología Urbana*. El énfasis que hace de Daniel, José, Usías, Ezequiel, Samuel, Abraham, Nehemías, y Pablo hacia la ciudad tocaron mi corazón y qué decir de la Teología Urbana de Lucas. Aprendí en esta obra que cada ministro y líder debe conocer la ciudad donde está trabajando a través de una seria investigación para saber qué estrategia aplicar, cuál es el modelo apropiado para cada iglesia urbana y la necesidad de ser, y producir iglesias saludables. Este es un libro para leer, pensar, y actuar en medio de los cambios asombrosos que vive el mundo urbano de hoy.

DR. ARTURO ROBLES PALLARES
Director de Liga Bíblica México - Centro América.
Coordinador Continental de los programas de plantación de iglesias para las Américas.
Consultor Mentor de la Red de Multiplicación en México.

Teología Urbana es un libro que irrumpe en nuestro panorama teológico para sorprendernos con una perspectiva bíblica, pero de necesidad actual. Su temática es ideal como herramienta de trabajo para los plantadores de nuevas iglesias en zonas urbanas, pero también como libro de texto en Institutos Bíblicos que están forjando y formando hombres y mujeres con un carácter misional y pastoral. Rafael nos presenta alternativas y sugerencias para los valientes que se aventuran a cumplir la Gran Comisión en las grandes ciudades, y nos inspira a no solo plantar, sino también mantener una iglesia saludable. Descubra estrategias para alcanzar más personas para Cristo. Es un gran logro este libro que bendecirá a la Iglesia ya que pocos escritores latinoamericanos se han atrevido a escribir sobre este tema.

DR. GABINO PÉREZ ALVAREZ
Superintendente del Distrito Veracruz, México 2003 - 2011
Presidente de la Alianza Pastoral del estado de Veracruz, México.
Co-fundador junto con su esposa Candelaria González del Centro Familiar Cristiano "Rey de Paz" en Boca del Río, Veracruz. México.

PRÓLOGO

Conozco a Rafael desde hace más de 30 años y sé que su trayectoria ha sido siempre la búsqueda de la excelencia en los temas que trata como pastor, escritor e investigador. Me consta que no es un mero revisor de bibliografía, sino que ha incorporado en su reflexión las observaciones de sus frecuentes viajes en México y en el extranjero. Tengo el privilegio de haber compartido el aula con él como compañeros en la Facultad de Teología de las Asambleas de Dios en América Latina en diferentes módulos.

Ahora me ha concedido el honor de escribir el prólogo de este libro que nace de la materia Estrategias Urbanas que compartí con él siendo su profesor en la misma institución educativa. Este tema ha inquietado su corazón para escribir y lo aterriza con su experiencia en el conocimiento y la claridad que sabe hacerlo como prolífico escritor, profesor, plantador y pastor.

A pesar de que en 1541 la Reforma trajo cambios fundamentales poco se hizo en cuanto a cambios eclesiológico. Pero la historia misma de la Iglesia señala que constantes e importantes cambios siempre se generan con el propósito de llevar a cabo la Gran Comisión como el Señor lo puntualizó: Toda potestad me es dada en el cielo y en la tierra. Por tanto, id, y haced discípulos a todas las naciones, bautizándolos en el nombre del Padre, y del Hijo, y del Espíritu Santo; enseñándoles que guarden todas las cosas que os he mandado; y he aquí yo estoy con vosotros todos los días, hasta el fin del mundo. Amén. (Mt. 28:19).

Donald McGavran haciendo la pregunta ¿Por qué unas iglesias crecen y otras no? desarrolló una investigación concienzuda que arrojó resultados sorprendentes y aportaciones que hoy día lo posicionan como el padre del Iglecrecimiento. Desde la década de los cincuentas del siglo XX McGavran se convirtió en un hombre de reconocida trascendencia en este tema y su aportación es respaldada e impulsada por el Seminario Teológico Fuller en Pasadera, California. En la década de los sesentas y principios de los setentas del siglo XX el Señor usa al Pastor Paul

Yongui Cho, en Seúl, Corea, para emplear principios bíblicos aplicados a grupos pequeños en el crecimiento de su congregación. Ésta estrategia corre a todo el mundo y en las décadas ochenta y noventa del mismo siglo XX se realizan una serie de modificaciones contextualizando a las ciudades por diferentes congregaciones del mundo. Comunidades de fe de cada país desarrollan sus propias innovaciones generando resultados asombrosos y el crecimiento de iglesias locales se da de tal manera que se convierten en megaiglesias.

Una serie de factores son considerados como determinantes en este explosivo crecimiento tales como el tipo de habitantes, la cultura, la política, la economía de la ciudad, su historia, su idioma, sus edificios, sus formas, su cosmovisión y todo aquello que se relaciona con la vida de una urbe. A mi parecer uno de los principales reformadores eclesiológicos de nuestro tiempo es el Pastor Rick Warren por su gran aportación al dar énfasis en la edificación de los creyentes basado en cinco propósitos esenciales aplicados en el contexto de la iglesia urbana.

En el siglo XXI la iglesia sigue avanzando, desarrollado una teología bíblica en cuanto a la salvación y generando suficientes bases teológicas sobre la misión de la iglesia desde la cosmovisión latinoamericana. Por ello, la obra que Rafael nos presenta es en el momento preciso en que América Latina se mueve vertiginosamente en el crecimiento de la Iglesia lo que nos conduce a leer correctamente a la ciudad. Nos insta a ser responsables y nos urge a hacer una correcta y objetiva hermenéutica de nuestra respectiva ciudad; ahí donde la iglesia local se desarrolla para que de esta manera cumplamos eficazmente con la Gran Comisión.

Sin duda lo que prende la adrenalina en este tema poco escrito desde una perspectiva latina, es el trabajo de la Iglesia dentro de las ciudades en la expansión del evangelio. Tenemos poco material sobre estrategias urbanas, pastoral urbana, eclesiología urbana y liderazgo urbano entre otros temas del quehacer eclesiástico desde una perspectiva latinoamericana, pues hemos sido formados bajo una visión cultural anglosajona. En muchas ocasiones los libros de texto existentes no se apegan a la labor ministerial latina en sus diferentes vertientes y esto ha acarreado una serie de retrasos en la acción pastoral.

Al realizar un análisis objetivo de la obra del autor no podemos dejar de recordar lo que Rolando Gutiérrez señala en el prólogo del libro *El cristiano en la ciudad* de Ray Bakke: la evangelización es mensaje en acción, práctica e incorporación de la iglesia de Jesucristo que se despliega con generosidad redentora para atender a personas, parejas, familias, ciudades y naciones, con llamamiento insistente y revitalización en la fe. Se necesita una mentalidad del Reino para entender la gran comisión.

Esto es lo que Rafael se propone en su obra y por ello celebro que esta herramienta haya llegado a nuestras manos para seguir cumpliendo con la tarea de preparar obreros y lanzarlos a las ciudades con el fin de que el evangelio realmente permee las ciudades de nuestro mundo.

VICENTE CASTILLO JIMÉNEZ / MTH
Mentor de Liderazgo e Innovación, sobre iglesia saludable en México
Coordinador Internacional de Misión Global Etnic Group en Latinoamérica
Profesor de la Facultad de Teología de las Asambleas de Dios de América Latina
Profesor de Misión Global Etnich GEM
Profesor del CAMAD

Octubre de 2011
Coatepec, Veracruz, México

INTRODUCCIÓN

Las ciudades experimentan una explosión demográfica sin precedente en el mundo. Más de mil millones de personas han emigrado a ellas en las últimas décadas. Este es el movimiento poblacional más grande en la historia humana. Es por ello que hoy las ciudades representan un verdadero desafío de las misiones cristianas. La mayoría vive en un medio urbano, ya sea en asentamientos pequeños o grandes; lo que significa que los ministros y congregaciones locales entiendan la oportunidad que representa el sector urbano. No se puede negar que en este siglo XXI la ciudad es la actual frontera misionera.

El mundo está en constante movimiento pues cada día millones de personas se están desplazando en proporciones sin precedentes de comunidades rurales a los centros urbanos. Esta explosión de crecimiento trae consigo una serie de complejidades que la iglesia y sus ministros deben ver como oportunidad de colaborar con Dios en el cumplimiento de sus propósitos. Los líderes de la iglesia local requieren entender que su ministerio necesita conducirse a la transformación espiritual proyectada a la ciudad y considerar que su importancia es prioridad.

Lo que sucede en la ciudad afecta decisivamente a su nación y por consiguiente a su respectivo continente. Tan sólo en las calles de Nueva York en USA viven 50,000 indigentes, y en las de Bombay en la India, 1.000,000 de personas se encuentran en las mismas condiciones. Este simple hecho es un desafío a la Iglesia. Las ciudades tienen serios problemas y el gobierno no encuentra la respuesta a este desafío; por ello se demanda en las congregaciones cristianas una correcta visión para su comunidad.

La ciudad es lo que produce y la Iglesia no ha entendido eso, pues no está respondiendo a ese desafío evangelístico. La plantación de iglesias urbanas no se ve como una tarea urgente sino como un trabajo de las misiones extrajeras, lo cual retrasa y debilita decisivamente el avance del evangelio en el inicio de este siglo. Mientras que la Iglesia envía misioneros a las naciones más alejadas, Dios envía las naciones a las ciudades. El Salmo 107:1-7 dice que Dios escucha el clamor de los desplazados (los que llegan de otras naciones), y los reúne de todos los rincones de la tierra para llevarlos a una ciudad a vivir.

La Teología Urbana se concentra en las diversas manifestaciones de Dios en la ciudad. Se trata de él moviéndose en la urbe. La investigación realizada en este libro no intenta desprecia o desacreditar todo aquello que el Señor ha hecho en lugares alejados de la civilización. El libro no pretende demeritar la acción de Dios en los hombres y las mujeres rurales, pues la historia de la Iglesia nos demuestra que el Señor se manifiesta en cualquier zona geográfica del planeta. Esta investigación se concentra en aquello que tiene que ver con las acciones de Dios en la ciudad. La materia teológica está entrelazada con el urbanismo, aunque la Iglesia no ha percibido esta relación en algunas etapas de la historia; incluso la de hoy. La Biblia es explícita al describir que el Señor ha estado presente desde siempre en la vida urbana.

Nuestras ciudades actuales son un reflejo de las ciudades bíblicas en cuanto a la manifestación del pecado en sus habitantes, y de cómo Dios actúa para salvarlos. Sodoma y Babilonia son un claro prototipo de las urbes existentes en términos del pecado y la maldad recurrentes en sus calles y plazas; a pesar de ello, la misericordia del Señor es vasta en salvar al individuo urbano. Ante las muestras evidentes de la degradación moral de las ciudades de ayer y de ahora, la Biblia tiene mensajes del quehacer divino en la sociedad de nuestro tiempo.

Pocos son los que llevan a cabo un ministerio integral que beneficie a los que se reúnen en las iglesias locales de la ciudad. Es necesario aplicar estrategias correctas, objetivas y efectivas para expandir el evangelio en ella. Empezando por realizar un escrutinio de la situación urbana y descubrir dónde está el obstáculo que impide realizar la tarea correctamente, sobre todo en aquellas congregaciones que no han sido efectivas en la penetración del evangelio hacia su ciudad.

Para ello, el Espíritu Santo debe guiar el curso de acción en cada iglesia local y en sus ministros, pues su poder es el que transforma realmente la ciudad haciendo uso de los miembros de las comunidades de fe locales.

A pesar de la crisis que se vive hoy en las iglesias por la clara ausencia de una Teología Urbana, ya sea por la miopía de muchos de los involucrados en la propagación del evangelio o por la dureza de corazón, se debe hacer Teología Urbana con efectividad. Iglesias y ministros son responsables de la situación de su respectiva ciudad: *Por la bendición de los justos, la ciudad es engrandecida* (Pr. 11:11). De la participación o pasividad depende la vida y salvación de la ciudad.

1

URBANIZACIÓN Y TEOLOGÍA

U rbanismo procede de la palabra latina *urbus-urbis* que significa ciudad, y en la antigüedad se refería a la capital del mundo romano, Roma. Sin embargo no fue en aquella gran ciudad donde las aglomeraciones urbanas tuvieron su origen. El papel impulsor desempeñado por Mesopotamia sobre los valles del Indo Nilo Amarillo con su influencia sobre la cultura del empleo y desarrollo de tecnología, es inobjetable. Estos eran pueblos regidos por teocracias: la autoridad reinante y sacerdote eran una sola entidad.

De acuerdo a la Real Academia Española con este significado etimológico, el urbanismo es el conjunto de conocimientos que se refieren al estudio de la creación, desarrollo, reforma y progreso de los poblados, en orden a las necesidades materiales de la vida humana. Es una ciencia del diseño, construcción y ordenamiento de las ciudades, es el arte de proyectar urbes, que parte desde la misma conformación de la ciudad, y ésta nace con el carácter social del hombre. Tiene como objetivo el estudio de las ciudades desde una perspectiva total. Enfrenta así la responsabilidad de observar, analizar y ordenar los sistemas urbanos, incorporando conceptos de múltiples disciplinas y aspectos prácticos en un estudio amplio y complejo.

Algunos opinan que el urbanismo debe ser un arte asociado a la arquitectura, mientras que otros señalan que encuadraría dentro de las ciencias sociales. En lo que todos están de acuerdo es en señalar que el urbanismo analiza, desarrolla y aplica una diversidad de herramientas como el diseño urbano, el espacio público, la gestión urbana, los espacios naturales, la planificación urbana y otras actividades para beneficiar a los habitantes de la ciudad.

La palabra ciudad viene del latín *civitas* y es concebido como un conglomerado urbano populoso con una vida civilmente organizada. En tal sentido se vincula con civilización del latín *civilitas* y *civilitais* que significa sociabilidad y urbanidad. El mismo término se relaciona con urbe del latín *urbus* y *urbis* que significa población rodeada de murallas. La palabra viene de *orbis* que significa círculo o superficie circular. Las primeras ciudades se construyeron en forma circular y fueron amuralladas con el fin de defenderse de posibles saqueos y ataques.

El vocablo ciudad también es una traducción de término griego polis de cuyo significado se generaron diversos matices, enfatizándose más el político. En el pináculo del desarrollo de las ciudades griegas, el concepto polis se aplica a un centro político determinante en un territorio sobre el que domina. La ciudad, como un complejo edificado y habitado, con edificios, casas, calles y muros, se contrapone con las áreas rurales compuestas de cabañas o chozas.

El término griego "polis" es tomado moderadamente en el lenguaje historiográfico para indicar aquel particular tipo de ciudad-estado de la Grecia clásica; por extensión también, con "polis" se hace referencia a la ciudad, considerada como estructura política y administrativa autónoma, respecto al gobierno central (Duro, 1989, pág. 974).

El lexicógrafo y latinista italiano Rocci (1998) aporta sobre este concepto y dice:

Polis es traducido por ciudad, y en ese sentido es asumido por Homero, y como tal, aparece en muchos autores griegos e incluso en el Nuevo Testamento, bien matizado (acrópolis, villa), bien determinado algunas ciudades por antonomasia (Atenas, Troya); en genitivo se refiere a ciudad natal o a la patria, y por extensión, a una región o a una isla (pág. 1525).

Por otra parte, la Teología es un conjunto de técnicas y métodos que pretenden alcanzar conocimientos particulares sobre Dios. La etimología de la palabra proviene del griego *theos*, que significa Dios; y logos, que es estudio, razonamiento o ciencia. De esta manera la Teología es el estudio de Dios o el tratado de los hechos relacionados a Él.

La conjunción de ambas disciplinas forma la Teología Urbana, el estudio de Dios en la ciudad o los hechos del Señor en los conglomerados urbanos. Estas ciencias se conjugan para un entendimiento de cómo es que Dios se mueve en la ciudad y sus habitantes, y en dónde encaja la Iglesia.

Fenómeno Urbano

Investigadores señalan que el fenómeno urbano considera las causas y los resultados del aglomeramiento progresivo de la población. El continuo crecimiento de la urbe es provocado por el natural aumento demográfico, por causa de la configuración de poder, el desarrollo económico y la industrialización entre otros factores. Antes de la Revolución Industrial las ciudades importantes en ese momento no sobrepasaban los sesenta mil habitantes, pero después de ese este acontecimiento histórico las poblaciones crecieron hasta convertirse grandes ciudades. En el siglo XVII el 3% de la población mundial vivía en la ciudad, 100 años después se había elevado al 15%. En 1950 el 21% de la población mundial ya residía en las ciudades, y en 1978 el 40% se concentraba en las principales urbes del mundo. En el año 2000 ascendió casi al 80%. En menos de dos décadas el mundo sufrió cambios poblacionales drásticos.

En el apogeo del Imperio Romano se calcula que había 150 millones de habitantes en el mundo. Cincuenta millones vivían en torno al Mediterráneo, cincuenta más en China, y el resto estaba dispersos por todas las zonas del globo terráqueo. La población necesitó de varios siglos para duplicarse. En el siglo XVI alcanzó los 500 millones de habitantes; y es en este punto de la historia de la humanidad que el crecimiento comenzó a acelerarse. En los siguientes 200 años llegó a 600 millones. En 1800 creció a mil millones, para 1930 ya había alcanzado los dos mil millones y en 1960 los tres mil millones de personas poblaban la tierra. Para 1999 la aceleración se disparó llegando a seis mil millones en el planeta.

Al término de la segunda guerra mundial la geografía urbana adquiere relevancia, pues antes de 1910 el concepto geografía urbana era desconocido en el mundo, pero en Francia, P. Meuriot presenta su obra llamada *Aglomeraciones urbanas en Europa contemporánea*. A este escritor se suman los estudios de diversos autores como el geógrafo alemán Friedrich Ratzel, que si bien no fundó la geopolítica, fue uno de sus mayores exponentes, reflexionando sobre las relaciones existentes entre espacio geográfico y población, e intentó relacionar la historia universal con las leyes naturales, creando con ello el concepto de espacio vital. Consideraba al Estado como un organismo y afirmaba que el espacio vital era necesario para garantizar la supervivencia de un estado frente a través de la lucha o la competencia. Jean Brunhes geógrafo francés en su obra *Principios de geografía humana de Francia*, señala que la ciudad se caracteriza porque su habitantes permanecen la mayor parte del tiempo dentro de ella, en oposición a los habitantes de los pueblos rurales.

En 1907 el geógrafo, lingüista e historiador alemán Otto Schluter presenta su obra *Paisajes*. En ella define la geografía del paisaje, especialmente en el primitivo y por ello es considerado el padre de la geografía urbana. Dentro de esta disciplina se desarrollan dos consideraciones básicas; primero, la perspectiva externa que estudia la ciudad en relación con el área geográfica donde se encuentra asentada; ya sea a las faldas de un volcán, a la orilla de un río, en una meseta, en un valle, cerca del mar o en el desierto. La segunda perspectiva es la interna que estudia a la ciudad como un sistema, es decir, el aspecto interurbano: su gobierno, su economía, la idiosincrasia de sus habitantes, el diseño como algunos de los componentes del sistema.

La geografía urbana busca comprender los espacios y sistemas que conforman la ciudad, además de intentar explicar las relaciones internas y las que se generan con otros núcleos urbanos. Estudia el crecimiento urbano y demográfico, los territorios al interior de ésta, el desarrollo desigual, los núcleos industriales, la dinámica de los espacios internos como las calles, los barrios, las áreas comerciales y los polos de desarrollo. Todo esto hace que en la medida del crecimiento de la ciudad se dé el fenómeno urbano.

Infinidad de circunstancias han dado lugar al origen de las urbes; como el paso de la vida nómada a la sedentaria, que llevó al surgimiento de los primeros asentamientos humanos conformando así los primeros pueblos. Sus habitantes se dedicaron a una diversidad de actividades que fueron desde la producción agrícola y tecnología avanzada, hasta estructuras de poder bien establecidas. De esta manera el proceso de urbanización comprende tanto el aumento de la población como la expansión de las áreas edificadas.

Actualmente, cuando una ciudad sobrepasa el millón de habitantes se le llama Metrópoli. Cuando varios centros urbanos se juntan por el crecimiento de la mancha urbana se cataloga conurbación. Cuando una conurbación une varias metrópolis el fenómeno se denomina Megalópoli, concepto acuñado por el geógrafo francés Jean Gottman en 1960. El nivel y crecimiento de la urbanización difieren según la región. Existe una diversidad de criterios para definir la ciudad, tal como el histórico, que se aplica a aquellas que tienen un largo pasado; que es como una especie de derecho adquirido que le ha dado su persistencia en el tiempo. Algunos ejemplos son Londres, Roma, Río de Janeiro, Dubái, Lima, Tokio y México.

Otra de las razones es el fisonómico que tiene en cuenta el paisaje mismo de la ciudad, pues cada una tiene su estética y dicha apariencia externa se traduce en el género de vida urbana que concentra un activo comercial, transporte y movimiento. El concepto numérico se aplica de acuerdo al número de habitantes de una ciudad (cabe señalar que este no tiene validez universal, pues cada país establece sus propios criterios). Un último elemento es el funcional, es el más reconocido y aceptado de todos porque tiene en cuenta la actividad que desarrollan sus habitantes, ya sea industrial, comercial o de servicios, exceptuando el ramo agrícola.

Entre los años 1750 a 1850 la Revolución Industrial generó la proliferación de industrias en las ciudades europeas y norteamericanas, y el crecimiento se dio rápido debido a dos factores. Primero, los movimientos de migración del campo a la ciudad. Segundo, el desarrollo del transporte y de las transacciones comerciales. Ejemplo el ferrocarril y los barcos de vapor que favorecían el intercambio de mercancías y las nuevas rutas comerciales. Así se fomentó la consolidación de una nueva economía, creando patrones de vida y consumo que hasta hoy existen.

A partir de entonces surgió una constante preocupación por el estudio de las cuestiones urbanas, consideradas en ángulos distintos y con una perspectiva multidisciplinaria. La sociología, la estadística, la geografía física, la cartografía, la aerofotogrametría (sistema de medición de áreas basado en la fotografía tomada desde el aire o el espacio), la psicología social, la economía, el urbanismo, la medicina, la agrimensura (rama de la topografía destinada a la delimitación de superficies, la medición de áreas y la rectificación de límites), y la historia son las disciplinas que participan en los estudios sobre los problemas de la ciudad. Aunque siempre ha sido objeto de estudio, es en el siglo XXI que adquiere mayor importancia.

El crecimiento urbano se ha dado con mayor rapidez al principio del siglo XXI. Esto es el resultado de tres fases: Primero, el crecimiento económico, segundo, el incremento natural o crecimiento vegetativo; es decir, la inmigración rural-urbana, interprovincial, internacional e intercontinental; y tercero, por la decisión política, pues algunas ciudades han sido creadas por los gobiernos que quieren quitarle carga a sus grandes urbes. Un ejemplo de ello es la ciudad de Brasilia, que fue construida en 1965 y cinco años después, en 1970, oficialmente se convirtió en la capital de Brasil y para el 2007 tenía 2.455,903 habitantes. Brasilia es considerada una de las ciudades con mayores tasas de crecimiento en su país, su población se incrementa en promedio un 2.82% al año.

Otra ciudad es Yamusukro en Costa de Marfil, que desde 1983 es la capital administrativa del Estado en sustitución de Abiyán. Según el censo de 1998, Yamusukro tenía 155,803 habitantes, ocho años después, en el 2006, su población ya contaba con 200,103 habitantes. Una tercera ciudad es Astaná capital de Kazajstán, que en su desarrollo atrajo trabajadores y es un imán para los profesionistas. La migración produjo un cambio en su demografía; en el 2002 su población era de 277,000 y en el 2009 se elevó a 700,000 habitantes. Según cálculos se estima que en poco tiempo el millón de personas vivirán en esta ciudad.

El fenómeno urbano ha traído una serie de problemas a la ciudad: aumento demográfico, el brutal consumo de recursos naturales, la pobreza que se extiende despiadadamente en la mayoría de sus habitantes, la contaminación ambiental ha afectado alimentos, al agua potable, y ha acelerado el terrible cambio climático. La ampliación de la brecha entre las naciones desarrolladas con relación a las subdesarrolladas ha generado una deuda económica mundial descomunal. Esto hace que la ciudad modifique profundamente su entorno y su futuro. Transforma los ciclos biológicos y naturales con los consecuentes desequilibrios a medio y largo plazo que en muchos casos son irreversibles. Los problemas sociales que más afectan al citadino incluyen el desempleo, la pobreza, el transporte público, la falta de vivienda, la violencia, la inseguridad, la inoperancia en la limpieza en las calles, el hacinamiento, la burocracia municipal y el narcomenudeo.

La calidad de vida de los habitantes de las periferias empeora aún más cuando invierten un porcentaje alto de su tiempo en trasladarse de sus hogares al trabajo y a los lugares de servicio. Se generan excesivos movimientos de personas y mercancías que ocasionan problemas de tránsito, lo que a su vez obliga a tener cada día más amplias vías de comunicación, grandes espacios de estacionamiento, complejos y caros sistemas de transporte público y vigilancia policial.

Todos estos problemas aumentan en la medida que la misma ciudad crece y paradójicamente, ésta concentra pobreza pero también representa la mejor esperanza de escapar de ella. Las ciudades modernas son fundamentalmente pobres. Actualmente más del 80 % de la población habita en ciudades y los niveles de pobreza se sitúan alrededor del 80 %, con un 35 % considerado como crítico. Aunado a ello la degradación, la promiscuidad, la violencia, el abandono, el desorden público, la soledad y las enfermedades, se han vuelto aspectos cotidianos en la vida de las ciudades modernas.

En la segunda década del siglo XXI el ser humano enfrenta una era urbana con el mayor peso demográfico que se concentra en la ciudad. Este fenómeno urbano ocurre de forma tan masiva y acelerada, que la capacidad de respuesta que requiere es inalcanzable para muchas de las naciones que lo enfrentan. La tendencia es irrefrenable y tiene lugar en países asiáticos y africanos, aunque América Latina ya no es ajena a esta manifestación galopante.

Las estadísticas indican que las diecisiete ciudades de más rápido crecimiento se encuentran concentradas en tres continentes: el africano representado por el Cairo en Egipto; del asiático, con Tokio, Shang, Calcuta, Bombay, Seúl, Pekín, Tianjin, Yakarta, Nueva Deli y Manila; del americano, México, Sao Paulo, Nueva York, Los Ángeles, Buenos Aires y Rio de Janeiro. Se estima que estas ciudades reciben más de 600 personas por día. Si no se toman las medidas correctas cada una de ellas confrontará violencia urbana, mayor proliferación de asentamientos humanos precarios, saturación habitacional y una terrible falta de servicios sanitarios sin precedentes.

La ONU ha señalado que en las primeras tres décadas del siglo XXI la población urbana de Asia pasará de 1,360 millones de personas a 2,640 millones; la de África, de 294 millones a 742 millones; la de América Latina y el Caribe, de 394 millones a 609 millones. El número de residentes en las principales ciudades prácticamente se habrá duplicado.

El programa The Urban Age (Urban Age) señaló en el 2010 que la ciudad de México y Sao Paulo son dos ciudades latinoamericanas que están dentro de la lista de las veinte urbes que más rápido crecerán en los próximos años. Esta lista la encabeza la ciudad nigeriana de Lagos que, según los cálculos, de 2010 a 2015 recibirá cincuenta y ocho nuevos pobladores cada sesenta minutos. En seguida se ubican Dhaka, en Bangladesh, luego Mumbai, en la India; después Karachi, en Paquistán; y le sigue Yakarta, en Indonesia. La ciudad de Sao Paulo se ubica en el puesto trece con veinticuatro nuevos pobladores por hora y la ciudad de México en el décimo quinto lugar con veintitrés nuevos residentes cada sesenta minutos. China es el país que presenta cifras descomunales. Se calcula que unos 200 millones de campesinos chinos se trasladaron del área rural a las ciudades en los últimos veinte años. El estudio señala que para el 2020 otros 300 millones se mudarán a las principales ciudades de esta nación asiática.

Los expertos han llamado al fenómeno urbano la segunda ola. Sustentan su afirmación señalando que el primer aumento poblacional se dio en Europa y América del Norte entre 1750 y 1950. La combinación de la industrialización y los avances tecnológicos generó un crecimiento sostenido. Ahora dicen, la nueva ola de crecimiento tiene dos diferencias sustanciales con respecto a la primera; en el pasado la migración hacia el extranjero mitigó la presión en las ciudades en Europa, situación que hoy no se da debido a la política restrictiva que muchas naciones han aplicado.

Durante la primera transición, la población urbana pasó del 10% al 52%, lo que en términos numéricos significó que de 15 millones de pobladores pasó a 423 millones. Tan sólo en la década de los 50 las ciudades ya tenían 309 millones de pobladores. En ochenta años la población urbana pasó del 18% al 56%. Pero en esta segunda ola, se calcula que para el 2030 las ciudades contarán con una población de 3,900 millones de habitantes. Es por ello que la iglesia del Señor debe tomar con seriedad esta situación social, y convertirla en motivo de estudio porque es donde se está generando la historia de la humanidad.

La vida del ser urbano

En este siglo la humanidad se encamina a enfrentar una crisis social que pondrá a prueba la totalidad de su infraestructura. Un factor más para este panorama estriba en el campo espiritual; la ciudad se convierte entonces en un reto para las comunidades de fe cristianas. La evangelización masificada no ayuda a resolver con efectividad los problemas críticos de los habitantes de las grandes urbes. Por mucho tiempo los ministros e iglesias han estado obsesionados con el crecimiento sin tomar en cuenta las necesidades personales del individuo, subestimado así los peligros de la despersonalización que esto acarrea. Erróneamente las iglesias han aplicado un sistema burocrático y empresarial a su tarea ministerial alejándose de las necesidades básicas del individuo pero más lamentable aún, distantes de la perspectiva bíblica.

La urbe deshumaniza hasta llegar en algunos casos a la pérdida de apreciar la dignidad humana. Esto inicia generalmente con el anonimato, el individuo que habita las ciudades del mundo moderno sufre de absoluta soledad; y ésta sensación es la que le oprime y acongoja. Un profundo sentimiento de superficialidad y hostilidad se genera en su ser. La carencia de afecto y marginación son otras experiencias que vive. La alta demanda de objetivos laborales y la producción de resultados constante generan en los individuos una falta de amor y apego por la urbe.

En la ciudad el individuo vive en constante tensión y contradicción mostrando un carácter que no tiene, se mueve entre lo que aparenta ser y lo que no es; ocultando lo que quiere y lo que en realidad desea obtener. Se esfuerza en presentar una imagen ante los ojos de los demás. Teme al fracaso; vive en permanente inseguridad. Entonces las supersticiones toman el control de su estilo de vida. Trata de ahogar sus temores en vicios y diversiones superfluas, generándose una multiplicidad de estilos de vida inadecuada y en algunos casos lo lleva al suicidio. Cansado de vivir una vida vacía, recurre al escapismo.

No pocas personas están cada fin de semana a la búsqueda de mecanismos que les hagan olvidar su situación, por lo que el alcohol, las drogas, las diversiones, las relaciones ilícitas, las redes sociales y demás actividades son acciones recurrentes. La ciudad alberga cientos de individuos que han migrado de otras regiones buscando sus propias realizaciones que generalmente se encuentran desfasadas. Al estar alejados de su grupo social de influencia natural, el individuo es libre de experimentar actividades novedosas sin importar cuán peligrosas puedan ser. Es así como a consecuencia de los problemas, el sufrimiento, los sacrificios y las múltiples necesidades, aprende a oír diversas voces que al mismo tiempo lo conducen a un estado cada vez más confuso.

El individuo urbano es al extremo vulnerable a los engaños masivos mediante una esperanza falsa, esto causa que a menudo se convierta a una ideología, filosofía o fe idolátrica. La ciudad lo intensifica todo, incluyendo la devoción a falsos dioses y a los cultos novedosos, y peligrosos. Las ciudades antiguas eran construidas alrededor de un lugar de adoración donde un dios particular era motivo de adoración. Hoy sucede lo mismo. La ciudad es vista como la residencia del dios y se dedica a él. Ídolos como el sexo, el dinero, el poder, la religión popular, el placer y hasta individuos carismáticos son adorados. No es sorprendente que cristianos llegados de áreas rurales a la ciudad dejen el Evangelio en pos de estos dioses señalados.

El hombre y la mujer de la urbe son verdaderamente religiosos. Esta es la razón de por qué los conceptos religiosos y las nuevas ideas fueron claves en las ciudades occidentales desde sus inicios, pues precisamente las urbes van a la vanguardia en materia de nuevas ideas del pensamiento humano, filosófico, político y religioso; donde toda nueva corriente toma forma y se anida en el corazón de sus habitantes. Es en la ciudad donde la gente se empapa de la incredulidad y también hace de ella su religión. El Señor permitió la creación de la ciudad para que fuera un centro de adoración además de ser un punto de contacto de satisfacción de necesidades, pero es innegable que es más fácil que la idolatría creada por el hombre se refuerce en ella.

La diversidad de la ciudad bajo el control del pecado por lo general crea un ambiente de clasismo, racismo y violencia, donde miles de personas se trasladan para practicar la promiscuidad en todas sus vertientes que en su anterior entorno social y rural es proscrito. Ocurre porque la ciudad aplica excesiva tolerancia y este hecho ha generado que las personas se tuerzan llevándolos a crear su propia moral con absoluta confusión.

Como Babel, cualquier ciudad que practica del pecado experimenta confusión. Así las estructuras sociales de la urbe llegan a sustentarse en la mentira, la violencia, la promiscuidad, las relaciones ilícitas, los temores, los falsos valores, la soledad y la corrupción. Lo cual se vuelve común en todos los sectores sociales, laborales, políticos y religiosos, y están tan presentes en la vida de las instituciones que son vistas como normales. El núcleo familiar no escapa a estas devastadoras actividades.

Existe una relación muy estrecha entre el pecado y la ciudad, ya que el pecado abunda en las urbes donde se acumula la injusticia y el abuso entre millares de individuos desorientados y perdidos en el océano de la duda. Las personas difícilmente se comunican entre ellos, todo esfuerzo por desarrollar unidad es nulo porque cada uno desarrolla su propio vocabulario y vida moral. Sin embargo, mientras que otros desprecian la ciudad debido a la diversidad cultural, la iglesia disfruta de esta riqueza humana. Cada comunidad de fe requiere ser una constructora de cultura basada en la verdad bíblica y de una vida ejemplar que influya sostenidamente en la ciudad.

Desde la perspectiva espiritual la realidad es que el reino de Satanás tiene una influencia poderosa en las ciudades y el pecado se ha enseñoreado de ellas. Ante esta realidad la iglesia no puede tomar la postura de observador. Las comunidades cristianas locales tienen que desarrollar mejores ministerios y programas; ministros con mentalidad y capacidad urbana; más recursos teológicos. Buscar mejores formas de manifestar y expresar la palabra de Dios. La urbe se ha convertido en el desafío actual de la Iglesia. Si la ciudad es ganada con el evangelio el porvenir será promisorio. Quien alcance la ciudad influirá decisivamente en el futuro de sus habitantes.

Preocupación por la ciudad

La proliferación de la ciudad es el resultado de una serie de acontecimientos importantes, como el colapso de los bloques políticos y poscolonialismo, la migración masiva, los medios de comunicación electrónicos, redes sociales y la pronta recuperación de la crisis económica. ¿Qué puede hacer la iglesia ante necesidades y desafíos como estos? ¿Cómo dio solución la iglesia primitiva a los problemas urbanos de su tiempo? ¿Qué hizo la iglesia de Antioquía por el Imperio Romano? Muchos de los observadores seculares al anticiparse a las próximas décadas del siglo XXI sólo ven desastres colosales. Pronostican una catástrofe ambiental y avizoran que las principales fallas de las políticas gubernamentales se solucionarán con un gobierno mundial. ¿Acaso no es esto lo que Apocalipsis 13 señala?

Los discípulos de Jesús no pueden continuar sentados en las bancas de su templo con la Biblia en sus manos o con las manos levantadas en una reunión de adoración o con los bazos cruzados esperando que suceda lo peor. La Iglesia necesita manifestar su interés y amor por la ciudad para continuar la tarea de la Gran Comisión. Tanto las mega-iglesias como las iglesias en cierne o los grupos de casa, cuentan con todas las herramientas para influir a sus vecinos, y por ende a la ciudad.

Todo esfuerzo evangelístico sustentado con oración es el fundamento para alcanzar la ciudad. Grupos de creyentes que realizan viajes misioneros en las zonas pobres de la ciudad para servir (alimentación, limpieza, medicina), enseñar (alfabetización con o sin la Biblia), construir o reparar (caminos, cobertizo, muebles, otros), abren los corazones de los individuos urbanos. Esta es una forma de ponerse en contacto con la ciudad; es fomentar y participar en eventos del ministerio durante estos viajes misioneros a su propia ciudad. Cada urbe contiene numerosas distracciones pero en medio de la multitud bulliciosa y a pesar de ello manifiesta grandes necesidades. Como la mujer sirofenicia que no le importó recibir las migajas de la gracia de Jesús, mucha gente ansía un mensaje de esperanza. No importa el nivel educativo de las personas o si viven con nuevos parámetros de ética, la iglesia es un embajador de Jesucristo y ha de estar preparada para dar respuesta de la razón de la esperanza que tiene en Dios (1 P. 3:15). En la ciudad la auténtica evangelización es profundamente dependiente de una hospitalidad genuina.

Jesús llora por Jerusalén, la ciudad amada. Amó a la gente de ella: fariseos, publicanos, políticos, artesanos, prostitutas, indigentes, empresarios, niños, teólogos, amas de casa, profesionistas, militares, sicarios y demás. Se acercó a ellos con el propósito de mostrar el amor del Padre. Su mensaje fue dirigido a las ciudades de Corazín, Capernaum, Bethsaida, Tiro y Sidón (Lc. 10:13), porque su amor por los habitantes de las áreas urbanas con toda su pluralidad cultural y religiosa, a pesar de su inmoralidad e idolatría, lo movía a la compasión. *La voz de Jehová clama a la ciudad* (Miq. 6:9), así anuncia el profeta el castigo por la injusticia que prevalecía en Judá.

El Señor fue consciente del individuo fiel en Sodoma. Aseguró que los miles de ninivitas recibieran la reprensión de boca de Jonás a fin de que se arrepintieran de sus malos caminos. Al igual que un pastor se dedica a servir en una iglesia en particular, un misionero va a un grupo de personas no alcanzadas, Dios se asegura que hombres y mujeres tengan su corazón y amor para que cumplan su misión en una ciudad determinada. Urge que la iglesia presentarse ante la urbe con la respuesta que los hombres necesitan.

La congregación no es un ente estático, sino una entidad dinámica, de flujo permanente y constante. Asume un carácter profético que denuncia el pecado y la injusticia social; realiza una obra sacerdotal en la restauración de corazones; brinda un servicio para cientos de ovejas perdidas, y necesitadas. La Iglesia no puede mantenerse al margen de ninguna necesidad de los grupos urbanos, de su calidad de vida, de su salud y del la atención comunitaria para las personas sin hogar, discapacitados, imposibilitados y sin esperanza.

Teología Urbana

La tarea de la teología cristiana siempre se hace en el contexto del pensamiento de la iglesia y de su propósito. Recientemente teólogos han puesto más atención a los contextos sociales y culturales urbanos, siguiendo el ejemplo de Jesús al enfocar su atención al fenómeno urbano. El capítulo diecisiete de Mateo presenta una situación común en muchos cristianos actuales; Pedro, Santiago y Juan son testigos de una epifanía. Alejados de los tumultos de la ciudad ven a su maestro acompañado de Elías y Moisés. Allí experimentan la gloria, vislumbran la relación que tienen con la Palabra, la Ley y los Profetas. Los tres discípulos piden permiso a Jesús para hacer tiendas donde puedan permanecer en un aislamiento sublime, pero Jesús rechaza ese retiro en la montaña. Ellos tienen que dejar su epifanía y seguir a Jesús a la ciudad para predicar el Evangelio; pues aunque en todos los sentidos es menos problemático vivir fuera de ella, Jesús enseña en su ministerio la necesidad de ir a la ciudad y no limitarse al enajenante paisaje campirano.

El tema de la ciudad es recurrente en toda la Biblia y se ve en las páginas subsiguientes. Hace teología del individuo y de la comunidad y describe que el inicio del desplazamiento humano se da en la edificación de una ciudad. En el Antiguo Testamento las migraciones son propias de aquellos que buscan una urbe como en el caso de Abraham. El Génesis señala que José es un líder urbano por la fuerza de las circunstancias. La mamá de Moisés junto con las mujeres de su época enfrentaron una lucha social urbana. El sacerdocio del Antiguo Testamento es una institución absolutamente urbana ya que está al servicio de casi tres millones de seres humanos en un desplazamiento épico. Los libros históricos identifican veinticinco tareas urbanas como abogados, médicos, militares, panaderos, herreros, albañiles, constructores, diseñadores de ropa y calzado, carpinteros, ebanistas, arquitectos y otros.

Rut es una historia de esperanza (inmigrantes), en otra ciudad. Nehemías y Esdras son personajes dedicados a la construcción de la ciudad. Los dos libros de Crónicas son reflexiones sobre líderes urbanos. Las canciones y poemas de Sión son urbanos; hablan de la vida eterna y de ello dan testimonio los Salmos. Isaías tiene la visión de cómo es la ciudad de Dios. Jeremías es en realidad una carta dirigida a las familias urbanas y Daniel es una respuesta a esta misiva. Ezequiel escribe pensando en las familias urbanas desplazadas y el tema mayor de los Profetas Menores son las ciudades.

En el Nuevo Testamento Jesús es descrito como un ávido lector urbano que va de ciudad en ciudad dando solución y respuesta. El evangelio y la misión tienen un compañero: la lucha social (lucha por la justicia) y la rectitud. Hechos desarrolla una descripción del avance y la expansión del evangelio en el entorno urbano de las ciudades del Mediterráneo. Del Pentecostés al mundo entero es la historia de una ciudad, Jerusalén, a otra ciudad, Antioquia. Los viajes de Pablo son los de un misionero urbano y las cartas como elemento de comunicación tecnológica son usadas para fortalecer la fe de los nuevos creyentes y enfrentar los embates de las falsas doctrinas. Las cartas dirigidas a los creyentes de Filipos y a los de Colosas hablan de dos espiritualidades urbanas diferentes. Filemón retrata el drama de la nueva evangelización urbana en torno a los esclavos. El escritor de Hebreos revela la etnicidad en la iglesia urbana. Judas señala los personajes y las filosofías de la ciudad intentando penetrar en la iglesia urbana. Apocalipsis, el fin de los tiempos, retrata que el fin de la iglesia será urbano; en la ciudad llamada la Nueva Jerusalén. Por ello la ciudad es un tema preponderante en toda la Biblia.

Aunque la historia del hombre inicia en un jardín, ésta termina en un área urbana: la Nueva Jerusalén. Por ello la Biblia necesariamente debe ser guía para desarrollar una teología de la ciudad. En Génesis se describe la creación de todo, siendo el hombre el clímax de la tarea divina. Dios crea la tierra pero al hombre le ordena dominarla (2:15). El Señor lo faculta para trabajar y construir la civilización y la cultura. Recibe la orden de cuidar el Edén, multiplicarse y llenar la tierra. Adán es hecho para rendir gloria a su Creador, dentro de este diseño lleva implícito formar cultura y construir la ciudad, es el plan inicial de Dios. El Edén tiene la finalidad de que Adán funde una ciudad dónde los hombres rindan culto al Señor pero el pecado del hombre arruina el proyecto de esta futura ciudad. Los primeros padres son expulsados del huerto y comienza a generar una tensión entre la ciudad de Dios y la ciudad del hombre.

Los profetas del Antiguo Testamento no muestran prejuicios ni aceptación por la ciudad. Mencionan varias ciudades en sus mensajes de juicio, pero su enfoque es hacia las naciones. Ejemplo de ellos está en los capítulos 13 al 23 del libro de Isaías. El profeta da una serie de mensajes sobre las ciudades de Babilonia, Asiria, Filistea, Moab, Damasco, Etiopía, Egipto, Duma y otras más: y lo hace en función de las naciones que representan. Los profetas del Antiguo Testamento pronuncian mensajes que son pertinentes para una teología bíblica de la ciudad. Isaías 1:10 usa a Sodoma y a Gomorra como símbolos de maldad aplicados a Jerusalén, es enfático al manifestar que la ciudad de Jerusalén se convirtió en una ramera (1:21). De Babilonia profetiza que nunca más será habitada (13:20) y de Damasco que confrontará la destrucción inminente (17:1).

El profeta Jeremías anuncia la destrucción de Jerusalén (6:1), predice su caída ante Babilonia (20:5; 38:3) y que se convertirá en un montón de ruinas (51:37). Ezequiel dice que Dios puso a Jerusalén en medio de las naciones, pero que ella desechó sus decretos y sus mandamientos (5:5-6). En los capítulos 27 y 28 habla de Tiro como una ciudad orgullosa por todo su comercio internacional y su riqueza, a pesar de ello, será destruida (27:36). En medio de toda esta predicación apocalíptica Ezequiel profetiza esperanza (36:33; 48:35). Sofonías señala que Jerusalén es la ciudad rebelde (3:1), pero alcanzará misericordia y gloria si se arrepiente (3:16, 17). El profeta Zacarías habla de un día cuando la ciudad de Jerusalén será la ciudad de la Verdad (8:3). En relaciona a Jerusalén cada una de las profecías bíblicas manifiesta tiempos gloriosos sustentada en la obra del Mesías como lo señala Zacarías 12:10.

La ciudad tiene origen en Dios, la Biblia lo presenta como diseñador, instructor y creador de la idea de la ciudad. Aunque en ésta se manifiesta el pecado y sus efectos son desastrosos, Dios manifiesta amor a sus habitantes. No la abandona, más bien desarrolla un plan para traerla a su estado y diseño original. En ella, provoca la reconciliación, se manifiesta como el Dios viviente y recibe la adoración de los redimidos. La ciudad no debe ser considerada como una invención malvada del hombre, como algunos erróneamente lo han creído. El Señor diseña la ciudad para dársela al hombre como su regalo para que viva en ella en paz y bajo su bendición. Hoy continúa siendo un lugar donde Dios protege y mantiene sus promesas a los que le creen.

La urbe ha sido definida como tal desde muchos criterios y diversas perspectivas. El número de habitantes, los servicios que ofrece, la industrialización que desarrolla, su administración y política interna, y el área geográfica han sido factores que determinan su categoría como tal. Aunque los anteriores conceptos no tienen parámetros iguales en el mundo. Cada Estado y gobierno establece sus requisitos para definir quién alcanza el título de ciudad. No hay elementos básicos y específicos, ni criterios estandarizados que definan qué es una ciudad. No existe un lineamiento universal para señalar una urbe como tal. De acuerdo al área geográfica, cultura, nación, sociedad e historia de cada grupo social debe aceptar lo que clasifiquen como ciudad.

A la ciudad urge confrontar con la predicación del evangelio. La Iglesia no puede substraerse a la tarea de proclamación, pues para Dios la ciudad ocupa un lugar importante en el plan de salvación. Es un lugar privilegiado para la evangelización que plantea nuevos retos al ser y al quehacer de la Iglesia; por ello se demanda la capacidad de planificar, seleccionar recursos humanos y financieros, enfocar necesidades y fijar metas realistas. La Iglesia debe hacer uso de las ciencias sociales y aplicar una metodología para el estudio del fenómeno de la ciudad. Es importante que desarrolle y aplique un análisis teológico para llevar a cabo una planeación estratégica. Sólo entonces estará capacitada para ofrecer una visión general del fenómeno urbano, realizar un análisis fundamentado de aspectos específicos de su realidad urbana y ser capaz de llevar a cabo una reflexión teológica sobre su propia ciudad.

Las ciudades son el ápice de la creatividad e ingenio humano, la consecuencia concreta de que somos hechos a la imagen de Dios: no olvidar que el Señor es Creador. El ser humano refleja a su Creador y como tal crea cultura, arte, arquitectura e infraestructura en beneficio de la ciudad. Manifestando con estas actividades la necesidad humana universal de comunidad: la ciudad es la culminación visible de esta realidad. Por ello, la urbe donde se vive no debe ser minimizada o abusada. Tampoco se tiene que intentar salir huyendo de ella. Hay que abrazarla como un regalo que Dios ha dado para manifestar su gloria en ella.

Si alguien no ama la ciudad donde se encuentra y no está contento en la ciudad donde vive, es un estorbo al propósito que el Señor tiene para ella. Habría que salir de ella y dar nuestro lugar a quien realmente ame la ciudad. Tristemente la iglesia ha descuidado su entorno urbano en las últimas décadas, y la situación en la que se encuentra tiene mucho que ver con la indiferencia que las comunidades de fe han tenido.

Jesús comparó a la Iglesia con una ciudad edificada en una colina (Mt. 5:14). Con ello señala que la Iglesia es una comunidad homogénea puesta en lo alto. Tal vez la metáfora abrume a algunos por el concepto que tienen de la ciudad, pues en ella se manifiesta mucha deshonestidad, lo cual no es buena influencia para la comunidad. Sin embargo, Jesús usa la imagen de la ciudad como la comunidad donde se aprende a sanar al herido y se da esperanza al agobiado. Somos desafiados a crecer en el amor de Dios en el entorno de la ciudad. Una iglesia que no ama la ciudad, ni busca ser una comunidad transformadora dentro de la urbe, no es portadora de propósitos divinos. No puede estar satisfecha con sólo reflexionar de las crisis urbanas. Está dentro de ella y debe tomar una actitud correcta y definida que realmente la transforme.

Apocalipsis 18 señala que la ciudad es un lugar donde se manifiesta el arte y la música (v. 22), se dan actividades laborales y artesanales (v. 22), el comercio se genera (v. 23), los adelantos tecnológicos se producen (v. 23) y donde se encuentra el hogar (v. 23). Es centro de progreso y atrae a todos tipos de personas talentosas y ambiciosas, las que son fuertes y las débiles. Juzgar a la urbe intrínsecamente como malvada es incorrecto, Dios no la ve así. No se niega el poder e influencia, y el tremendo mal que ha generado; pero también es el lugar donde cientos de hombres y mujeres pueden encontrar la salvación en el entorno de una congregación comprometida.

Dios está involucrando en las ciudades del mundo, las conoce y sabe quién es cada una de las personas que habitan en ellas. Para ser realmente eficaces como cristianos deben apreciar la cultura, pero no permitir que la cultura controle su estilo de vida. Aunque la actitud general hacia la ciudad es negativa, pesimista y de absoluta desesperación, la iglesia debe ser intacta ante estas influencias. Aquellas comunidades de fe locales que se dejan influir con estas ideas no podrán evitar que sus templos se vacíen y su feligresía salga huyendo en busca de paz y tranquilidad. "La empresa misionera cristiana no ha desarrollado planes y estrategias dirigidas a las grandes urbes. Esto ha contribuido a que la influencia y el avance del Evangelio no se manifiesten en la ciudad" (Greenway, 1980, pág. 18). El prejuicio antiurbano de la Iglesia ha estorbado la efectividad de su misión.

El mensaje del Señor a través del profeta Jeremías es claro: *No busquen destruirla ciudad, no salgan huyendo de ella, determinen construirla, busquen su bienestar y oren por ella porque es el lugar donde el Señor los ha puesto* (Jer. 29:4-7). Es sumamente importante que cada ministro y cristiano que vive en la ciudad esté convencido que es el lugar donde el Señor lo ha puesto. La iglesia debe contemplar más allá de los males de la ciudad, ver la belleza y lo bueno que puede dar. Sin la ciudad ministros y cristianos no disfrutarían las oportunidades de desarrollarse, por ello se necesita clarificar sus prioridades. La aplicación y desarrollo de la misión urbana puede satisfacer las demandas bíblicas y las necesidades de la ciudad. Aunque la urbe es compleja, pues se ha identificado con la confusión, la rebelión, la infidelidad y la injusticia, convirtiéndose en símbolo del mal, la Iglesia nació en ella y puede transformar su entorno social con el poder de la Palabra. Tiene una misión en y para la ciudad, y es en ella donde la gloria de Dios se manifiesta por medio de la Iglesia.

A pesar del pecado de la urbe Dios tiene un plan de rescate para ella. Envía ministros a presentar el camino de salvación, denuncia aquello que está equivocado, toca a las personas y generar su poder para transformar. La presencia de Pablo en Tesalónica es un testimonio del trato de Dios con la ciudad. Era un puerto importante y un centro comercial en constante movimiento; tenía aproximadamente 200,000 habitantes. Muchos de ellos estaban envueltos en cultos paganos. Dios se enfoca en esta ciudad como lo describe Pablo porque tiene amor por ella (1 Ts. 1:1-10), y este amor sigue vigente por cada ciudad del planeta en la actualidad.

La iglesia local juega un papel preponderante en el desarrollo de la teología urbana como lo señala el pasaje bíblico antes mencionado; y no sólo de la ciudad, sino también de su perímetro cercano. La iglesia de Tesalónica fue un modelo para las comunidades de fe locales de otras regiones (1 Ts. 1:7). Una ciudad pagana como Tesalónica se convirtió en el centro evangelístico donde partió el mensaje del evangelio aun buen número de zonas urbanas (1 Ts. 1:8). Sin importar el tamaño de la urbe, y aunque el pecado ha asentado su influencia, es a ellas que el Señor envía hombres y mujeres para establecer iglesias locales, desarrollando así una teología urbana, aún sin pretenderlo. Dios actuando a favor de la ciudad por eso necesita creyentes realmente comprometidos con esta tarea. Rastrear la actividad de Dios en la ciudad a lo largo de la Biblia revela que su interés y enfoque es urbano. Si no es éste el único, si lo es de los más importantes.

2

ORIGEN BÍBLICO DE LA CIUDAD

La responsabilidad de la Iglesia urbana es hacia la ciudad y requiere acciones concretas porque es el lugar donde un gran número de cristianos habitan y desarrollan sus actividades. Esta responsabilidad exige que se involucren en las complejidades de la urbe y generen bienestar; sin perder el enfoque principal de ganar a otros para Cristo. Urge desarrollar una teología urbana que sea práctica y bíblica, y para ello se necesita conocer cómo el Señor plasma el tema de la ciudad en la Biblia. La palabra hebrea para ciudad es *aw-yar* que literalmente significa. Esta palabra se deriva de la raíz en el hebreo primitivo que significa abrir los ojos, levantar, erguir y despertar. La raíz se relaciona a su vez con descubrir, despojarse y desvestir.

No debemos pasar por alto que el viaje bíblico del hombre inicia en un jardín y se traslada rápidamente hacia la ciudad. En la Biblia la ciudad necesariamente no se define por el tamaño de su población o la extensión geográfica. La distinción entre una ciudad y un pueblo no siempre es muy concluyente como se ha señalado. Lo que importaba era el tamaño y la altura de la muralla que circundaba el lugar en cuestión. Las ciudades palestinas no eran grandes, se ha estimado que Jerusalén no ocupó más de 800 mil metros cuadrados, aunque tenía una población de aproximadamente 10,000 habitantes en la época de Jesús. Las murallas contaban con puertas estratégicamente establecidas para evitar la penetración fácil en tiempos de guerra. El área de las puertas se usaba para reuniones y sesiones de la corte (Rt. 4: 1–6), y de los magistrados (Pr. 31:23).

La ocupación romana en Palestina trajo mejoras a las ciudades. Las calles importantes contaban con equipados e impresionantes baños públicos; en algunas ciudades de Israel el alumbrado público fue un avance tecnológico. El acueducto fue construido para llevar agua a sus habitantes, y las calles principales de las ciudades así como los caminos que conducían a ellas fueron empedradas. El estudio de la ciudad en la Biblia es preponderante para quienes desarrollan un ministerio urbano serio.

Parece ser que en ciertos pasajes bíblicos existe un carácter anti-ciudad. Aparentemente la descripción de pasajes rurales y campiranos se desarrolla en grado superlativo porque la ciudad es presentada como un centro de maldad, de apostasía y de producción de pecado como las ciudades cananeas de Sidón, Gaza y Sodoma (Gn. 10:12, 19; 11:3, 9; 36:31-39). La primera descripción de una ciudad a detalle en la Biblia es lo de Sodoma (Gn. 19:1-22), aunque antes de la época de Abraham ya existían ciudades en Egipto (Nm. 13:22). Una de estas fue Pitón la llamada ciudad del Tesoro, dedicada al dios sol y la ciudad del monarca Ramsés (Éx. 1:11).

Pitón y Ramsés es en realidad una sola ciudad llamada Pi-Ramsés, una gran metrópoli a orillas del oriente del Nilo que el faraón Ramsés II la hizo capital de Egipto y señal de su poder. Esta urbe egipcia llevó en sí el nombre del monarca poderoso, famoso y temido que tenía 100 hijos, y que fue conocido por su programa de construcción, y un gobierno de 66 años (1279 a. C. al 1213 a. C). Era un paraíso ya que en ella se encontraba todo tipo de alimento. En el mercado se podía encontrar productos como cebollas, aceitunas, vino dulce y granadas a precios accesibles. El arqueólogo austriaco Manfred Bietak descubre su ubicación en 1996 y revela que tenía avenidas anchas, calles amplias, arsenales, almacenes, palacios, residencias y templos de piedras talladas. Toda ella contaba con agua potable extraída del Nilo.

Bietak señala que si el agua se contaminaba, destruiría mucho de la base social y económica de la ciudad (Éx. 7:17, 18). Habitaban 300, 000 personas y se extendía a diez kilómetros cuadrados siendo una de las más grande del Egipto Antiguo, pero fue abandonada apresuradamente en la época de Ramsés II. La historia registra que en su gobierno hubo un cambio climático dramático (1250 a. C.). Si es correcto lo expresado por los arqueólogos, historiadores y paleontólogos, ésta sufrió el embate de las diez plagas descritas en el Éxodo.

La gente la abandonó como reacción en cadena del ecosistema en desequilibrio; con los peces muertos y la abundancia extrema de ranas, los insectos asumen el poderío y la enfermedad se extiende de los animales a los humanos. Este desastre ecológico colapsó la gran ciudad. El Papiro de Ipuur llamado también Lamentos de Ipuur describe plagas terribles que azotaron esta majestuosa urbe. Este documento fue un escrito hecho en la época de Ramsés II en el que su autor, el egipcio Ipuur, describe un tiempo donde desastres naturales y sociales causan la debacle de la ciudad y casi del imperio. No es descabellado cotejar y concluir que este escritor esté narrando las plagas que el Éxodo registró.

La narrativa del Éxodo presenta la práctica monopolizadora de Egipto como el símbolo de administración mundial. La salida de Egipto bajo el liderazgo de Moisés es la manifestación de Dios en beneficio de su pueblo. La Biblia señala de la nación amonita, el reino de Og en Basán dónde había sesenta ciudades con: altos muros (Dt. 3:5 NVI), y describe la existencia de veintitrés ciudades en Galaad (Nm. 21:21, 32, 33, 35; 32:1-3, 34-42; Dt. 3:4, 5, 14; 1 R. 4:13). Josué relata que en el oeste de Jordania había treinta y un ciudades reales (Jos. 12), las describe fortificadas con muros altos y torres para vigías como Siquem y Tebes en Cisjordania (Jue. 9:46-52), y las ciudades de Judá (2 Cr. 11:5-12). Narra urbes con suburbios como las cuarenta y ocho que se les entregaron a los levitas (Nm. 35:2-7). Ya asentados en Canaán, el nomadismo en Israel cesa y gana libertad genuina y estabilidad considerable en ellas.

Caín

El primer constructor de ciudad fue Caín ya que su historia se entrelaza con la urbe que Génesis relata no desde la perspectiva de la humanidad, sino más bien de Dios (Gn. 4:7). Posteriormente al asesinato de Abel (Gn. 4:9-17), Dios condena a Caín a ser fugitivo y vagabundo en la tierra. En un principio la protección de Dios le fue suficiente para continuar con su vida y este resguardo le ayudó a tener una vida con cierta estabilidad y equilibrio con la naturaleza. Pero Caín perdió la paz por su pecado y la inseguridad comenzó a invadir su vida.

La sangre derramada clama venganza y justicia, y la condena emitida por Dios es el resultado inevitable de los hechos en contra de su hermano: *¡Qué has hecho!, exclamó el Señor. Desde la tierra, la sangre de tu hermano reclama justicia. Por eso, ahora quedarás bajo la maldición de la tierra, la cual ha abierto sus fauces para recibir la sangre de tu hermano, que tú has derramado. Cuando cultives la tierra, no te dará sus frutos, y en el mundo serás un fugitivo errante* (Gn. 4:10-12 NVI).

Caín rompe la relación con Dios y como resultado se convirtió en un vagabundo y fugitivo. Ya no experimenta la protección de Dios, ahora cualquiera que lo encuentre lo matará (Gn. 4:14). Ha perdido su familia, su hogar, sus relaciones sanas, su estabilidad geográfica, su trabajo, la bendición de Dios y todo lo que conlleva por asesinar a su hermano.

Quien no tiene una familia y un hogar está condenado a muerte y ahora está cosechando situaciones peores que la muerte misma. Vivirá en compañía de la soledad, y la constante preocupación del temor de que alguien cobre el agravio por la sangre inocente de su hermano. De esta manera se convierte en un errante en tierra desconocida.

La tierra de Nod

El pasaje señala que Caín vivió en la tierra de Nod, al este del Edén (Gn. 4:16). Literalmente Nod significa tierra de vagancia, llega a ser una tierra donde no había ningún habitante. La ironía es que Caín busca un hogar y vive vagando sin encontrarlo. Quiere un hogar y no tiene la capacidad de hallarlo, anhela estabilidad y sólo atina a experimentar inseguridad. Su búsqueda lo lleva al este, donde se levanta el sol, donde está el punto de salida, se halla para siempre en el inicio, en un lugar fijo, quiere terminar su viaje pero siempre se encuentra en el punto de partida.

El este tiene un significado muy personal en Caín, simboliza su hogar, su familia, sus padres, su hermano, su lugar de origen (Gn. 2:8). Por naturaleza, busca volver a sus orígenes, y la restauración. Necesita satisfacer su necesidad de seguridad pero lo único que encuentra es una tierra que tiene la característica de ser inhabitable. Sólo la protección de Dios le puede dar cierta tranquilidad, sin esa defensa morirá vagando, sin un hogar perpetuo. Entonces el Señor lo marca, le da una señal, entonces el Señor le puso una marca a Caín, para que no fuera a matarlo quien lo hallara (Gn. 4:15 NVI), y este signo de protección es real y profético, y es lo que garantiza su valor como individuo.

Para la Biblia el este es significativo: La construcción de Babel fue hecha por aquellos que llegaron del este (Gn. 11:1, 2), el mismo Abraham llegó del este (Gn. 12:8), Lot buscó beneficios personales a favor de su familia en las ciudades del este (Gn. 13:11). Moisés y los levitas habitan y ministran al este del Tabernáculo (Nm. 3:38) y en la inauguración del templo de Salomón los músicos se encontraban ministrando al este del altar (2 Cr. 5:12). Israel es acusado por el profeta Isaías de adaptar a su estilo de vida las costumbres religiosas del este (Is. 2:6). Después de predicar en Nínive el profeta Jonás acampó al este de la ciudad (Jon. 4:5). El profeta Zacarías refiere la profecía mesiánica de que Jesús asentará sus pies al este de la ciudad (Zac. 14:4). Los sabios que buscaban a Jesús llegaron del este (Mt. 2:1, 2). Así, el este se convierte en un lugar simbólico en la Biblia a partir de Caín.

Caín tiene sus ojos y deseo puesto en el este, hacia el Edén, el Paraíso perdido. Pero es un perpetuo vagabundo, vive condenado a no ser residente, a no tener éxito y eso le desespera terriblemente. Una vez que se aleja de la presencia de Dios se establece en la tierra de Nod, en la tierra del este como lo plasma el escritor de Génesis (Gn. 4:16).

La señal de Caín

Dios puso una marca en Caín y le aseguró que si alguien atentaba contra su vida, seria vengado. Esta acción de Dios tiene como propósito generar cierta convicción en el corazón de Caín aunque no es lo que él esperaba. Dios está dando oportunidad a un hombre que había desarrollado una rebelión abierta en contra de su Palabra y que está en peligro de perderse totalmente. ¿Caín tomaría en serio la palabra que Dios le está dando? Recibe una señal de protección, pero ¿qué tan importante es esta señal?: *entonces el Señor le puso una marca a Caín, para que no fuera a matarlo quien lo hallara* (Gn. 4:15 NVI).

Caín prefería una seguridad más eficiente como la seguridad del hogar, la seguridad de la familia y la seguridad de un lugar, y no una señal de juicio para aquellos que atentaran en su contra. Le será imposible salir de su entorno con confianza, no habrá ninguna seguridad de traspasar las fronteras de su área geográfica. La sola idea de saberse asechado por la venganza del asesinato de su hermano le impedía dar pasos confiadamente. Caín se encuentra aislado de toda relación de comunidad.

Una de las preguntas más recurrentes y difíciles de responder de la Biblia es ¿cuál es la señal de Caín? Existen centenares de ideas, mitos ficticios y terribles interpretaciones del pasaje que dan respuesta a esta pregunta particular. Algunos han creído y enseñado burdamente que la señal de la marca tiene que ver con el color de la piel. Otros aseguran que la señal tiene que ver con un número, una cicatriz, un tatuaje, un símbolo o algo semejante en la frente de Caín. Unos más sostienen que la señal es un aspecto genético que pasó de generación en generación. Todas estas aseveraciones son sólo especulaciones. Lo que sí señala la Biblia es que las siguientes siete generaciones de Caín contaron con la protección de Dios y esto era bien conocido por todos los habitantes de la tierra de Nod.

Caín gasta su vida intentando encontrar seguridad, esforzándose a defenderse con fiereza en contra de las fuerzas hostiles que buscan dominar tierras que están a su alcance. Investigadores del tema como H. C. Leupod (pág. 216), Jacques Ellul (pág. 2f), Frank S. Frick (pág. 207) y otros expresan una serie de conceptos que señalan con vehemencia. Explican que el primogénito de Adán en su esfuerzo propio, construye su seguridad, pero que de hecho no lo protege de nada. Se encuentra lejos del Señor buscando su protección e intenta escapar de su pasado olvidándose de su Creador. Caín busca hacer de la maldición algo soportable. Por ello forma una familia, tiene un hijo y construye una ciudad. Estas acciones parecen ser la respuesta a la maldición recibida por Dios y se concentra en la edificación de su ciudad (Gn. 4:17). Es en este punto que convergen dos ideas tan opuestas: unos señalan que Caín en rebelión funda la ciudad buscando su propia protección al rechazar de Dios y lo asumen basándose en la frase: así Caín se alejó de la presencia del Señor (Gn. 4:6).

La ciudad que construye es la consecuencia directa del asesinato, de la rebelión y de su negativa para aceptar la protección de Dios, dicen los que fundamentan esta idea. Para el Edén de Dios, Caín sustituye su propia urbe y reemplaza la seguridad de Dios por la seguridad de una ciudad. Sus acciones son el esfuerzo de satisfacer sus deseos más profundos de comunión, satisface la aspiración de perpetuar su nombre engendrando hijos, crea un lugar de pertenencia, una ciudad para él. Para Caín la ciudad es el lugar donde él puede ser, donde asume el mando y el dominio de su vida sin Dios. Intenta escapar del mundo hostil que lo buscará para vengarse y la ciudad entonces es la consecuencia directa del acto asesino contra Abel, y de la negativa para aceptar la protección de Dios. Con este acto, apuntan, Caín toma el destino en sus propias manos negando que la mano del Señor esté en su vida y la ciudad se convierte en el resultado de la rebelión y el rechazo, señalan. La ciudad, entonces, parecería que es una negación abierta en contra del Creador y su Palabra. Así la civilización inicia con el carácter de esta ciudad y con todo lo que representa, concluyen.

La segunda idea con respecto a la construcción de la ciudad de Caín presenta la tesis de que ella es la señal que Dios le da a Caín para su protección y por ello permite su construcción. Es en este lugar donde el Altísimo proporciona paz a su vida y a su familia. Es en ella que encuentra reposo para su alma y descanso mental; es la manera en que Dios lo redime y le da una segunda oportunidad. La ciudad entonces es el resultado de la restauración de un hombre que pecó abiertamente contra el Todopoderoso y busca su redención, y la encuentra. La Biblia señala que Caín tiene un hijo y construye una ciudad como respuesta a su situación. *Y conoció Caín a su mujer, la cual concibió y dio a luz a Enoc; y edificó una ciudad, y llamó el nombre de la ciudad del nombre de su hijo, Enoc* (Gn. 4:17).

Es un esfuerzo de satisfacer sus deseos más profundos, el deseo de perpetuarse en la eternidad. Por una parte, teniendo hijos para que su nombre no se pierda en el tiempo, por otro construyendo una urbe que le dé seguridad creando un lugar de pertenencia. La ciudad es el lugar geográfico donde él puede ser, quitándose el estigma de vagabundo y adquiriendo un lugar estable que le dé seguridad. Así Caín se hace responsable de su vida ante Dios.

No se sabe cuánto tiempo pasó desde que Caín fue juzgado divinamente hasta que empezó a construir la ciudad. La Biblia no da explicación de ello. La relación directa de Caín con Dios se revela en su hijo y en la construcción de la ciudad. Es significativo que esta ciudad lleva el nombre de su hijo Enoch que significa *iniciación* o *dedicación*. Enoch, *Chanôkh* en hebreo, también significa *comienzo, inauguración* y *consagración*. Como padre refleja el gozo del nacimiento de su hijo que le da esperanza de una nueva vida familiar. Tiene la oportunidad de la edificación de la ciudad, y renovar su relación con el Creador. Es el lugar donde puede desarrollar todo el potencial que el pecado estorbó para llevarlo a cabo; Enoch o *Chanôkh* es el lugar donde Caín verdaderamente está empezando una nueva vida.

La población a su alrededor crece rápidamente y Caín ve la necesidad de construir una ciudad; siguiendo el principio bíblico, el hermano de Abel, toma posesión de la tierra y le da uso (Gn. 1:28). En esta urbe permite que se desarrolle el arte, la talla de piedra y la madera, la agricultura y la ganadería se despliegan, y la ciudad comienza a cobrar vida. Caín domina sobre ella y asume el mando, y nace aquí el primer registro bíblico de construcción de una ciudad.

Génesis describe que la civilización creció rápidamente después del diluvio e inmediatamente las personas empezaron a edificar con técnicas sumamente avanzadas. La población antes del diluvio usó métodos de construcción sofisticados como los griegos y romanos en su tiempo. Dado este testimonio se intuye que la urbe de Caín es bonita, sofisticada y tecnológicamente avanzada. Sí la ciudad de Enoch se construyó en base a los parámetros y las técnicas de construcción que Noé aplicó en el arca, existe evidencia indirecta del grado de tecnología aplicada.

El pasaje adjunta el término: *fortificó* (Gn. 4:17), y este es el significado básico de la palabra ciudad en hebreo. No tienen nada que ver con el tamaño sino con un lugar cerrado o una plaza fortificada. Este tipo de construcción, aunque haya sido un lugar empalizado y cercara unas cuantas chozas, era novedoso en su tiempo.

Ciudades de Sinar

De acuerdo a la Biblia todos los constructores de ciudades son hijos de Caín. Las genealogías de Génesis 10 describen una línea de constructores de ciudades y depredadores sociales. Uno de los hijos de Cam es Mizraim, nombre antiguo para Egipto, otro es Fut de quien sus descendientes poblaron el oeste de África y el norte de Egipto. Canaán fue donde se asentaron las civilizaciones de las que la Biblia ocupa una buena parte de sus páginas. Y Cus quien engendró a Nimrod cuyo nombre significa el rebelde y a quien la Biblia llama: *un poderoso cazador* (v. 9). Este constructor de ciudades se volvió fuerte en la tierra, rebasando a Caín, edifica cuatro ciudades con un fundamento social violento. Las ciudades de Babel, Erec, Acad y Calne desarrollan las artes y las ciencias, crean un ejército, construyen carros de guerra y se expanden; este espíritu de poderío es una respuesta contra la maldición divina. El espíritu expansionista genera más construcción de ciudades: Nimrod salió hacia Asur, donde construyó las ciudades de Nínive, Rejobot, Cala y Resén, la gran ciudad que está entre Nínive y Cala (Gn. 10:11, 12).

Como cazador poderoso, Nimrod es un conquistador y saqueador, manifiesta un espíritu rebelde y violento contra el Creador, y animado por este espíritu trabaja ajeno a Dios. Establece ciudades e imperios, desarrolla conquistas militares y caza almas, es decir, atrapa la atención de la gente e influye en ellos para que lo sigan. Es un hombre carismático que atrae multitudes; su poder no sólo se sustenta en el pillaje y el poderío militar, sino en las ciudades que construye. En la tierra de Sinar se constituye la cuna del imperio y se sustenta en su espíritu. Es así que las urbes que construye se sustentan en la violencia, el robo, la maldad y la rebelión en contra de Dios; conquistar y construir es la razón de ser de esta sociedad y este hombre se constituye en enemigo declarado del Creador.

El relato bíblico se concreta a mencionar a Nimrod y a sus ciudades, no menciona otras personas. Esta civilización urbana es violenta, es una tierra de rapacería, destrucción y muerte donde la presencia del poder espiritual maligno es real. El centro del gobierno de Nimrod es Babel, la futura Babilonia, la puerta de los dioses, el lugar de confusión. El escritor bíblico refiere el espíritu de esta sociedad: *Vamos, edifiquémonos una ciudad y una torre, cuya cúspide llegue al cielo; y hagámonos un nombre, por si fuéremos esparcidos sobre la faz de toda la tierra* (Gn. 11:4), y esta es la filosofía humana en la que sustentan su estilo de vida y razón de ser. Nimrod quiere forjarse un nombre, ser independiente y separado de Dios. Está determinado mantener al Creador fuera de su vida y excluirlo de su entorno social; pretende ser el dueño y señor de lo creado.

El símbolo de tal poder es una torre, un zigurat construido de ladrillo cocido que llegue hasta el cielo. En la punta de esta construcción edifica un templo dedicado a las estrellas donde desarrollan un culto a ellas. Las ciudades convertidas en un imperio son construidas en el esfuerzo por exaltar al hombre; es una sociedad exclusivamente humanista. Su imperio se funda en el crimen y se mantienen por la fuerza, totalmente contrario a lo que Caín ideo.

Con ello manifiestan su capacidad de constructores de ciudades (Gn. 10:10-12), ponen nombre a la ciudad (Gn. 10), tienen gran orgullo en asesinar (Gn. 4:23), en especial niños (Gn. 4:23), proveen y generan un aumento de protección y venganza (Gn. 4:24), y crean sofisticación cultural (Gn. 4:20-22). Esta es la manera de como Nimrod edifica sus ciudades y crea su imperio, por lo que el Señor determina confundirlos para evitar su total perdición: *Pero el Señor bajó para observar la ciudad y la torre que los hombres estaban construyendo, y se dijo: «Todos forman un solo pueblo y hablan un solo idioma; esto es sólo el comienzo de sus obras, y todo lo que se propongan lo podrán lograr. Será mejor que bajemos a confundir su idioma, para que ya no se entiendan entre ellos mismos.» De esta manera el Señor los dispersó desde allí por toda la tierra, y por lo tanto dejaron de construir la ciudad* (Gn. 11:5-7).

La primera ciudad que se funda, la que construye Caín, tiene como propósito relacionarse nuevamente con Dios, específicamente atender la oferta de Dios de protección contra la venganza. En un análisis sobre la ciudad penitente de Caín que ha construido Jerry Brown (2006) señala: "cualquiera que fuera la naturaleza de la señal, tuvo el propósito de servir como protección de Caín, y no meramente como un medio de demostración de su condición como portador de la maldición" (pág. 6). Esta actitud va acorde con la naturaleza de Dios que otorga perdón, misericordia y gracia. El Creador siempre procuró la protección de Caín a pesar de su pecado. Este *castigo es más de lo que puedo soportar le dijo Caín al Señor* (Gn. 4:13 NVI). El homicida revela en estas palabras que se encuentra lleno de contrición y arrepentimiento por la enormidad de su crimen.

No existe evidencia bíblica que Dios exprese molestia por la construcción de la ciudad de Enoch en contraste con la de Babel. Esto es un indicio de que el Señor había perdonado su pecado y procuraba su restauración. Un Caín arrepentido es constructor de una ciudad donde pretende iniciar una nueva vida provista de la gracia del Señor muy contrario al espíritu que manifestó Nimrod.

Ciudades de refugio

A diferencia del carácter de las ciudades de Sinar la Biblia describe la existencia de seis ciudades con características específicas que son llamadas Ciudades de Refugio. Al oeste del Jordán estaba la ciudad Cades, en la región de Neftalí, antes de la conquista fue sagrada para los hititas y codiciada por el rey egipcio Ramsés el Grande. Siquem es una ciudad asentada a las faldas del monte de Efraín y Hebrón se ubica en la extensión de Judá (Jos. 20:7). Al este del río Jordán están tres ciudades; Golán en la región de Basán, Ramot de Galaad en la demarcación de Gad y Baser en el territorio de Rubén (Dt. 4:41-43). De acuerdo a las especificaciones levíticas en cada una de estas ciudades designadas en Canaán los culpables de una muerte no intencional recibían asilo (Nm. 35:9-34).

Estas fueron seleccionadas geográficamente para facilitar la huida de la persona perseguida en su esfuerzo por alcanzar un lugar seguro. Sin importar la ubicación del ofensor, se hallaban a cincuenta kilómetros de distancia de las demás urbes. Eran ciudades levíticas, es decir, gobernadas por levitas que supervisaban la administración de justicia en la que le correspondía. Las Ciudades de Refugio fueron provistas y señaladas por Dios con la idea de salvaguardar a los culpables, siguiendo el parámetro de la ciudad que construyó Caín. El restaurado Caín construye la ciudad de Enoch como un nuevo comienzo de vida y con ello comienza una nueva salida a su pasado. Por consiguiente, para Caín la ciudad de Enoch es su Ciudad de Refugio. Brown (2006) apunta que:

...la narrativa de la "ciudad" se construye en la narrativa de la "señal"... en cada caso la provisión de una ciudad tuvo el propósito de evitar el derramamiento innecesario de sangre, en el caso de las ciudades de refugio, el asesino involuntario, y en el caso de Caín, de la parte culpable que había buscado la reparación (pág. 8).

Estas Ciudades de Refugio evitaban el cumplimiento de la ley del talión que apuntaba enfáticamente: *ojo por ojo, diente por diente, mano por mano, pie por pie, quemadura por quemadura, herida por herida, golpe por golpe* (Éx. 21:24, 25).

Aquellos que habían asesinado por accidente estaban a merced de los parientes del muerto, quienes, en el calor de la pasión, podrían no distinguir entre una muerte intencional y una accidental. La llamada ley del vengador requería que el pariente masculino de más edad del fallecido lo vengara. Un fugitivo que pretendía la protección de una de las ciudades de refugio recibía un juicio justo si llegaba a ella. Sí se le encontraba inocente, debía permanecer en ella hasta la muerte del sacerdote que gobernaba la ciudad. Con el ascenso de un nuevo sacerdote iniciaba una nueva era que borraba cualquier reclamo legal (Nm. 35:28, 32). Esta fue una provisión sabia de Dios que impedía que los pleitos entre familias continuaran de generación en generación. No obstante, si él ofensor salía de los muros y el vengador se encontraba con él, su vida estaba perdida, aún sí la muerte del pariente del vengador no hubiese sido intencional.

El propósito de las Ciudades de Refugio era un sistema de justicia de redención que se encargaba de restringir el asesinato y la violencia. Al vengador se le tenía permitido operar como un juez, jurado y ejecutor de la sentencia; este vengador aplicaba su venganza con impunidad. El libro de Números ofrece una serie de leyes en defensa del ofensor que se empleaban en las Ciudades de Refugio. Esencialmente funcionaban como un lugar de asilo protegiéndose del vengador o redentor. Esta ley del vengador de la sangre era una forma de redención, situación que Caín experimentó en Enoch. La ciudad que Caín construyó fue un prototipo de las Ciudades de Refugio.

La ciudad desde la perspectiva de los profetas

Una lectura errónea lleva a interpretar que los israelitas veían la urbe como malvada y por ello reciben la orden con agrado para destruirlas, en especial las cananeas (Nm. 13:27, 28; Jos. 6:16-21, 26; 12:7-24). La Biblia señala que la ciudad es un lugar donde existe una diversidad. En ellas la estratificación de poder, con los reyes y su gobierno sobre las masas coexisten. Se ven las élites urbanas que viven del producto de los campesinos, pues la economía se sustenta en la producción del campo. El sistema de la ciudad-reino domina el texto bíblico. El poder es colocado en los círculos concéntricos de una ciudad fortificada que administra las tierras de labor hasta donde su influencia se puede extender y sostener. La ciudad en la Biblia es presentada como un sistema monopolizado.

El establecimiento de un liderazgo y dirección urbana permanente dieron estabilidad a Israel. La lucha por el poder urbano es visible en el primer libro de Samuel en los capítulos 7 al 15. Se plasma una resistencia importante a la monarquía en los capítulos 11 al 17 que afirma que los reyes impondrán contribuciones muy pesadas. Como respuesta a ello, David se vuelve una figura de transición, un rey por un líder. Fue un genio en el manejo de estrategias para unir ideologías dispares, antagónicas formas de pensar y filosofías de vida diversas en una sola; con ello generó una hegemonía nacional única en su época. David manejó esa tensión aplicando una serie de estrategias inteligentes con el auxilio divino. Una de ellas fue dignificar el sacerdocio levítico. Se rodeó de dos sacerdotes influyentes y con ello legitimó su poder en las ciudades, basado en la teología de la nación. Uno de estos líderes levíticos fue Abiatar (1 S. 21:1-6; 22:14-23).

La familia de Abiatar fue asesinada por Saúl y solamente él pudo sobrevivir (1 S. 22:22). Este líder representó la figura tribal antigua, la tradición comunitaria del pasado. Era una figura que recordaba a la nación su historia del pacto de Dios en el Sinaí. Abiatar era maestro, pastor, predicador y la conciencia de la nación; de sus labios fluía la Palabra y la nación lo sabía. El otro sacerdote levítico fue Sadoc que aparece de repente en el escenario histórico de Israel: *Esto son los que vinieron a David en Siclag... y Sadoc, joven valiente y esforzado, con veintidós de los principales de la casa de su padre* (1Cr. 12:1, 28). Este joven ministro fue el primero en reconocer la unción de Dios sobre David, al igual que reconoció que el Espíritu del Señor se había alejado de Saúl. Ambos ministros fueron herramientas en manos de David para consolidar las ciudades del reino.

El equilibrio que genero Abiatar y Sadoc en el gobierno de David no pudo mantenerse en Israel más allá de la vida de éste. Cuando muere surge un conflicto difícil de sortear sobre su sucesor; la lucha de poder no sólo se dio entre hermanos que querían el poder, ni fue de grupos partidistas, de opiniones o visiones distintas de una realidad urbana. Adonías se alió con Joab el general y líder militar de la nación, y con el sacerdote Abiatar (1R. 1:7), y perdió. Salomón se alió con Benaía el segundo militar en importancia del reino, con el profeta Natán y con el sacerdote Sadoc (1R. 1:8), y ganó. Con esta victoria, Sadoc desarrolló y monopolizó un sacerdocio superior a un pragmatismo urbano. Sin pretenderlo, al desterrar al sacerdote que apoyó a Adonías, silenció la voz de la Palabra que conduciría el futuro de la ciudad y dejó sin conciencia a la ciudad, lo que en poco tiempo la llevaría a su autodestrucción.

De Salomón, la historia señala que fue un gran empresario, un inteligente estratega militar, un excelente administrador, un incuestionable comerciante con un fuerte y sustentable capital trasnacional, con evidente poder e influencia política internacional. Este hijo de David poseía una sabiduría divina que traspasó las fronteras de su nación. La gente que lo conoció se maravilló de su esplendor, pero la historia de Salomón no sólo fue de éxito; tres veces se señala en la

Escritura que tendría un fin trágico. El profeta Ahías anuncia que la familia real perdería territorio por no obedecer la Palabra de Dios (1 R. 11:29-33), y la situación social llegó a la crisis nacional porque la clase rural estaba cansada de sostener su estilo de vida urbano displicente (1 R. 12).

Con la muerte de Salomón, Roboam escucha a los consejeros de su edad e impone una carga tributaria más pesada para sostener una vida urbana de confort, indicativo de que no había aprendido nada de la historia de su nación (1R. 12:10). Sutilmente el texto sugiere que la ciudad de Jerusalén bajo el gobierno de Salomón se mantuvo de apariencias, que los suburbios y las comunidades que rodeaban la ciudad se encontraban en situaciones precarias que generaban cada día sentimientos de enojo y violencia en contra del gobierno.

A pesar de ello la ciudad junto con su monarquía y su templo crece y se desarrolla durante 400 años como empresas urbanas privilegiadas. Durante este periodo la línea sacerdotal de Sadoc asume la dirección del ministerio. Por su parte la dinastía davídica se enfoca en la ciudad y la administración del campo para sostener la empresa urbana. La ciudad de Jerusalén se eleva a notable porque en ella el concepto del gobierno del Mesías es acuñado; posee un templo que ofrece y garantiza la presencia de Dios, disfrutaba de una ideología equilibrada de la figura del rey y del templo que la inmuniza de las incongruencias históricas; se monopolizó en el buen sentido de la palabra la fe y la integración de Israel para aquellos que quieren confiar en el Señor. Estos aspectos extraordinarios se vieron profundamente reforzados en el año 701 a. C. cuando la ciudad fue salvada milagrosamente del ataque Asirio como lo señala el texto bíblico: *por causa de mi siervo David* (Is. 37:35).

A pesar de todo el poder persuasivo de la ciudad nunca pudo silenciar la voz de Abiatar. Y al igual que él, las voces subversivas de los profetas no callaron las demandas de Dios a las ideologías de la ciudad. Miqueas, una voz campirana, lugareño de la región de Gat, llega a la ciudad y entrega un mensaje de juicio que ataca a las élites urbanas que han violentado el décimo mandamiento: *¡Ay de los que en sus camas piensan iniquidad y maquinan el mal, y cuando llega la mañana lo ejecutan, porque tienen en su mano el poder! Codician las heredades, y las roban; y casas, y las toman; oprimen al hombre y a su casa, al hombre y a su heredad* (2:1, 2). Miqueas ve con absoluta claridad que el estado financiero y el poder adquisitivo transforman a las personas y genera situaciones malvadas en ellas; por ello señala que llegaran tiempos malos a la ciudad. Literalmente dice tengo una pesadilla y señala: *Por* *tanto, a causa de ustedes Sion será arada como campo, y Jerusalén vendrá a ser montones de ruinas, y el monte de la casa como cumbres de bosque* (3:12). A pesar de estas situaciones la urbe está bajo el cuidado del Señor que se anticipa a su desolación.

El nuevo gobierno de la ciudad se habituó a vivir en un urbanismo expansionista; pero significativamente, el nuevo gobernante vendrá de Gat, de Belén dice Miqueas y expresa: *Pero tú, Belén Efrata, pequeña para estar entre las familias de Judá, de ti me saldrá el que será Señor en Israel; y sus salidas son desde el principio, desde los días de la eternidad. Pero los dejará hasta el tiempo que dé a luz la que ha de dar a luz; y el resto de sus hermanos se volverá con los hijos de Israel. Y él estará, y apacentará con poder de Jehová, con grandeza del nombre de Jehová su Dios; y morarán seguros, porque ahora será engrandecido hasta los fines de la tierra* (5:2-4). Este líder resistirá la amenaza asiria.

Cien años después el profeta Jeremías es señalado como un forastero que mina los esfuerzos de la ciudad que está en guerra. En sus mensajes se atreve a afirmar que la propaganda urbana del templo y de la monarquía nunca tendrá éxito. El hastío de los líderes urbanos es incisivo hacia el profeta porque ésta habla de un futuro desastroso para la ciudad y devela que los que gobiernan han vivido engañando a sus habitantes y se están aprovechando de ellos. Pareciera que estos sentimientos hacia los gobernantes tienen que ver con sus genes porque Jeremías es descendiente directo de la tierra de Sadoc: *de Anatot, en la tierra de Benjamín* (1:1). Jeremías sigue la vieja tradición que viene de la ciudad de Anatot, de la tierra de los sacerdotes y aunque Abiatar había sido desterrado, su voz sigue escuchando en Jeremías, no han podido callarla. Nuevamente Abiatar, en labios del profeta Jeremías vuelve a hablar, confronta a los líderes urbanos que descuidan la práctica de la enseñanza de la Palabra y los acusa de malvados y negligentes.

El profeta fiel a su línea sacerdotal señala que la seguridad de la urbe viene de la práctica de la Palabra: *Así ha dicho Jehová de los ejércitos, Dios de Israel: Mejoren sus caminos y sus obras, y los haré morar en este lugar. No se fíen en palabras de mentira, diciendo: Templo de Jehová, templo de Jehová, templo de Jehová es éste. Pero si mejoran cumplidamente sus caminos y sus obras; si con verdad hacen justicia entre el hombre y su prójimo, y no oprimen al extranjero, al huérfano y a la viuda, ni en este lugar derraman la sangre inocente, ni andan en pos de dioses ajenos para mal de ustedes, los haré morar en este lugar, en la tierra que di a sus padres para siempre* (7:3-7).

Reiteradamente advierte sobre el futuro de la ciudad y este mensaje lo conduce a la prisión. Emitió juicios sobre la estructura de poder de la urbe, sobre gobernantes, religiosos, empresarios y sus respectivas bases sin importar que fuera sentenciado a la muerte. Apela a los mensajes del profeta Miqueas y recuerda que es el Señor más que los profetas quien realmente está inconforme por la situación de la urbe (Jer. 26:17, 18). Pero el gobierno civil se impuso al religioso en forma decisiva y lo hace callar enviándolo a prisión. Para los profetas del Antiguo Testamento el futuro de la ciudad de Jerusalén es ruina. A pesar del establecimiento del templo, de la monarquía y la ideología de presunción de autosuficiencia resulta ser una falsa seguridad. Se puede señalar que Jerusalén fracasó debido a la presión externa de Babilonia, o debido al fracaso de un mal liderazgo (Ez. 34); tal vez una equivocada política externa o posiblemente la mala calidad de su amor hacia el Señor, o porque colmaron la paciencia de Dios. Pero sin importar la razón de su devastación, desde la perspectiva de los profetas, la ciudad fracasó. Por ello, la urbe debe volver a Dios.

La ciudad desde la perspectiva de la iglesia primitiva

El lenguaje, estilo y temática de los escritos del Nuevo Testamento dan testimonio del arraigo y del interés en las zonas urbanas. Las congregaciones locales en las ciudades proporcionan refugio, descanso, motivación y orientación para las actividades de los viajeros. Los escritos neotestamentarios son dirigidos a un público urbano no a una población rural; en ellos la ciudad no es demonizada, ni mucho menos la vida rural es glorificada. El énfasis de la iglesia primitiva está en la comunicación del evangelio en expansión, de largo alcance, de hecho es un alcance cosmopolita urbano.

La iglesia primitiva pasó de concentrarse en la ciudad de Jerusalén a diseminarse por la cultura urbana del Mediterráneo, incluyendo las grandes ciudades como Antioquía y Éfeso. Los nuevos cristianos no judíos no se involucraron en una teología orientada a la escatología palestina. Llevaron a cabo sus propias experiencias con la convicción de la muerte y resurrección de Jesús de Nazaret y comenzaron a propagar al Cristo, como la figura decisiva en la historia del mundo expresándolo en su propia terminología, convencidos de que Jerusalén no era la única ciudad, pues las demás ciudades eran también importantes para llevar el evangelio. En su visión Jerusalén era la ciudad entre otras ciudades, la primera de todas las ciudades porque fue en ella que nace, donde se propaga el evangelio y a la que retornará Jesucristo.

La naturaleza urbana de la estructura organizativa está inmersa en la iglesia primitiva, es evidente en la lectura del Nuevo Testamento, pues se observa una organización homogénea en las nuevas congregaciones. La relación entre las comunidades de fe locales no fue proporcionada por una organización central jerárquica, algo así como un gobierno de iglesias en conjunto. En su lugar, una infraestructura de relaciones activas y de comunicaciones entre las congregaciones generó y mantuvo la unidad. Es evidente que este arreglo administrativo contradice todo lo que sabemos de las organizaciones eclesiásticas actuales, modelos que estamos acostumbrados y consideramos equivocadamente que son los únicos y más eficaces.

Nuestra mentalidad occidental cree que la centralidad, el liderazgo y la organización piramidal de arriba hacia abajo son bíblicos, y la mayoría de las iglesias cristianas y sus líderes se desgastan perpetuando este modelo. Se aferran a él aún más que las organizaciones seculares actuales, que poco a poco han ido descubriendo las ventajas de la descentralización sobre las estructuras verticales y piramidales. La organización de las primeras congregaciones, en particular las paulinas, reflejan los elementos de éxito de organización que son extraídos de los principios que mantuvo el mundo helenístico en conjunto; incluida especialmente su versión romana del imperio como una confederación de ciudades y asambleas de sus pueblos. De allí su enorme capacidad de avanzada que desarrolló en los primero años de vida como iglesia en las urbes del primer siglo.

Las jóvenes iglesias adoptaron la estructura organizacional helenística y romana de la autoridad horizontal. Con ello la iglesia primitiva se perfiló hacia las grandes concentraciones urbanas del imperio y adquirió una orientación hacia la cultura metropolitana del Mediterráneo. Esto también ayudó a explicar los elementos individuales de la actividad pública de Pablo donde él y otros misioneros de la iglesia primitiva concentraron su trabajo en las ciudades del mundo helenístico. Esto es cierto incluso para el inicio de la misión de Pablo cuando señala que comenzó en Arabia (Gá. 1:17), área geográfica totalmente helenizada y donde el apóstol se concentró en la ciudad de Damasco.

La ciudad es más que geografía, es gente, son las personas que se ven obligadas a estructurar sus vidas en términos de las exigencias de la forma de vida urbana. La Biblia tiene una peculiar manera de hablar, proporciona el significado y las implicaciones de la vida de la iglesia en un ambiente urbano complejo. Lo llamativo es el crecimiento de la iglesia del Nuevo Testamento en ciudades totalmente mundanas y alejadas del conocimiento de Dios, pero esta descripción no surge de repente. No es el libro de los Hechos que primero nos introduce a la ciudad, es el Antiguo Testamento y después los Evangelios que han preparado de antemano al lector. El Dios de la Biblia es quien ha trabajado en las urbes desde sus inicios y por ello se necesita conocer todo sobre ellas.

Pablo no prescinde de un instrumento esencial en la cultura urbana eficaz como medio de comunicación como es la carta. Además, el judaísmo en su aspecto urbano en el contexto de la región de Galacia (1:14) es utilizado con toda intención de al alcanzar primero a la comunidad judía. El concilio de Jerusalén es un encuentro e intercambio entre los representantes de dos grandes ciudades (Jerusalén y Antioquia); esta reunión es un evento urbano (Hch. 15) que Pablo utiliza como medio de propagación. Los conflictos, las discusiones, las negociaciones y las conclusiones manifestadas en este congreso son hechos que se generaran en las relaciones intra-urbanas eclesiásticas. Como lo informa Pablo en Gálatas 2, las diferencias entre Jerusalén y Antioquía son tanto étnicas, sub-culturales como de asociación; característica de la composición socio-cultural de las urbes helenísticas y sus interrelaciones con otras ciudades.

Dios diseña la ciudad

Dios diseñó la ciudad con el fin de extraer los recursos de la creación del orden natural y para construir la civilización. La ciudad no sólo es un fenómeno sociológico o la invención de la humanidad; la Biblia señala que el futuro del mundo redimido y del universo es representado con una ciudad. Abraham buscaba la ciudad cuyo arquitecto y constructor es Dios (He. 11.10); el autor de Apocalipsis detalla y representa la cúspide de la redención de Dios en una ciudad (cap. 21), y la redención está en la construcción de la ciudad denominada la nueva Jerusalén. Juan puntualiza que en medio de esta ciudad hay un río de cristal, y a lado del río está el Árbol de la Vida, sus frutos y sus hojas sanan a las naciones de todas las heridas y de los efectos de la maldición. Esta ciudad es el Jardín del Edén perdido, es el cumplimiento de los propósitos del Edén de Dios. La historia de la humanidad comenzó en un jardín pero concluirá en la ciudad, así que el propósito de Dios para la humanidad siempre fue urbano.

La ciudad no debe ser considerada como una invención maligna del hombre impío caído. Desde el principio fue que el hombre debe tener una cultura urbana y requiere de una estructuración urbana que fundamente la existencia histórica humana. El mandato cultural que se da a la creación está dirigido a edificar la ciudad. Después de la caída, la ciudad mantiene el beneficio primario, servir a la humanidad como refugio de la condición de la maldición de la tierra, así la ciudad tiene beneficios correctivos en el mundo caído; se convierte en el acercamiento de los recursos, de la fuerza y del talento, es defensa contra el ataque, y comunidad administrativa de bienestar, y alivio de sus habitantes.

La orden del Señor a Adán de llenar la tierra y tener dominio (Gn. 1:28) implica la construcción de una civilización que honre a Dios. Se trata de sacar a luz las riquezas que Dios puso en la creación por el desarrollo de la ciencia, el arte, la arquitectura y la sociedad humana. En Apocalipsis se revela que el clímax de la creación es una ciudad eterna y por lo tanto Dios está llamando a Adán y Eva para ser los constructores de ella. Esta edificación de la ciudad es un mandato divino al igual que el trabajo, el matrimonio y la procreación en el Edén. Con ello la ciudad reúne el talento y los recursos para aprovechar el potencial humano en el desarrollo cultural. No hay manera absoluta para definir una ciudad porque un asentamiento se transforma más urbano en la medida que aumenta su densidad y se diversifica su población. El propósito del Señor es que la ciudad sea un instrumento para desarrollar y extraer las riquezas que puso en la tierra, la naturaleza y el alma humana durante la creación. A pesar de la caída, la ciudad es el lugar de gracia común, aunque cada elemento también puede ser utilizado para propósitos malignos. Para comprender nuestra ciudad las palabras del profesor CharlesVanEngen (1994) dan luz a lo señalado:

> Primero, los cristianos deben conocer la sociología, la antropología, la economía, el urbanismo, el estudio del cristianismo, el pluralismo religioso, los problemas psicológicos que genera el urbanismo, y una serie de otras disciplinas afines. Segundo, con estas ciencias se puede llegar a una comprensión del contexto particular de la ciudad en términos de una hermenéutica de la realidad en la que ministra. Tercero, con ellos logrará escuchar los gritos, ver las caras, comprender las historias, y responder a las necesidades vitales y las esperanzas de la gente (pág. 251).

Sólo así se tendrá la perspectiva y óptica completa de Dios respecto de la ciudad.

3

PROTOTIPO DE LA CIUDAD ACTUAL

La urbe tiene la capacidad de desarrollarse así misma de manera acelerada y este potencial produce un impacto sin precedente sobre la población. El centro de poder gubernamental en la ciudad tiende a generar un mayor desarrollo. También contribuye a su crecimiento la información que se produce y que ella misma genera, pues todos quieren estar informados y las personas intentan vivir en do de se dan las noticias. Además, los servicios de salud están más a la mano que en áreas rurales y esto acelera el crecimiento.

La educación es un factor predominante que hace crecer a la urbe, pues las personas buscan adquirir títulos universitarios porque obtenerlos produce cierto estatus social y económico. Los negocios, la industria y tecnología también aportan para que se dé el crecimiento y es en ella que estos espacios se generan con mayor facilidad. Estos se encuentran sin muchos problemas y se adquieren con mayor facilidad. El entretenimiento también produce crecimiento; los teatros, los cines y los lugares donde la música se manifiesta y la cultura se dan en todas sus expresiones.

En la dinámica de la sociedad surge la marginación que se da en diferentes rubros. En lo económico, por la baja participación en el consumo, en lo intelectual por la falta de acceso a una educación de calidad que imposibilita un desarrollo más efectivo, en lo étnico y racial por las superioridades que surgen entre los citadinos o locales hacia los rurales o los extranjeros que llegan, y en lo político porque no existe capacidad de participación en los procesos de transformación o en la toma de decisiones que afecta a la población. Es entonces que la Iglesia necesita crear las condiciones para confrontar esta marginación que se da en las grandes urbes y ayudar a los individuos para que sean incluidos a la dinámica social. Discernir cómo se da el crecimiento de la urbe para descubrir cuáles son las áreas donde necesita ministrar.

La Biblia detalla dos ciudades en crecimiento que son denunciadas como pecaminosas: Sodoma y Babilonia. Estas son el prototipo de casi toda ciudad actual y como hoy, manifiestan que no sólo el pecado emana de sus calles, también se desarrolla la industria, el comercio, la tecnología, la educación, la riqueza, el intelectualismo y la predicación de la Palabra. Ambas son enjuiciadas, condenadas y castigadas por el Señor, pues aunque fueron ciudades en franco crecimiento y expansión urbana, en esa medida también creció su maldad delante del Señor. La Biblia señala juicios contra ciudades y naciones que fueron destruidas debido a su pecado, pero presta especial atención a Sodoma y Babilonia.

El distintivo de Sodoma es su promiscuidad y decadencia sexual. El libro de Génesis manifiesta el pecado de homosexualidad que sus habitantes practicaban sin restricciones (Gn. 19); mientras que Babilonia manifiesta un sincretismo socio-político y religioso donde todo concepto converge en cierta armonía alejada de la verdad bíblica. Apocalipsis señala que en Babilonia el pecado de apostasía ha influenciado a todos y provocó el asesinar a todos los pregoneros de la Palabra de Dios (Ap. 17).

Sodoma

Esta ciudad es mencionada más de cincuenta veces en la Biblia. Los pecados de Sodoma siguen manifestándose en toda ciudad hoy en día; la degradación sexual es el elemento común, sadismo, prostitución, homosexualismo, lesbianismo, masoquismo, pederastia, violación, sadismo y demás acciones aberrantes que degradan la vida sexual del individuo son el pan nuestro de cada día en las grandes urbes del siglo XXI. El término sodomita proviene del nombre de la antigua ciudad de Sodoma, Sedom en hebreo que es derivado de la raíz sod que significa secreto, es un vocablo que hace referencia a la práctica sexual de penetración anal entre varones; acción que se realiza en secreto. Para este momento ya los habitantes de esta ciudad veían como natural y normal estas actividades. La práctica homosexual históricamente está ligada a la prostitución cultica e idolátrica (1 R. 14:24; 15:12; 22:46).

Pero el pecado de esta ciudad no se centra únicamente en la homosexualidad, Ezequiel señala otras acciones pecaminosas. Compara la maldad de Israel con la de Sodoma, da información adicional a Génesis 18 y 19. De sus habitantes Ezequiel señala que la saciedad de pan se convirtió en un problema que les llevó a pecar (Ez. 16:49, 50). Esta abundancia de pan implica abundancia en bienes materiales; fue una ciudad que gustó y disfrutó de la prosperidad como fruto del trabajo de sus manos. Dicha prosperidad trajo consigo dos actitudes típicas de aquellas sociedades que rápidamente adquieren riquezas. La soberbia es una de ellas. El orgullo en esta ciudad fue el resultado de creer que sus logros alcanzados son producto de las capacidades, habilidades y fuerza propia; sobre esta plataforma social no existe ningún reconocimiento de la bondadosa provisión del Altísimo. El otro aspecto señalado es el ocio como resultado de la abundancia de tener tantas riquezas pues ya no hace falta trabajar para forjar un futuro. La sociedad de Sodoma comenzó a buscar formas de diversión gastando las riquezas que poseía por sus minas de sal y asfalto hasta terminar en la degradación absoluta.

Ezequiel señala que repudiaron el camino del Señor y siguieron el propio; despreciaron a los pobres, a los afligidos y a los necesitados. Dejando al descubierto el verdadero problema de los habitantes de esta ciudad: no supieron administrar con sabiduría todo lo bueno que habían recibido de la mano del Señor. Rechazaron procurar ayudar a su prójimo y se avocaron a una vida de egoísmo absoluto. El Nuevo Testamento también da información adicional sobre los pecados de Sodoma y se añaden dos pecados más: rechazo a la autoridad y blasfemia contra autoridades superiores (Jud. 7 y 8). El escritor neotestamentario infiere que sus habitantes de esta ciudad tenían el conocimiento de la verdad.

Es muy posible que la destrucción de estas dos ciudades ocurriera unos cuatrocientos cincuenta años después del diluvio, cuando por lo menos uno de los hijos de Noé todavía vivía. Ya que esto ocurrió unos cien años después de la muerte de Noé (Gn. 9:28), la gente debe haber sabido de los años de predicación de la verdad de Dios (MacArthur, 1980, pág. 48).

La Biblia expone que el ser humano que conoce de Dios y se aleja de su comunión, su corazón tiende a la depravación y su razonamiento llega a ser entenebrecido (Ro. 1:18-32). Quien rechaza y renuncia a la Palabra del Señor, recibe como juicio la ceguera de su condición, así los pecados aborrecidos en otro tiempo, hoy son cometidos con gran avidez. Los habitantes se rebelaron abiertamente contra Dios (Gn. 13:13) y pecaron con profunda y total decadencia (Gn. 18:20); en su ceguera espiritual, moral, social y ética rechazan abiertamente a Dios y confrontan toda autoridad que emana de Él.

En el griego, el verbo rechazar especifica que esta gente ha dejado de lado la ley divina; como consecuencia, muestran su desprecio por Cristo y su evangelio. Quieren tener dominio sobre sus propias vidas y desean liberarse del señorío de Jesucristo (Kistemaker, 1987, pág. 314).

El abandono de todo aquello que tiene que ver con el Señor y su Palabra los conduce a blasfemar lo divino; el apóstol Judas especifica que insultan y maldicen las autoridades espirituales. "En su deseo de obtener una libertad total, estos infieles insultaban a los ángeles y se negaban a aceptar la autoridad de cualquiera que estuviese relacionado con la ley" (Kistemaker, 1987, pág. 315).

Babilonia

El origen de la ciudad de Babilonia se remonta hasta Babel cuando el orgullo y la autonomía del hombre como razón de ser condujeron a la humanidad a construir un monumento que manifestara su autosuficiencia. Exteriorizando que no necesitaban de nadie, que se bastaban a sí mismos y que eran independientes de Dios. Siglos después, cuando este hecho quedó en el olvido "la llamada Crónica Weidner establece que fue el propio Sargón quien construyó Babilonia frente a Akkad" (Grayson, 1975, s/p.). Que fue asentada a orillas del Éufrates y se convirtió en un imperio poderoso que avasalló a las naciones de su época.

En la mentalidad babilónica la ciudad capital era propiedad del Dios Marduk que designaba al rey para que la administrara. El monarca no era considerado un ser divino como el Faraón en Egipto, era sólo un intermediario entre los ciudadanos y los dioses. La población estaba dividida entre hombres libres y esclavos, estos últimos podían dejar de serlo sí lograban acumular algunos bienes y con ello comprar su libertad. Para los babilonios sólo los soldados caídos en guerra podían aspirar al descanso eterno.

La adivinación y las prácticas demoniacas eran comunes en el culto babilónico, y la adoración a los elementos y a los astros era parte de sus creencias; en sus templos llamados zigurat por ser escalonados, se realizaban sacrificios humanos. En ellos se podía encontrar zodiacos que calendarizaban sus fiestas a las estrellas. La ciudad contaba con cincuenta y tres templos y 1,300 altares. El zigurat más importante de la ciudad de Babilonia medía noventa metros de altura y en su cúspide estaba el templo de Marduk que afirmaba la soberanía de su dios sobre todo el mundo conocido. Esta torre era para los babilonios la imagen del mundo, según ellos su ciudad era el ombligo del mundo.

Babilonia representa la ciudad secular, que se desarrolla como una entidad intelectual, tecnológica, política, secular y humanista. Esta ciudad se sostiene en el hombre, por el hombre, y para el hombre exclusivamente. Era el momento más grande de su creación, en ella no hay lugar para Dios; el hombre es su creador, establece sus valores, define sus leyes, aplica sus estatutos y crea sus diversiones. Ella es el clímax de su creación, su meta es la gloria del hombre y sus jardines colgantes dan evidencia de su desarrollo y majestuosidad.

Disfrutaba de escuelas de investigación en diversos rubros como la astronomía que se desarrolló de tal forma que dividió el año en doce meses y los meses en semanas de siete días. Para los babilonios los días se dividían en doce partes de dos horas cada una. La astronomía y su necesidad de realizar complejos cálculos produjeron el desarrollo de las matemáticas; su sistema numérico estaba basado en el número sesenta, es decir, era sexagesimal. Desarrollaron de tal manera la medicina que fueron pioneros en la invención de una serie de remedios y en el área de la jurisprudencia la ley fue puesta por escrito, única acción en su tiempo, ya que las leyes de los demás imperios eran sustentadas en las tradiciones verbales.

Antes de que el rey Hammurabi (1728 – 1686 a. C.) asumiera el trono, los ciudadanos y el país entero estaban sometidos al capricho de los jueces pues cada uno aplicaba la ley que le parecía, y nadie sabía qué era legal y qué estaba fuera de la ley. El rey Hammurabi elaboró un código, el primero de la historia, y ordenó que fuera escrito para que todos tuvieran el conocimiento de cuáles eran sus derechos y obligaciones. Este código era severo para algunos delitos a los que aplicaba la pena de muerte, pero sirvió para evitar que los fuertes se aprovecharan de los débiles. En la ley babilónica a la mujer se le reconocían los mismos derechos que al hombre y se aceptaba el divorcio.

Su economía estaba basada en la agricultura y era el rey quien se encargaba de edificar y mantener canales de riego para aumentar la extensión de zonas fértiles en todo el Imperio. El gobierno cobraba impuestos con el producto de la tierra. Desarrollaron productivamente la ganadería con la cría de asnos, caballos, ovejas, vacas y cabras. La ingeniería metalúrgica estaba tan desarrollada que sus trabajos eran considerados obras de arte; el trato que le dieron a la plata, oro, estaño, plomo y cobre fue de tal envergadura que traspasó las fronteras de su Imperio. El comercio exterior alcanzó regiones tan lejanas como la India y el Cáucaso.

Fue la primera metrópoli de irradiación mundial pues durante 1,400 años fue el centro comercial y cultural de Asia. Se cree que en la época de Daniel la ciudad casi alcanzó el medio millón de habitantes, la mayor concentración de personas conocida hasta entonces. La Babilonia de Nabucodonosor en los días del profeta Daniel es la ilustración bíblica más clara de estos elementos secularistas que se manifestaban en esta sociedad. Esta urbe es el punto central del conflicto entre la corte babilónica secular y la manifestación de Dios operando a través de Daniel y sus amigos, pues aquella buscó eliminar del corazón de los jóvenes y todo vestigio de Dios e intentó avasallarlos con su educación secular.

Para Juan Babilonia es la encarnación de la idolatría y califica esta acción como adulterio y prostitución (Ap. 17 y 18), y manifiesta que será el centro comercial mundial. Señala que será castigada por causa de la injusticia de sus comerciantes, por su orgullo, su ostentación, la práctica del ocultismo, la vida obscena y orgiástica, el odio que manifiesta, por su obstinación y opresión hacia el pobre. Es señalada como una ramera, pues se destaca la magnitud de sus pecados hechos en el ámbito del espiritismo y su riqueza es empleada en nombre del ocultismo.

En la época de Daniel influyó a nivel mundial en el comercio y esto hizo que todos cayeran en el error del humanismo y el materialismo. Los empresarios, exportadores e importadores de productos sucumbieron a sus deleites y lujos. Las compañías trasnacionales más poderosas del mundo mantienen una relación continua con esta ciudad porque su riqueza constituía poderosos activos.

La inmoralidad de Babilonia en la ética y en lo religioso ha influido con gran fuerza en todas las naciones de la tierra señala Juan. Su confianza radica en las inagotables fuentes de riqueza y con ello ha implementado una serie de programas que intentan desarraigar del corazón de las personas toda necesidad de Dios. Su influencia es tal, que mientras más avanza un país en su comercio, más se esclaviza a la codicia. Tiene la capacidad de mercar materiales, telas y maderas preciosas, materiales para la hechura de muebles costosos, especias, comida, herramientas para uso agrícola y el tráfico de personas; con este comercio degrada y deshumaniza a la gente.

Tenía astilleros dedicados a la fabricación de naves mercantes, las riberas del río eran suficientemente profundas para la navegación. Las artes florecieron de forma espectacular; músicos, poetas, cantantes, compositores, artistas, compañías de teatro y los juegos, enriquecieron su cultura. Juan culmina su disertación de esta exuberante y creciente urbe señalando su descarnada violencia en contra de aquellos que predican la Palabra y no se detiene en asesinarlos. Ambas ciudades, Sodoma y babilonia, han renunciado a escuchar la Palabra de Dios y buscan acallarla su voz de todas las formas posibles.

La Ciudad

Una lectura objetiva de las ciudades lleva a entender que la mayoría de ellas se han convertido en nuestra actual Sodoma y Babilonia. Ambas son el prototipo de la urbe de hoy debido a la decadencia moral que se ha experimentado el siglo XXI; del lo cual pocos están preocupados y mucho menos alarmados. Tan solo el Departamento de Salud de la Ciudad de Nueva York manifestó en el 2008: "que más de un cuarto de la población adulta de Nueva York está infectada con Herpes Simplex Virus-2, el virus que causa herpes genital" (Hygiene, 2008). Este virus es una infección de transmisión sexual de por vida y puede causar dolorosas llagas genitales y dobla el riesgo de contraer el SIDA. Este estudio señala que los índices son más altos entre los homosexuales. La OMS (Organización Mundial de la Salud) sostiene que en el primer trimestre de 2011 son ya 36.700,000 personas infectadas con SIDA en el mundo.

Los índices de gonorrea, clamidia y sífilis infecciosa están por encima del índice nacional en USA, y la infección de SIDA está aumentando entre hombres. La clamidia es la enfermedad de transmisión sexual bacteriana reportada con mayor frecuencia en los Estados Unidos. En el 2006, los 50 estados y el Distrito de Columbia reportaron 1.030,911 infectados. Según datos de la Encuesta Nacional de Salud y Nutrición calcula que 2.291,000 personas de la población civil no institucionalizada de los Estados Unidos, entre los 14 y 39 años de edad sufren esta infección. Números que manifiestan la punta de un gigantesco iceberg.

Las estadísticas de estas enfermedades sexuales son alarmantes y vergonzosas, y se han convertido en el azote de la población urbana. Las civilizaciones antiguas fueron cunas de perversión sexual y obscenidad promiscua y las ciudades del siglo XXI siguen el mismo camino a la decadencia y destrucción. Señalar una ciudad sexualmente más inmoral que otra, no se puede, en el mapa geopolítico hay cientos para escoger. No es difícil imaginar condiciones tan viles que prevalecen en urbes con más de diez millones de habitantes. Los recintos gubernamentales son centros hedonísticos donde se provee de condones gratis. En lugar de fomentar la pureza, la prudencia y el decoro, el gobierno presenta como solución promover el sexo seguro. Estas acciones de los gobiernos han sumergido a las sociedades en una lujuria desenfrenada; de pasiones ilícitas que han dado como resultado anarquía sexual. La historia muestra civilizaciones que se destruyeron debido a su hedonismo interno.

Aunado a este problema, los desplazamientos hacia las urbes que se han generado por la violencia social, religiosa, económica o política en pro de la búsqueda de nuevas oportunidades y en los menos, por desastres naturales. Familias enteras comparten la experiencia de haber sido forzadas a dejar casa y familia para llegar a la ciudad. Toda persona o familia desplazada experimenta el fin de sus sueños e ideales, se trunca su red social de familia y amistades. Esta red provee a cada individuo fortaleza psicológica y emocional en su vida; pero al dejar su entorno social, la experiencia traumática que experimenta el desplazado es la desaparición de su identidad familiar.

La ciudad crea sensaciones de melancolía en los desplazados y causa aislamiento y que se desconecten emocionalmente unos de otros. En gran número de casos este vacío emocional se intenta mitigar con la sobrecarga laboral, el abuso del alcohol, las drogas, el sexo, manifestaciones violentas constantes y otras acciones equiparadas. Las familias desplazadas pueden sentir que han sido maltratadas violentamente por el sistema social de la ciudad, entonces pueden asumir profunda agresividad y se convierten en un agente inadaptado urbano en contra de otros. Este mecanismo de defensa se manifiesta equivocadamente para compensar el dolor y la pérdida.

La mitad de las familias desplazadas vive en condiciones de hacinamiento crítico y esta situación dispara la violencia. Toda ciudad en crecimiento en los cinco continentes lo experimenta. Estas migraciones generan crisis social y demográfica, además de producir violaciones masivas a los derechos humanos, e incrementar el nivel de desempleo, afecta la prestación de servicios públicos, causa el problema grave de la vivienda, amplía las zonas de asentamientos urbanos marginales, crea dificultades en los servicios de salud pública, multiplica la economía informal, incide en el anormal desarrollo de la ciudad puesto que interfiere su planeación, incrementa la demanda de lugares en escuelas y colegios, y presenta desafíos para la seguridad y el orden público.

Las urbes se alimentan de este tipo de personas diariamente. Lo positivo que se genera en los desplazados es que desarrollan un mecanismo de defensa psicológico que los conduce a arraigarse en el nuevo lugar. Sí los desplazados logran atravesar este proceso difícilmente confrontaran crónica melancolía por la nostalgia del terruño; en cambio, aquellos que no lo logran manifiestan un sentimiento de enajenación, es decir, se sienten ajenos a una vida autentica. Un sentir que no afirma ni refleja adaptación y experimentan una sensación de inadaptación social. Los niños de la calle son un fenómeno de crisis con mayor crecimiento en la urbe. Las estadísticas varían pero afirman que hasta 142 millones de niños viven en las peligrosas calles de las ciudades alrededor del mundo. Los barrios bajos son síntomas visibles de colapsos de las sociedades urbanas. En estas áreas se manifiestan los peores escenarios que conducen a una mayor problemática infantil. En ellos la frustración, la pobreza, la desesperanza y el esfuerzo de existir con recursos limitados han generado violencia. Un dato más perturbador son los niños que se enfrentan a la explotación sexual ante el conocimiento de las autoridades.

La pobreza, avaricia humana, corrupción, familias abusivas, las drogas, el crimen, las pandillas, los hogares con padres y madres solteras, y el deterioro humano son el común denominador en la vida de estos niños. Diariamente descubren que vivir en la ciudad es peligroso. Enfrentan numerosos desafíos que ponen en riesgo su esperanza de experimentar una niñez significativa. La voz de la autoridad moral ha callado para ellos, y se ha mudado a territorios menos peligrosos pero igual de inseguros.

El resultado es el quebranto emocional de estos pequeños que sin culpa pululan en las calles junto a la basura diaria. La esperanza de auto-mejoramiento que una vez atrajo a muchos a la ciudad, ahora se desvanece tan rápido como la neblina matutina. Sus anhelos por obtener belleza e integridad han sido aplastados. Estos niños comparten un legado de abandono y se encuentran vulnerables a situaciones de explotación. Los depredadores siempre al acecho, están listos para mancillarlos y la ciudad los trata como un estorbo y molestia, siendo inflexible e insensible a su presencia. Estos niños son invisibles para la sociedad, no existen; tienen que luchar incluso para encontrar muy apenas la comida suficiente para subsistir. Sus vidas sin estabilidad, son producto de la constante búsqueda de refugio. Describir su dolor, sus miedos, y sus traumas es interminable e inenarrable; caminan por las calles, soportan pestilencias nauseabundas, plagas de cucarachas, de piojos y de ratas. Con toda esa escoria es con quien conviven diariamente.

Por otra parte, la violencia se ha convertido en el modo de vida en los centros urbanos. Las ciudades se ven sacudidas por oleadas de crímenes. Las pandillas urbanas son un fenómeno mundial que sintomáticamente generan alteraciones en la estructura social. Son los más jóvenes quienes participan en estas hordas. Transitan por las calles, alteran el orden público, marcan su territorio que es agresivamente defendido y difícilmente contenido por la autoridad. La violencia se ha extendido por todas las ciudades provocando sustanciales cambios en ellas. Mientras que áreas residenciales se han blindado, las demás viven en el desamparo y la angustia. La ciudadanía se ha encerrado en sí misma y ha reducido su área de socialización. El pensamiento que domina a la sociedad es que entre menos amistades y amigos se tenga en el lugar de residencia es mejor. La lógica de la ciudad es que entre más cerrado esté el espacio donde se vive, más seguro se encuentra.

En las urbes del mundo cada residente joven o anciano, mujer u hombre, llegan a poseer algún tipo de arma. A menudo la última palabra en las riñas callejeras la tiene la muerte. Esta violencia tiene un impacto enorme sobre el individuo de la ciudad. Los policías enfrentan a bandas del crimen organizado, entre ellas a las del narcotráfico, que en ocasiones someten a la ciudadanía por medio de la intimidación para obligarlos a dar información y dinero. Cuerpos especiales de la policía preparan agentes para que soporten el castigo en caso de que sean capturados por los delincuentes. En algunas ciudades la violencia se ha disparado estratosféricamente generando secuestros, coches bombas y terrorismo, trayendo como resultado la militarización de la ciudad. Los criminólogos atribuyen el aumento de delitos realizados por jóvenes al creciente número de niños sin supervisión, niños de la calle.

Otro detonador que desata la violencia es la alta tasa de divorcio. La crisis que se genera en las parejas que rompen sus relaciones, produce un profundo odio que desata violencia. Todos los estudiosos del comportamiento humano están de acuerdo en señalar que la verdadera causa del crimen violento es la desintegración de la familia. Reconocen que hay una relación entre la fractura de la familia y los problemas sociales que aquejan a la sociedad. Esta ruptura de las bases familiares se ha disparado enormemente y lo que fuera un baluarte de la sociedad hoy es el centro de miseria y dolor en sus integrantes.

La familia es el medio ambiente primario de toda persona. Es en el seno del hogar donde se produce la seguridad, el amor, la confianza, la paz, la tranquilidad y el desarrollo humano; así como la consejería y la educación para mantener la fortaleza en el vínculo familiar. Sin embargo, ahora la familia es un cúmulo de manifestaciones que degradan al individuo, donde la pobreza provoca estragos en la estructura y estabilidad familiar, obligando a las familias a abandonar a sus hijos a las calles. Los padres se encadenan a las drogas y alcohol y los niños son sometidos a una variedad de episodios abusivos.

Un estudio efectuado en Estado Unidos en 1988 a 11,000 individuos arrojó un alto porcentaje de hogares con un padre soltero con hijos entre los doce y veinte años. Otro estudio (2010) señaló que esta situación familiar trajo significativamente un alza en las tasas de crímenes violentos y robo; esto no significa que los padres no puedan formar correctamente a sus hijos, sino más bien la ausencia de un matrimonio estable, lo que explica la incidencia de tantos crímenes en el mundo.

Es importante saber que dentro de una ciudad existen otras ciudades, es decir hay muchos núcleos sociales y culturales. No se puede totalizar como un ente urbano la ciudad sin considerar su complejidad. Los habitantes de la ciudad marcan sus propias diferencias. Entre más diferente se muestre, más autentico se es, y esto es un distintivo marcado en las nuevas generaciones. El vocabulario, la ropa, el peinado y la apariencia son algunas características que exteriorizan la diferencia.

La pluralidad es otra característica de la urbe, se asumen ciertas actitudes ante la vida en beneficio del grupo al que se pertenece. Conviven y convergen un gran número de entes sociales con sus propios códigos de vida. Ejemplo de ello es la comunidad homosexual, las madres solteras, la gente de la tercera edad, las tribus urbanas y los millennias entre otros. Las múltiples identidades son mostradas a todos sin tapujos. Un elemento que se manifiesta es el relativismo, es decir, lo que cada quien cree es válido según su cultura. Para nadie existe un modelo de dirección humana. No hay una línea de pensamiento, cada quien vive con sus ideas y con sus métodos. El vacío ideológico es la característica de la ciudad, no existe un sistema ordenado de ideas, el conjunto de valores ha dejado de ser importante. La urbe vive y experimenta los residuos de la era posmoderna donde todo se vale y todo es relativo; ha entrado a una anarquía fundamentalista.

El individuo aplica la filosofía de: primero experimento lo que siento, y luego pienso. Se cambia la ética por la estética; el esfuerzo personal y social hacia el progreso, por el espectáculo instantáneo de imagen y sonidos. No acepta con facilidad las tradiciones, es más crítico y reinventa sus propias tradiciones porque las existentes no les dice mucho y por lo tanto las rechazan. Desprecian las instituciones, son vistas como corruptas, sin fuerza, carentes de valor e influencia. La ciudad hace que todo pierda sentido pues su realidad es polifacética, multiétnica, plurilingüe y multicultural.

Radiografía urbana de Miqueas

El profeta Miqueas presenta una radiografía de la ciudad en el capítulo siete de su libro. Inicia su descripción con una queja que es resaltada con signos de admiración (v. 1). Aunque realiza una intensa búsqueda del fruto de la tierra, manifiesta que la escasez de este fruto se dará por una larga temporada. En su búsqueda descubre la desgracia en la que se encuentra inmersa la nación. Narra cómo las ciudades sufren porque el hombre es la víctima, pero también es el victimario; es el que sufre, pero también el que hace sufrir a su prójimo.

La radiografía devela lo avanzado de la enfermedad social que ha contaminado a la urbe, donde el justo y el inocente son las victimas de aquél, que aún con sus manos llenas de riquezas, quieren despojarlos de lo poco que tienen. La falta de moral ha provocado miseria en sus habitantes, señala el profeta. La desgracia de las urbes aparece cuando la moral se derrumba y el estado en el que se encuentran sus habitantes de la ciudad es producto del alma enferma. Con la caída de los valores se derrumban las defensas y queda desprotegido el ser humano sin importar su edad; pues son estos valores los que protegen al individuo buscando el bien común antes que el propio, dice el profeta.

Miqueas señala que en la ciudad la misericordia ha desaparecido pues nadie realiza actos compasivos a favor de su prójimo. Ninguno es recto (v. 2) y esta ausencia es el producto del egocentrismo y ha causado destrucción en las familias dando paso a manifestar maldad depravada. El precio de la vida humana ha perdido valor, pues el asesinato y el aborto son la expresión más corrupta de la maldad. La falta de misericordia ha creado en el corazón ausencia de piedad. Las trampas y los artificios están a la orden del día, ya ni el parentesco es válido para respetar al prójimo. Robar, engañar, asesinar, mentir y realizar cualquier acción malvada da igual si es un familiar o un desconocido. El profeta señala que nadie los supera en llevar a cabo lo malo (v. 3), la maldad es planeada y consumada con precisión. Los ejecutores de estas perversas acciones han asesinado su conciencia y por ello no les genera ningún sentimiento atentar en contra de otros.

El profeta Miqueas en su descripción señala vívidamente que las esferas de poder están corrompidas. Los funcionarios y los jueces exigen soborno para dar veredictos a favor, el tráfico de influencias, el abuso de poder y los peores pecados son ejecutados por aquellos que han declarado públicamente defender las leyes, y la nación va muriendo paulatinamente por causa de estos corruptos; algo no muy lejano de lo que pasa en nuestra ciudad hoy. Pero Miqueas no se queda con los jueces y políticos, describe las acciones de los empresarios que no hacen más que enriquecerse y todos complacen su codicia (v. 3), a estos comerciantes no hay quien controle su desmedida ambición.

La confianza en la ciudad, dice Miqueas, ha sido ultrajada y pisoteada pues las personas literalmente la han vendido. Los amigos han actuado con traición, los jefes han generado desconfianza en sus subalternos, todos se tienen que cuidar hasta de lo que se habla porque puede ser usado en su contra. La traición y el engaño se han convertido en actividades comunes de las personas y todos los secretos expresados en la intimidad pueden quedar al descubierto y usados para atacar posiciones laborales, sociales, políticas y familiares (v. 5). Difícil situación es vivir en una ciudad donde no se puede confiar en personas con las que se trabaja o convive. Los valores de respeto han sido arrasados, pues inclusive los hijos han deshonrado a sus padres.

El valor familiar se derrumba y la imagen paterna es devaluada, como consecuencia se vive en una sociedad sin modelos a seguir. Las mismas hijas han desafiado la autoridad de sus madres y las relaciones entre suegras y nueras son violentas. Estas acciones belicosas en la familia hace del hogar un conglomerado de enemigos; los peores estragos se generan entre los que viven en su propia casa (v. 6). Se espera que el hogar sea un lugar de refugio, paz, bondad y amor, pero la intimidad del hogar es ahora un infierno, un campo de guerra.

La ciudad que Miqueas describe se encuentra en absoluta desgracia por su abandono a la Palabra del Señor. El carácter de Sodoma y Babilonia no están tan lejos de las nuestras y no son tan diferente de la urbe que Miqueas describe.

Una visión correcta de la ciudad

Muchos sueñan con ir al otro lado del mundo para llevar el evangelio a otras culturas, estos sentimientos y deseos loables son dignos de aplaudir, pero muchos de ellos se han olvidado de su propia ciudad. En ella existe un gran sinnúmero de culturas y tribus no alcanzadas aún. En el continente africano existen tribus y culturas tan diversas. En África Septentrional están los Tuareg y los Teda, en África Oriental se encuentran los Acholi, los Antakarana, los Nuba, los Danakil o Afar y los Masai, en África Occidental están los Awak y los Herero, en África Meridional habitan los Bosquimanos o San y en África Central los Bakongo o Congo y los Pigmeos. En el continente Asiático el número de tribus y grupos se eleva y los demás continentes engrosan mucho más esta lista.

Así como en estos continentes el número de tribus y grupos étnicos es abundante, también existen en las urbes aquellos que no hemos logrado distinguir con claridad. Es un campo listo para ser cosechado sin generar mucha carga financiera. Esta miopía no es propia de nosotros solamente, Jesús la detectó en sus discípulos cuando los condujo a las ciudades de Samaria y les dijo: *alcen sus ojos y vean los campos que ya están listos para la cosecha* (Jn. 4:35). La ceguera de ellos los condujo a ver únicamente su propio grupo cultural, nunca vieron a los samaritanos como un grupo social en necesidad de ser alcanzado con el evangelio.

Jesús amplió la visión de sus discípulos para que vieran más allá de su entorno social. Jesús recorría ciudades y aldeas, enseñando, predicando el evangelio del Reino y sanando todas las enfermedades y todas las dolencias de sus habitantes (Mt. 9:35-38). Jesús pone atención en las ciudades y eso requiere una clara visión porque ellas contienen grupos culturales particulares, llenos de muchos sub-grupos culturales diversos en constante cambio y desarrollo. Cada urbe concentra culturas dentro de otra cultura y evolucionan e involucionan, es cuestión de visión. El desafío es hasta lo último de la tierra sin descuidar nuestra propia ciudad, nuestra propia Jerusalén.

Estos grupos sociales dentro de la ciudad tienen que mover a la Iglesia a la compasión porque son múltiples las penurias y necesidades que experimentan. La presión de otras tribus y grupos sociales ejercen una fuerte coacción para someterlos. Algunos no logran vencer las vicisitudes y caen, otros permanecen bajo un constante estrés propio de su situación. Los daños emocionales, espirituales y psicológicos llegan a ser irreparables, madres soleteras y divorciados son un ejemplo de ello; son ovejas desamparadas y dispersas (Mt. 9:36). Las ciudades representan un campo multitudinario que genera de manera impresionante nuevos grupos sociales que necesitan un pastor.

Algunas de estos grupos sociales se les han aplicado el título de tribus urbanas, son vistas con desconfianza y no son aceptados por la ciudad, sólo se les tolera. Estas tribus urbanas se han diseminado por todos los continentes en grupos marginados y se pueden encontrar en cualquier ciudad. Una tribu urbana es un grupo de personas que tienen un comportamiento de acuerdo a las ideologías de una subcultura. Estas son tan variadas como lo es el tamaño y el ambiente de la ciudad, sus nombres dan evidencia de sus distintivos: Góticos, Punks, Metaleros, Murgueros, Neohippies, Tecnos, Maras, Cholos, Xtremes, Rollingas, Hip-hoppers, Visual Kei, Hardcores, Darks, Rastafaris, Emos, Skinheads, Floggers, Lolitas, Reggaetoneros, Otakus, Blacks, Grunges, Anarkos, Rokers, B-Boys, Glam y los que se acumulen en la semana. Cada una de estas entidades manifiesta su propia estética, música, lenguaje, lugares de reunión y filosofía de vida.

A menudo los cristianos asumen una actitud intransigente al denunciar los pecados de la ciudad y esperan que el fuego del juicio caiga sobre ella y sus habitantes. Pecados que se manifiestan en la política, en lo religioso, la economía y lo social. Como Jonás se llega a la conclusión equivocada de que un gran número de familias urbanas niegan la eficacia de la Palabra de Dios y que la práctica de pecados inconfesables los lleva a no buscar el perdón, esto evita que experimenten un cambio genuino en sus vidas y por lo tanto merecen el juicio, y castigo eterno. Es correcto hacer un llamado para denunciar los pecados y conducir a la ciudad al arrepentimiento, pero también es justo que los cristianos tengan compasión por la urbe como la tuvo Nehemías (1:4) y Jesús (Lc. 19:41).

Dios dice que en la ciudad la Iglesia tiene la responsabilidad de que: *edifiquen casas, y habítenlas; y planten huertos, y coman del fruto de ellos. Casaos, y engendren hijos e hijas; den mujeres a sus hijos, y den maridos a sus hijas, para que tengan hijos e hijas; y multiplíquense ahí, y no disminuyan. Y procuren la paz de la ciudad a la cual los hice transportar, e intercedan por ella al Señor; porque en su paz tendrán ustedes paz* (Jr. 29:4-7). Son palabras que se expresan en el contexto del exilio de Israel en Babilonia. Como portavoces del Reino de los cielos se debe anunciar las buenas nuevas de salvación. Una parte sustancial de la responsabilidad de las comunidades de fe es proclamar el evangelio y hacer el llamando contextualizado a la ciudad para vivir en la luz de la Palabra. La Iglesia es llamada a generar auténticos cambios en la cultura urbana con el poder del mensaje de la Cruz.

Los cristianos deben participar en la transformación de la urbe reconociendo las posibilidades y promesa de la ciudad futura, la Nueva Jerusalén, proveyendo el regalo de la gracia de Dios a los conciudadanos. El Señor ha comisionado a la Iglesia a ministrar en una ciudad rebelde pues viven en su propia Sodoma o Babilonia. Pueden manifestar enojo, desprecio y juicios sobre ella como Jonás, pero deben entregar la Palabra del Señor en la ciudad donde les tocó vivir. Para ser efectivos en una sociedad rebelde necesitan llenarse de la presencia de Dios y poseer autentica pasión y amor por la urbe.

Ministrar en la ciudad no es fácil, la gente es atraída por muchas trampas y les cuesta escuchar la voz de Dios. El Señor ha comisionado a su Iglesia para que las barreras y ataduras de la ciudad sean rotas; afirmarse en la Palabra para que su mensaje sea efectivo, confrontar el pecado y llamar con amor al arrepentimiento. Nunca se debe caer en el error de vestirse como lobo para convertir a los lobos en ovejas. El mensajero manifiesta su verdadera naturaleza y no acomoda el mensaje para endulzar el oído de la ciudad. La claridad del mensaje, sin tapujo, es básica en la conversión de la urbe. Se demanda firmeza para enfrentar un ambiente hostil al decreto divino. Ezequiel señaló que al emitir la Palabra del Señor hubo gente de carácter rebelde, con dureza en su rostro, de corazón empedernido y maligno (Ez. 2:3-6). A pesar de esta descripción tétrica del carácter de la gente de la ciudad algunos se convertirán (v. 5).

Nueva York testimonio de transformación

Dios quiere estar en el corazón de las ciudades a través del evangelio que propaga la Iglesia. Las comunidades de fe locales deben expandirse en toda la geografía de la ciudad, motivadas en profundizar su comunión con Dios para la urbe. La ciudad y Nueva York es un ejemplo de cómo la Iglesia ha de expresar una espiritualidad dirigida al conglomerado urbano. Después de su terrible experiencia vivida el 11 de septiembre de 2001, renace espiritualmente gracias a las acciones de sus diversas iglesias cristianas. Paul Stand corresponsal en jefe de la CBN presenta un estudio de la espiritualidad urbana de la ciudad de Nueva York. Especialistas en temas políticos y sociales señalan que antes del 11 de setiembre, Nueva York era conocido como un lugar difícil de evangelizar. Algunos consideraban sus torres y rascacielos como símbolos de materialismo y avaricia y compartía la corona con Las Vegas como la Ciudad del Pecado de Norteamérica.

Después de los ataques terroristas muchos esperaban que la ciudad viviera en la zozobra, el temor y la angustia; contrario a esto, la ciudad experimentó un fuerte renacimiento espiritual. Paul de Vries director de The New York Divinity School y con 25 años de experiencia en la administración y la educación cristiana superior donde capacitan líderes y ministros del evangelio, señaló que estos hechos trajeron como consecuencia que muchos corazones se abrieran a la Palabra. El hambre de conocer la Palabra se manifestó sin precedentes en la historia de la urbe. Este formador de líderes dice que la ciudad buscó algo que le ayudara, ya no quería escuchar palabras bonitas. Los neoyorquinos prestan atención ahora a la Palabra de Dios y se encuentran atraídos por la vida y persona de Jesús. Los inmigrantes africanos y latinos son los que más manifiestan su pasión por la fe de Jesucristo, aunque también las iglesias coreanas y chinas están mostrando gran auge. Señalan que el avivamiento que se está dando en su ciudad impactará a toda su nación.

Dale T. Irving presidente de New York Theological Seminary y ministro ordenado de la American Baptist Churches ha señalado que en la ciudad de Nueva York hay 8,000 congregaciones cristianas locales y muchas de ellas han plantado por ministros llegados de otras naciones. Apunta que los inmigrantes cristianos que llegaron y engrosaron la membresía de las iglesias locales son la fuente del despertamiento espiritual. Describe que de éstas, 150 son iglesias cristianas africanas. El resultado de ello es que hoy día miles de iglesias que predican a los neoyorquinos lo hacen en todos los idiomas. Testifica que el poder de Dios se ve en toda la ciudad y que cada domingo en sus reuniones, los miembros dan cientos de testimonios de los milagros que suceden. La fuente primaria de estos testimonios se da entre cristianos que están involucrados en negocios.

Redescubriendo la historia, Irving dice que el avivamiento espiritual del pasado fue dado por los hombres que oraban en Wall Street y no por las iglesias cristianas locales como ahora. Según Irvin el ataque del 11 de septiembre produjo la unidad entre ciudadanos, ministros e iglesias, y asevera que se está generando un real avivamiento con la colaboración que ahora existe entre las denominaciones cristianas.

El pastor Bruce Berliner que conduce un programa de oración cerca de Wall Street apunta un hecho que transformó su ciudad. Dice que en 1857 a cien metros de donde hoy se reúne, un empresario llamado Jeremiah Lamphier, cayó de rodillas y dijo Señor, ¿qué deseas que yo haga? El Señor lo condujo a ministrar en una iglesia al norte de Manhattan como predicador laico. En ese momento, había 30,000 hombres sin trabajo en las calles de Nueva York, la embriaguez era rampante y el país estaba dividido por el tema de la esclavitud. Lamphier desplegó su ministerio en los barrios bajos de Hell's Kitchen con los desamparados y mes tras mes iba de puerta en puerta compartiendo las buenas nuevas con la distribución de folletos, y la celebración de estudios bíblicos a aquellos que quisieran escuchar. Percibió la necesidad de tener un lugar donde reunirse para orar pues descubrió que a pesar de que el cuerpo necesitaba alimento, su alma y espíritu necesitaba de oración.

En su primera reunión de oración había repartido 20,000 folletos y al llegar al lugar señalado inició solo, durante treinta minutos seguía orando solo y al concluir su reunión había seis personas junto con él, era el 23 de septiembre de 1857. El miércoles siguiente el número de asistentes aumentó a veinte y en la tercera semana el número llegó a cuarenta. En poco tiempo más de 100 congregaciones locales realizaban reuniones de oración.

Este movimiento de oración que inició Jeremiah Lamphier condujo a un avivamiento espiritual en la ciudad de New York que dio como resultado la conversión de casi un millón de personas. Este evento espiritual urbano se le llamó el último gran despertar del país. Sobre la base de este hecho histórico, el pastor Berliner está aplicado el mismo programa en la ciudad los días miércoles. El grupo que se reúne a orar en Wall Street por un avivamiento representa decenas de denominaciones cristianas. Para este ministro no es casualidad que Dios los haya puesto a orar a cinco cuadras de la Zona Cero y señala que ellos están poniendo los cimentos espirituales antes que se construya los cimientos materiales en la

Zona Cero. Observa que en todo el mundo hay avivamientos pero que hasta ahora el Señor está comenzando un avivamiento en la ciudad más grande del país.

El Pastor A. R. Bernard, panameño llegó a New York a los cuatro años de edad, es fundador de Christian Cultural Center de Brooklyn, New York, el cree que se debe exponer a los ciudadanos a elementos espirituales de altura. Indica que las personas piensan sólo en el nivel en que están expuestas y es por ello que la Iglesia necesita tener la forma de conducirse en ese nivel. Para él, la comunidad de fe local necesita ofrecer escuelas seguras, rigurosamente disciplinadas y que tenga metas de altura. Bernard desarrolla su ministerio pastoral en una congregación con más de 31,000 miembros y está asentada en una superficie de 45,000 m2 en el área más deteriorada de Brooklyn. Está en esa área geográfica de la ciudad porque es donde la Iglesia puede causar más impacto.

Bernard señala que toda persona que llega a la congregación a recibir ayuda social, y ve un edificio como ese se siente inspirado a realizar algo por sí mismo. Explica que este hecho de transformación lo observa en la gente todos los días y que ha repercutido decisivamente en el vecindario. Las estadísticas señalan que ya no hay más prostitución y el tráfico de drogas ha disminuido considerable y sustentablemente. El proyecto de Bernard es que por medio de su congregación ayuda a transformar toda la ciudad, enfocando en cada institución que moldea la sociedad. Para este ministro la familia, la iglesia, la educación, la política, la economía, las artes y el entretenimiento deben ser transformadas por el evangelio. Ejemplo de ello es Mako Fujimora, artista cristiano que busca tocar el corazón de otros artistas con un mensaje simple y profundo. Ahora en la ciudad de New York muchos artistas cristianos se reúnen para estudiar la Biblia y orar para que Dios les ayude a dar a conocerlo a través de sus obras de arte. El mismo Mako Fujimora dice que los neoyorquinos están más abiertos al evangelio en el arte después del impacto del 11 de septiembre.

El Reverendo Jimmy Lim, sudcoreano, que es el nuevo director del Consejo de Iglesias en la ciudad de Nueva York dice que en la ciudad existen 500 congregaciones cristianas coreanas. Y permanecen porque son comunidades de fe locales bien apegadas a la Palabra de Dios. Señala además, que las iglesias coreanas se están uniendo con otras de igual profesión cristiana. El pastor Abraham Oyedeji, nigeriano, fundador de la primera Iglesia Apostólica de Cristo y profesor asociado de Hunter College, City University de New York ha señalado que los africanos han visto milagros y que seguirán viendo la manifestación del poder del Señor en muchas maravillas.

Animados por estos testimonios suscitados en la ciudad de New York en los últimos años, cada ministro y comunidad de fe se deben dar a la tarea de aplicar y delinear algunas estrategias para desarrollar una espiritualidad en sus urbes. Para ello se necesita llevar a cabo una pastoral urbana con estrategias urbanas acorde a cada ciudad. Tomar riesgos para descubrir cuáles son los caminos que deben tomar para que el Señor se mueva en la calle. Los ministros con sus respectivas comunidades de fe locales requieren aprender a leer su ciudad, percibir a la urbe haciendo contacto con sus imágenes, sus olores, sus lenguajes, sus mensajes y sus suburbios. Es necesario que entiendan la calle, las esquinas, los barrios, los jardines, sus centros de esparcimiento, sus puntos de contacto y sus avenidas.

Todos los días las ciudades reciben cientos de personas y por sus calles transitan personas necesitadas del evangelio. Hoy más que nunca en la historia de la humanidad Dios está trayendo toda esta gente a la ciudad. ¿Qué nos está diciendo Dios con ello? Que urge manifestar a Cristo en las calles, con el peatón, con el transeúnte, la prostituta, el vendedor, el traficante, el policía, los jóvenes, los niños, los ancianos, con todos. La iglesia precisa usar el lenguaje de cada uno de ellos para trasmitir el evangelio, pues como en Pentecostés, debe hablar el evangelio a la ciudad en los lenguajes que usa.

El estudio de la Teología Urbana conduce a responder una serie de preguntas. ¿Hay Palabra de Dios para la ciudad? ¿Dios tiene un propósito para la ciudad? ¿Dios está interesado realmente en la ciudad? ¿Habrá algo que pueda marcar una diferencia sustancial en la ciudad a través de las comunidades de fe locales? ¿Las iglesias locales tienen alguna función específica en los propósitos de Dios para la ciudad? La respuesta a cada una de estas preguntas es ¡SÍ! La responsabilidad de la Iglesia es identificar los desafíos que plantean su propia ciudad y saber cómo ministrar, y servir en ella. Necesita estar capacitada para ministrar a todos los grupos sociales de la ciudad y en los cordones de miseria. La urbe ha generado su propia cosmovisión y es responsabilidad de las comunidades de fe locales entenderla. Sólo así tendrá la capacidad de ayudar a solucionar los conflictos que surgen en sus habitantes.

Las comunidades de fe local requieren un ajuste mental para entender las realidades urbanas y sólo así ministrará eficaz y adecuadamente. Asumir el desafío de transformarse a sí mismas, cambiar su mentalidad, determinar romper con el legalismo, la burocracia denominacional y los celos ministeriales para llevar a cabo la tarea de expansión; precisa de creatividad para movilizar toda su infraestructura e impactar significativamente las zonas de su urbe. Los ministros y miembros de iglesias locales necesitan tener una aguda perspectiva de la ciudad desde la antropología, la sociología y la teología pero sobre todo desde la Escrituras. La ciudad invita a desarrollar ampliamente todo tipo de ministerio eclesiástico que existe. Para que la ciudad sea santa, regida por el mismo Dios, donde la justicia social y la dignidad humana se materialicen se requiere de la participación activa de la Iglesia con un discernimiento urbano.

4

TEOLOGÍA URBANA DE LUCAS

Hoy la Iglesia confronta diariamente todo lo que tiene que ver con lo urbano, ya sea en un clima de rechazo y compasión; de juicio y esperanza, de crudeza y esperanza, de ilusión y realidad; ante ello debe dar respuestas a sus habitantes. La ciudad demanda soluciones acertadas y la Biblia establece cómo ha de responder la Iglesia en la urbe en su tarea de anunciar la Palabra de Dios. El tema de la ciudad en la Biblia presenta conceptos, posturas y valores que sin duda plasman el pensamiento de Dios. La expansión del evangelio en el mundo griego y las ciudades romanas del primer siglo son descritas con prontitud por Lucas.

Vehementemente le presenta a Teófilo un informe en el que plasma cómo la comunidad de fe ha traspasado las fronteras de Palestina y su llegada a urbes como Antioquia en Siria, Roma en Italia, Éfeso en Asia Menor, Corinto en Grecia, Filipos y Tesalónica en Macedonia y Alejandría en Egipto. Este prolífico escritor relata cómo el mensaje de Dios se diseminó por las más importantes rutas comerciales de su tiempo. Ya fuera por tierra o por mar; la Palabra llegó a cada una de las ciudades influyentes de la época y en poco menos de veinte años los centros urbanos que rodeaban el Mediterráneo escucharon del evangelio como Mileto, Corinto, Alejandría y Roma.

Pese a opiniones contrarias, un estudio concienzudo concluye que la Biblia es un libro urbano. Los comentarios y expresiones de los personajes registrados en las Sagradas Escrituras son de corte urbano. La Biblia fue escrita y dirigida a sociedades urbanas. El entorno urbano de Abraham es evidente al saber que vivió en una ciudad de 250,000 habitantes. En su época de mayor esplendor la ciudad contaba con 360,000 habitantes. Jonás presenta a la ciudad de Nínive con una longitud de sus murallas de 12 kilómetros y con una población aproximada de

160,000 mil habitantes. El testimonio bíblico señala que recorrer todas las calles de esta ciudad ocupaba tres días (Jon. 3:3). La Babilonia de Nabucodonosor tenía un área perimetral de 260 kilómetros y un sistema de irrigación que no fue visto sino hasta el siglo once en Europa como las ciudades de Florencia y Nápoles.

Roma en el primer siglo tenía más de un millón de habitantes y era la primera sociedad en la historia del urbanismo que excedía este número de personas. En ella, el uso de vehículos en ruedas producía un gran problema de tráfico de manera que el gobierno de esta ciudad prohibió el uso de estos carros de ruedas en las calles centrales durante el día. Los biógrafos de su tiempo describen que contaba con áreas habitacionales que estaban divididas en clases sociales, las familias ricas vivían en aéreas privadas donde había residencias, grandes mansiones y apartamentos sofisticados. La construcción de edificios con apartamentos era una novedad urbana y todos querían vivir en ellos.

En la época de Jesús, Palestina era un estado semi-teocrático, es decir, en el Templo se concentraban todos los poderes que el imperio romano permitía a los judíos. La religión era el instrumento ideológico de dominación social y la opresión se daba a través de los impuestos para el funcionamiento del Templo y para las mejoras de su construcción. El diezmo era para los sacerdotes y un segundo diezmo era utilizado para la compra de animales para los sacrificios. Existían impuestos personales y territoriales que se entregaba a Roma. La aduana para entrar a las ciudades como Jerusalén era cobrada para los romanos a través de los publicanos. Las contradicciones en la sociedad Palestina no se dieron entre patrones y trabajadores, ni entre pobres y ricos, sino entre religión y pueblo, observantes y pecadores, ministros y congregantes. En este tiempo la sociedad palestina tenía sobre sus hombros 613 mandamientos, de ellos 248 eran prescripciones y 365 eran prohibiciones.

El Templo, como centro del poder económico, era donde realizaban las transacciones importantes como el pago de impuestos, el cambio de monedas, la venta de animales para los sacrificios y de artesanías para los miles de visitantes que llegaban cada año. Se calcula que en este tiempo en Jerusalén vivían unos 30,000 habitantes y un gran número trabajaban en el Templo desde cambistas hasta jefes de finanzas (labor realizada por tres sacerdotes). Este panorama explica el abandono que los líderes religiosos tenían de los habitantes que se encontraban fuera de las murallas de la ciudad. Aquellos que pretendieran adquirir poder, reconocimiento, influencia, seguidores o renombre en cualquier rubro debían iniciar en Jerusalén. Jesús no lo hizo así.

Jesús viajó produciendo un movimiento urbano en las ciudades de Galilea, en la periferia de Jerusalén. Aquellos que lo escuchaban estaban pendientes de sus enseñanzas (Lc. 19:47, 48), de todas partes llegaban hasta donde él estaba (Mr. 1:45), y lo tenían por profeta (Mt. 21:11; Mr. 6:15; Lc. 7:16-17; 24:19; Jn. 4:19; 9:17). Cientos creyeron en él, y decían: *Cuando venga el Cristo ¿acaso hará más señales milagrosas que este hombre?* (Jn. 7:31). Fue considerado como el profeta que tenía que venir para poner todo en orden (Jn. 6:14, 7, 40), esto hizo que la gente se entusiasmara (Mr. 7:36), que le siguieran multitudes (Mr. 2:12; 3:7-10, 20), que su enseñanza generara gran éxito (Mr. 1:32-34; 2:1, 12; 12:1, 2), que la gente se reuniera alrededor de él (Mr. 5:21), y que algunos se escandalizaran de sus acciones (Mt. 11:6; Lc. 7:23).

Visión urbana de Jesús

Las urbes y los pueblos son fácilmente vinculados en el Nuevo Testamento (Mt. 9:35, 10:11; Mr. 6:56; Lc. 10:1, 13:22). En ocasiones alguno de los evangelistas llama pueblo a lo que Lucas llama ciudad, por ejemplo, Belén es llamada *aldea* por Juan (7:42), mientras que Lucas llama la *ciudad de David* (Lc. 2:3, 4, 11). Posiblemente Juan lo hace así por la proximidad con la ciudad de Jerusalén. Para Marcos, Bethsaida es una aldea (8:23), al igual para Mateo (11:20, 21), pero para Lucas Bethsaida es una ciudad (Lc. 9:10). ¿Cuál fue la diferencia de ambos conceptos? La respuesta tiene que ver con el sistema político administrativo de los lugares que Lucas entendía a la perfección.

Lucas tiene una visión grecorromana de la administración pública aplicada a la ciudad. Judea era una Tetrarquía, es decir, una forma de gobierno mediante la cual el poder lo comparten cuatro personas que se denominan tetrarcas; en este caso es administrada por Herodes y los procuradores. La administración política era idéntica al sistema Ptolemeico que agrupaba los poblados en distritos que eran conocidos como toparcas. Esto es un centro administrativo compuesto de varios lugares. En el gobierno romano, Judea contaba con diez toparcas. La ciudad más grande actuaba como centro administrativo de cada toparca. Lucas usa el término ciudad (*polis*), para denotar cada centro administrativo de toparca. Por ejemplo, Gadara era la capital de un toparca y Lucas le llama ciudad (8:26-30), Bethsaida es otro ejemplo de un toparca a la que llama igual (Lc. 9:10). La visión de Jesús hacia la ciudad es establecida por Lucas en sus dos obras (Evangelio y Hechos).

Ciudad en el Nuevo Testamento usa la palabra *polis* (πολις) y *poleis* (πολεις), en plural y se aplicaba para denominar a la ciudad-estado de la antigua Grecia. *Polis* se denominaba a la ciudad y al territorio que Roma reclamaba para sí. Este concepto tenía un gran nivel de autocracia, si bien no del todo, lo que les garantizaba era libertad, autonomía política y económica. *Polis* se utiliza aproximadamente 160 veces en el Nuevo Testamento, y la mitad las usa Lucas. Mateo en veintiséis ocasiones y Apocalipsis veintisiete veces, Pablo y el escritor a los Hebreos la usan en cuatro ocasiones. En su evangelio y en Hechos, Lucas la usa treinta y nueve ocasiones directamente y las demás en asociación indirecta. Los evangelios mencionan ciudades griegas donde Jesús desarrolla su ministerio y que con absoluta libertad entra a ciudades como Cesarea de Filipos (Mt. 16:13), a la región de Tiro (Mr. 7:24, 31), a urbes gadarenas (Mr. 5:1), y pasa por Decápolis sin entrar en alguna de las diez ciudades (Mr. 7:31). De acuerdo a los evangelios Jesús hace presencia en la cultura de los pueblos rurales, pero aunque ministró en áreas rurales, él centró toda su atención a las ciudades palestinas del mundo greco-romano.

Galilea

Para Lucas la ciudad de Jerusalén es el centro geográfico y teológico del Evangelio y es en esta ciudad que comienza y concluye el itinerario de Jesús. De allí arranca la evangelización, en la dirección del Espíritu Santo, hasta el confín del mundo. Para este escritor del primer siglo es importante presentar en su Evangelio la importancia de la ciudad como objetivo de evangelismo y en Hechos como el lugar propio de la plantación de comunidades de fe locales. El nombre de la provincia Galilea proviene del latín galilea, del griego galilaia, y del hebreo galil, que significa círculo. Esta zona industrial y comercial de Palestina, sus habitantes aun siendo judíos, vivían como en una isla rodeada de pueblos no judíos porque estaban separados por la región de Samaria del resto de los judíos concentrados en Judea.

Galilea situada al norte, Judea en el sur y amaría en el centro, tenía un área total aproximada de 1,600kilometros cuadrados. En la parte montañosa estaban las ciudades de Caná y Naín y entre ellas Nazaret. La parte más plana se encuentra alrededor del mar de Tiberias, mar de Galilea o lago de Genezaret, éste tiene veintiún kilómetros de largo u doce de ancho, y se encuentra 210 metros bajo el nivel del mar.

Los galileos estaban abiertos a otras culturas y sus formas de conducta sin prejuicios, absolutamente cosmopolita. Esta actitud hizo del galileo un individuo menos religioso y escrupuloso en observar la Ley. Los líderes religiosos de Jerusalén, tan minuciosos y legalistas consideraban a Galilea una zona poco ferviente en el judaísmo, por ello le llamaba la *Galilea de los paganos*. Esto llevó a los letrados fariseos y escribas que desprecian a Jesús y sus discípulos, a preguntar: *¿Es que también tú eres de Galilea? Estudia y verás que de Galilea no surge ningún profeta* (Jn.7:52). Los habitantes de Galilea vivían relacionados con pueblos paganos porque la región era una vía comercial por donde transitaban caravanas de Damasco a Cesarea y esta situación geográfica, y mercantil hizo que el gobierno de Roma asentara en la ciudad de Capernaum una guarnición militar (Mt. 8:5). La existencia constante de transito de caravanas produjo una constante relación entre los grupos étnicos, además de que los galileos tenían fama de rudos e incultos, pero leales y sinceros (Jn. 1:47).

Flavio Josefo, el gran historiador judío menciona cincuenta y cuatro ciudades galileas y el Talmud enumera sesenta y tres. Galilea era una de las tres provincias que formaban junto a Samaria y Judea, la Palestina del imperio romano. El Antiguo Testamento al mar de Galilea se le llama mar o lago de Kinneret, o de kinnor que, en hebreo, significa arpa. Los habitantes de la región cuentan que el lago tiene esta forma y que la suave voz de sus olas recuerda el sonido de las cuerdas del arpa aunque sus aguas son ricas en peces también lo es la aparición de bruscas tempestades.

En sus riberas está Capernaum, lugar donde son oriundos Andrés y Pedro. Las llanuras fértiles que bordeaban este mar es la parte más rica de Palestina y el cultivo de una gran variedad de cereales enriquece la economía del lugar. Cuenta con una geografía de áridas montañas y el clima sirve para el cultivo de la vid, y el olivo generando una zona mucho más rica. Sus laderas orientales, que descienden hasta la cuenca del Jordán y el mar Muerto son totalmente desérticas, aunque durante la estación lluviosa se cubren por completo de hierba suficiente para alimentar los rebaños de cabras y ovejas. Entre estas tierras secas corren las aguas del Jordán, creando a todo lo largo de su cauce una franja estrecha de vegetación tropical que produce granadas, dátiles, cítricos y otras variedades de frutas, generando gran auge comercial en la región. El monte Tabor considerado una montaña sagrada está situada al suroeste del lago. Este monte tiene 588 metros de altura y fue donde se manifestó el hecho de la transfiguración (Lc. 17:1-13).

Jesús creció en Galilea y fue en esa región donde se desarrolló casi toda su actividad ministerial. En las llanuras de Genesaret fue donde Jesús inició su ministerio público, región que estaba escasamente poblada por los oriundos, de forma que la cultura autóctona no pudo ejercer ninguna influencia significativa sobre la nueva población venida de Judea. Los

Asmoneos conquistaron esta región escasamente poblada y sus habitantes, cuya etnia es desconocida, fueron rápidamente eliminados o asimilados por los colonos judíos que la repoblaron. Aunque en aquellos tiempos la población de Galilea era mayoritariamente judía, las características geográficas y las divisiones políticas de la zona permitían contactos relativamente frecuentes entre judíos y gentiles.

Galilea limitaba por el norte y el oeste con los territorios de Tiro y Sidón, incorporados a la provincia romana de Siria. La cultura fenicia seguía estando profundamente arraigada en esas ciudades. Por el este limitaba con el lago de Genesaret y la región de Gaulanítide (área histórica del antiguo Israel más allá del río Jordán, llamada así por la ciudad de Golán), pertenecía a la tetrarquía de Filipo y cuya población era mayoritariamente de origen sirio-fenicio y griego. La orilla oriental del lago se repartía entre la Gaulanítide y los territorios de las ciudades autónomas de la Decápolis, que eran centros urbanos griegos. Finalmente, por el sur, Galilea tenía frontera con Samaria.

La diversidad del relieve y de los tipos de tierra, hacía aconsejable tener propiedades, pues en cada porción podían cultivarse frutos, cereales y vegetales diferentes, las cuales, conjuntamente, cubrían todas las necesidades de la familia. Esta disposición inteligente de las tierras estaba también favorecida por la costumbre de dividir la herencia entre todos los hijos varones. La situación de equilibrio y satisfacción relativa de Galilea quedó rota con la urbanización acelerada de la región promovida por Herodes Antipas. Las familias fueron obligadas a cambiar drásticamente los criterios con los que organizaban su trabajo y su producción; ésta tuvo que orientarse a satisfacer las necesidades de abastecimiento de los dos centros administrativos del reino, Séforis y Tiberias, que en pocas décadas incrementaron la población urbana de Galilea en unas 20,000 personas. Un cronista sirio, cristiano y de origen judío llamado Barhebraeus señala sobre un censo que el emperador Claudio (41-54 d.C.) realizó:

Al tenor de esta información, habría 6.944,000 judíos en todo el Imperio romano. Sí añadimos los judíos de Babilonia, de la llanura de iraní, del Yemen y de Etiopia, puede estimarse que, un poco antes del 70, la población judía total podía exceder los ocho millones de los cuales la tercera parte vivía en Palestina (Paul, 1982, págs. 105, 106).

Es decir, más de dos millones y medio de judíos vivían en Palestina. Las familias ya no trabajaban para su propia subsistencia, sino para las exigencias de un mercado monopolizado que les obligaba a unificar parcelas, homogeneizar cultivos y vender todo su producto a cambio de dinero con el cual, después de haber pagado los impuestos exigidos por Herodes Antipas, debían comprar muchos de sus propios alimentos. Su encadenamiento a una economía monetaria controlada por el Estado solía llevarles al endeudamiento y a la ruina. Entonces vendían sus tierras y trabajar como arrendatarios o pasaban a engrosar la masa de jornaleros agrícolas que vivían totalmente al día en los arrabales de las ciudades.

Se crean así las condiciones que posibilitan la diferenciación y especialización laboral. Aunque siga siendo preciso que la mayoría de los individuos trabajen en la producción directa de los alimentos, aparece ya una considerable variedad de actividades e industrias artesanales que ocupan a una minoría significativa de la población. Destaca la fabricación de enseres domésticos y herramientas que permitió sustituir los primitivos instrumentos de madera y piedra, propios de las sociedades horticultoras, por azadones, picos y arados con extremos en punta de hierro. La minería, construcción de barcos y vehículos de tracción animal, el transporte de mercancías por tierra, el perfeccionamiento de los aparejos de los barcos y las técnicas de navegación a vela en alta mar posibilitó el transporte de mercancías en tiempos más cortos y a un costo menor. Así se favoreció el comercio, la colonización y, de forma general, la comunicación y la relación entre culturas.

Jesús crece en la pequeña aldea sureña de Nazaret en Galilea. Cuando escoge a sus discípulos, en su mayoría son galileos y con ellos, convierta a Galilea en el escenario principal de su vida pública donde lleva a cabo la mayor parte de su predicación y milagros. Algunas de las ciudades galileas son Bethsaida, Caná, Capernaúm, Corizin, Magdala, Nain, Nazaret y Séforis la ciudad helenística de Galilea, y Tiberíades la segunda gran ciudad de Herodes Antipas entre otras.

Una de las primeras visitas de Jesús fue a su pueblo de Nazaret. No era una aldea, sino una polis, que quería decir un pueblo o ciudad; y es muy posible que tuviera tantos como 20.000 habitantes. Estaba edificada en una pequeña vaguada de las colinas que hay en las laderas más bajas de Galilea, ya cerca de la llanura de Jezreel (Barclay, 1994, pág. 24).

Desde el punto de vista socioeconómico, Galilea constituye solamente uno de los dos elementos básicos de una estructura unitaria más amplia, a saber, la formada por la urbe propiamente dicha y su entorno rural. La función primaria del entorno rural de Galilea es abastecer de productos agrícolas a las ciudades. La reconstrucción de Séforis y la nueva fundación de la urbe de Tiberíades, incrementó el tráfico de personas y mercancías en toda Galilea. Durante el reinado de Antipas se utilizó una ruta que conectaría la costa con el puerto de

Ptolemaida, así con estas dos ciudades galileas y la tetrarquía de Filipo se llegaría hasta Damasco. El paso entre ambas tetrarquías se situaba entre Capernaúm y Bethsaida, dos pequeños puertos pesqueros del lago de Genesaret ubicados a uno y otro lado de la frontera respectivamente.

Aunque no se la puede considerar una vía de comercio internacional en toda su extensión, si es una ruta indudablemente los contactos entre los judíos galileos y los paganos de su entorno. En Galilea había mucho más que pastores de ovejas, trabajadores del campo y pescadores. A los discípulos de Jesús no les fue difícil la transición de Galilea a las ciudades del Imperio pues no eran tan rurales como se ha creído y enseñado. Jesús preparó un equipo para que se desarrollaran en áreas urbanas; no los urbanizó, sólo los pulió, pues eran urbanos. Hizo de ellos un grupo multiurbano para que no se sintieran avasallados ante las grandes ciudades de mayor envergadura como las de Decápolis donde Jesús manifestó su propósito de llevar el evangelio. Los discípulos tenían ya una plataforma social urbana en su entorno, Jesús sólo afinó algunos elementos y los envió.

Decápolis: Jesús y los gentiles

El entorno urbano de Jesús va más allá de Galilea, toca Decápolis, área geográfica que conformaban diez ciudades. La región de Decápolis se encontraba en el borde oriental del mar de Galilea y el río Jordán. De tierra fecunda y clima templado, se llevaba a cabo la agricultura en toda la región. Esta confederación de ciudades representó la hegemonía política y cultural de los griegos cientos de años antes de la llegada de Jesús. En la época de Alejandro Magno esta zona representó el mando macedonio en Trasjordania que comprendía desde Moab hasta Damasco. Plinio el Viejo, escritor, científico, naturalista y militar romano presenta el nombre de las diez ciudades de Decápolis. Describe a la ciudad de Gersa en Jordania que fue una de las ciudades romanas más importantes y mejor conservadas del Próximo Oriente y se ubica en la región de Gilead, al noroeste de Jordania. Los romanos garantizaron la paz y la seguridad en el área, lo que permitió a sus habitantes dedicar su tiempo y energías al desarrollo económico y la construcción.

Hippos está localizada en Israel en una colina en la parte alta del mar de Galilea y se relacionó culturalmente con Grecia y Roma. Se encuentra también la ciudad de Philadelphia, hoy conocida como Ammán y la ciudad de Dion cuya ubicación exacta todavía se disputa, pero se piensa que es actualmente un sitio cerca de Al Hisn conocido como Aydoun, alrededor de la ciudad de Irbid en Jordania. La ciudad de

Canatha o Qanawat es otra de ellas que se halla a 100 kilómetros al sureste de Damasco y tiene una altitud de 1,200 metros sobre el nivel del mar, cerca de un río y rodeada de bosques. La ciudad de Damasco entra dentro de las diez y es considerada la ciudad continuamente habitada más antigua del mundo que fue la capital de Siria.

Dos ciudades más son la ciudad de Raphana conocida también como Abila que se encontraba en la llanura de Abilene y la ciudad de Pella, hoy conocida como Tabaqat Fahl, se halla rodeada de ondulantes colinas y en pleno Valle del Jordán. La ciudad de Escitópolis (*Beit She'an*), única al oeste del río Jordán que está a 120 metros debajo del nivel del mar, a 60 kilómetros al sur de Tiberíades y Gadara, ciudad semiautónoma llamada también Antiochia y Selucia. Estas cuatro últimas ciudades eran las más importantes de Decápolis. El valor de este conglomerado urbano estriba en que demuestran la importancia de la urbanización que cubría la civilización griega, así como la manifestación de la habilidad de Roma para controlar una región de su Imperio. En esta área geográfica la cultura grecorromana fue importada, extendiéndose con un programa de urbanización impresionante en el área.

Las cuatro ciudades, Raphana, Pella, Escitópolis y Gadara, contaban con teatros, escuelas de filosofía, baños públicos, mercados, calles empedradas, caminos custodiados por el ejército, alumbrado público, edificios públicos y templos entre otros. También eran rápidas en responder sí surgía alguna revuelta y la respuesta era devastadora. Las diez ciudades eran cosmopolitas, la llegada de romanos, griegos, árabes, africanos, sirios y egipcios conformaron el contacto con la gente del lugar. La presencia de una población griega significativa que se estableció en la región en tiempos de Alejandro el Grande y después, los seléucidas, es consistente con la abundante cría de ganado porcino en la región (Mr. 5:11, 13, 20).

En esta zona dos culturas actuaron recíprocamente: los colonos griegos y la semítica nativa de los judíos. Esto generó cierto choque cultural, pues los recién llegados se asustaron por la práctica de la circuncisión. Los griegos, intolerantes a cualquier imperfección física y adherida al dualismo, diferían de las poblaciones nativas en aspectos de dieta, filosofía, culto y otras formas de vida. Para los griegos la circuncisión practicada por los nativos era una profanación del templo viviente en donde el alma inmortal mora, la mutilación del templo humano constituyó una conducta despreciable y un sacrilegio. Un órgano sexual mutilado expuesto era obsceno y para la mente griega tal conducta era lujuriosa e indecente. Esto excluyó a los judíos de los baños públicos donde se trataban asuntos en materias de negocio y comercio, aunque había también al mismo tiempo el intento de cierta mezcla cultural.

Las diez ciudades actuaron como centros para la difusión de la cultura griega. Algunas deidades locales empezaron a ser llamadas por el nombre Zeus, dios griego principal y ciertas ciudades empezaron rindiendo culto a estos zeus locales. Hay evidencia de que los colonos adoptaron el culto de deidades fenicias como el dios Nabatean conocido en su nombre griego como Dusares, el señor de la montaña. El culto de estos dioses se atesta en las monedas e inscripciones de las ciudades, así como el culto al emperador romano. Era una práctica común a lo largo de Decápolis y uno de los rasgos que unieron estas urbes. Un pequeño templo dedicado a la adoración al emperador fue llamado Kalybe, y era único a la región. Cada ciudad acuñaba sus propias monedas y en el dinero circulante de las ciudades de Decápolis identificaban su ciudad como autónoma, libre, soberana, o sagrada, condición que implicó alguna clase de estado autónomo.

Bajo esta premisa griega, Roma reorganizó y centralizó los grupos sociales y culturales generando una nueva realidad. Las ciudades aglutinaron todo tipo de individuos sin importar su origen y Palestina no fue ajena a este cambio social transcendental. No existía ningún lugar que no hubiese sido influenciado por este nuevo paradigma urbano. Las urbes eran tan grandes como las áreas geográficas donde se encontraban y disfrutaban de lazos comerciales fuertes, generados por una red de nuevos caminos romanos. Esto llevó a una identificación común, como una federación. Parece que Decápolis nunca fue oficialmente una unión política o económica; pero sí significó una agrupación de ciudades-estados que disfrutaron de una autonomía especial durante la Roma temprana.

Jesús ve urgente propagar la Palabra en estas ciudades como lo señala Mateo (4:25) y Marcos (5:20, 31). Decápolis contenía una sociedad bien organizada pues el concepto orgánico estaba basado en la *polis* griega. Lo económico, político y administrativo, y las implicaciones sociales y filosóficas se concentraban en esta área. Este era un concepto fundamental que se extendía por todo el Imperio y el resultado de la cosmovisión griega aplicada a la sociedad romana produjo ciudades cosmopolitas que redujeron los límites raciales, étnicos y culturales. Marcos menciona dos veces la incursión de Jesús a esta área geográfica en compañía de sus discípulos (5:18-20; 7:31-14). En ambas incursiones Jesús manifiesta su poder sanando enfermos y liberando a los poseídos por el diablo.

La tarea ministerial de Jesús sólo tocó fronteras de áreas helénicas y no las ciudades en sí, ejemplo de ello su llegada a los bordes de Tiro (Mt. 7:24, 31). Las comunidades que están alrededor de Cesarea de Filipo (Mr. 8:27), eran un distrito, no un toparca, es decir una capital que controlaba un número extenso de pueblos y poseyó el privilegio de acuñar su propio dinero.

Los evangelios no registran ningún viaje de Jesús a Séforis por ejemplo. Esta ciudad no es mencionada en la Biblia pero en la literatura rabínica habla frecuentemente de ella. Flavio Josefo es el primero que describe esta ciudad a comienzos del reinado de Alejandro Janeo en 103 a. C. En tiempos de Herodes el Grande es convertida en una plaza armada y Herodes Antipas la reconstruye, la rodea de una muralla y pasa a ser la capital de Galilea; se convierte en el orgullo del territorio galileo y es llamada el ornato de Galilea. Habitada predominantemente por judíos, hay una gran comunidad romana y griega en ella. No sería nada raro que Jesús la visitara con sus discípulos, aunque sólo se describen el viaje que hace de Nazaret a la ciudad gentil de Tiberias (Jn. 6:23). Jesús envía a sus discípulos al otro lado del lago, en la región de los gadarenos (Lc. 8:26), siendo un área pagana desde el tiempo del Éxodo. Sólo hasta este momento Jesús inicia un proceso de expansión de su Palabra en esta tierra y el que es liberado de la legión demoniaca se dedica a esparcir la Palabra de Dios en todo Decápolis (Lc. 8:38, 39).

Este aparente alejamiento de Jesús no es un asunto de rechazo hacia las ciudades helenizadas, su ausencia no significa un descuido hacia esas comunidades, los rabinos mantenían distancia de estas ciudades dada su naturaleza de hombres públicos. El desprecio hacia los gentiles emanaba de líderes religiosos extremistas y de la muchedumbre más no del Señor. El enfoque ministerial de Jesús en las ciudades se centraba en las sinagogas (Mt. 9:35), pues Jesús envió a sus discípulos a las ovejas perdidas que vivían en las ciudades de Israel (Mt. 10:23; 2:20; 19:28). El tiempo de la proclamación del evangelio a los gentiles aún no había llegado. La salvación era únicamente, al principio, para la casa de Israel: *Y os digo que vendrán muchos del oriente y del occidente, y se sentarán con Abraham e Isaac y Jacob en el reino de los cielos* (Mt. 8:11). La salvación de los gentiles llegaría después de la muerte y resurrección del Señor (Mt. 21:33-43). En su momento estas ciudades recibirían la llegada de mensajeros con el evangelio de Jesucristo.

Misión urbana de Jesús

La misión central del ministerio de Jesús se encontró en los centros urbanos de su época: *Recorría Jesús todas las ciudades y aldeas, enseñando en las sinagogas de ellos, y predicando el evangelio del reino, y sanando toda enfermedad y toda dolencia en el pueblo* (Mt. 9:35). Como se ha mencionado el medio urbano de Jesús va mucho más allá de Galilea; Jesús hace un serio trabajo en la región de mayor crecimiento de la población e influye para que líderes se sumen a la tarea de la predicación del evangelio (Mt. 9:37-38). El contenido del ministerio de Jesús en las zonas urbanas incluye la predicación de las buenas nuevas del Reino de Dios (Mt. 9:35), compasión por la ciudad (Mt. 9:36), sanar a los enfermos (Mt. 9:35; Mr. 6:35), y llevar el mensaje de salvación a las ciudades obstinadas (Mt. 11:20-24). De acuerdo con Mateo 4:25 y Marcos 5:20, 31, el mensaje de Jesús se extendió a través de estas áreas urbanas.

Jesús no tuvo ningún temor de compenetrarse en la vida urbana de su tiempo. El plan de redención se da en el ámbito urbano. La rebelión gestada en Babel sobre la unificación y unidad humana, con el consecuente castigo de Dios que desciende a la ciudad, ahora ha cambiado, Jesús desciende para salvar la ciudad. El Señor reitera la promesa de bendición a todas las familias de la tierra a través de Jacob por medio de una escalera (Gn. 28:13, 14), y es en ese lugar que se construye la ciudad de Betel, y surge la casa de Dios. Cuando el Señor Jesús platica con Natanael le describe una nueva realidad que supera la promesa a Jacob, le dice: *De cierto, de cierto os digo: De aquí adelante veréis el cielo abierto, y a los ángeles de Dios que suben y descienden sobre el Hijo del Hombre* (Jn. 1:51).

Los profetas manifiestan su anhelo de la restauración escatológica de la ciudad santa de Dios después de su destrucción. Esperaban que Dios restituyera a Jerusalén (Amos 9:14; Hch. 15:14-18), y también a las ciudades gentiles (Ez. 54:3). En su visión, el desarrollo de todos los centros urbanos sería llevado a cabo por Dios mismo. El mensaje de Jesús es que estas promesas divinas se cumplen en Él, su llegada es para salvar y traer júbilo a los habitantes de las ciudades (Is. 61:1, 2), y es corroborado en la sinagoga de la ciudad que lo vio crecer (Lc. 4:21). Envía a sus discípulos con el mensaje central de que: *el reino de los cielos se ha acercado* (Mt. 10:7; Lc. 10:1, 11). El jubileo de Dios es que Jesucristo ha llegado a ellas (Ez. 61:1, 2) y el propósito es que sus habitantes conozcan el mensaje de salvación. Las urbes son invadidas con este mensaje y los discípulos testifican que: *aun los demonios se nos sujetan en tu nombre* (Lc. 10:17). Por medio de ellos Jesús desarrolla la misión urbana despedazando el poder que las tinieblas tienen en ellas.

En poco tiempo el mensaje del Nazareno genera tal magnitud de seguidores que los discípulos no saben cómo alimentar a todos los que salen de la ciudad (Mt. 14:13-21; 15:29-39). Tal situación comienza a generar incomodidad en los líderes religiosos de la capital y determinan liquidarlo. Sin importar estos planes, Jesús sigue llevando a cabo la misión; sus discípulos sin entenderlo, esperan que se esconda para no ser apresado, ven cómo Jesús se presenta públicamente en la ciudad. Y aunque su tarea urbana parece que concluye con su aprensión y muerte, realmente es Jesús mismo quién se convierte en el agente de restauración urbana a través de su muerte y resurrección, aspecto que Pablo retoma con agudo discernimiento como se observa en sus acciones en todo el Mediterráneo.

La misión de Jesús en la ciudad fue involucrarse con los más desposeídos, se hizo amigo de pecadores (Mt. 11:19; Lc. 7:34). Esto repercutió seriamente en su persona, pues fue perseguido por los ministros de su tiempo que no se involucraban con esta clase de gente: como leprosos, prostitutas, ladrones, mendigos y otros que disfrutaron de su amistad y amor. Jesús se involucró con los intocables de la sociedad y a muchos de ellos los hizo sus discípulos, ejemplo de ello fue Judas el zelote. Este discípulo convertido luego en apóstol pertenecía a un grupo de sicarios y terroristas que soñaban con la emancipación de Israel; era miembro del movimiento político más violento de la época, y como él, muchos de estos radicales trabaron amistad con Jesús. Su mensaje transparente fue comunicado en el lenguaje de ellos y atrajo sus vidas al Evangelio. El famosos misionero ingles C. T. Studd señaló: *muchos quieren vivir cerca del replicar de las campanas de su iglesia, pero yo quiero vivir rescatando gente a un metro del infierno*. El corazón de Jesús estaba con la gente más desposeída y rechazada de las ciudades, actitud que hoy debemos mantener.

El Evangelio de Lucas

Los evangelios muestran a Jesús enseñando en un contexto urbano hablando de temas urbanos. Mateo describe la preocupación de Jesús por la justicia y la rectitud, y su pasión de ir más allá que sólo discipular y enseñar en áreas rurales. Marcos narra el ministerio de Jesús alrededor del lago de Galilea, allí toca numerosos ambientes urbanos como Necrópolis, la ciudad de los muertos. Las tormentas que retratan el medio ambiente, los elementos personales y las dos mujeres en agonía, son retratos citadinos (Mr. 4-5). El evangelio de Juan relata siete milagros así como una serie de personajes, todos en entornos urbanos. Estos ejemplos tienen importancia por la evangelización urbana y aunque el fondo de las historias es judío, los hechos se desarrollan en ambientes urbanos.

El interés de Lucas se vuelve más notable cuando el estilo que usa tiene el propósito de enfocar y resaltar la *polis*. El término en cuestión se agrega a nombres propios de situaciones específicas, elementos que no se ven en los demás evangelios. Lucas orienta al lector sobre la misión de Jesús que es dirigida hacia la ciudad de Jerusalén, la ciudad del gran rey (Lc. 9:41; 22:10; 23:19; 24:49). La peregrinación urbana de Jesús se enfila en la preparación de su muerte y resurrección; anuncia que en esta ciudad se manifestará la plenitud de su misión urbana y es Lucas el único que presenta la idea de que Jesús realiza un peregrinaje hacia la ciudad con un colofón mesiánico. El camino de la cruz es un viaje hacia Jerusalén que juega un papel fundamental ya que Lucas hace referencia el doble de ocasiones que los otros tres evangelistas. Más sorprendente es el hecho de que hace una crónica de la ciudad sin ningún antecedente (Lc. 19:41; 22:10; 23:19; 24:49).

El médico griego inicia el anuncio de los ángeles del nacimiento de Jesús en la ciudad (Lc. 1:5-25), nos conduce por el viaje hasta ella por causa del censo (Lc. 2:3). Ya en Belén, narra que el niño nacerá en la ciudad de David (Lc. 2:4), el ángel Gabriel no señala simplemente Nazaret, sino que expresa: *...una ciudad de Galilea, llamada Nazaret* (Lc. 1:26). Siendo un niño adolescente, Jesús se encuentra en el Templo de esta urbe en los negocios de su Padre (Lc. 2:50), y cuando es tentado por el diablo al iniciar su ministerio público, lo lleva al pináculo del Templo de la misma ciudad (Mt. 4:1-11; Lc. 4:1-12). Otro señalamiento de Lucas es la mención de la casa de Zacarías que se ubica en: *la montaña, a una ciudad de Judá* (Lc. 1:39). Por otra parte, Marcos presenta a Jesús sanando en la sinagoga a un hombre poseído de un espíritu inmundo, Lucas dice que esto se realizó en Capernaúm, *ciudad de Galilea* (Lc. 4:31). Con detalles, el evangelista anota las actividades de Jesús cuando sana y resucita al hijo de una viuda advierte que estaba en: *la ciudad que se llama Naín* (Lc. 7:11), relata el testimonio de José, el que era miembro del Concilio, que era de Arimatea y expresa que es de la: *ciudad de Judea* (Lc. 23:50).

Como se ha señalado, los demás evangelistas describen los lugares en forma diferente como lo hace Lucas. Marcos refiere la sanidad de un ciego que Jesús: *lo sacó fuera de la aldea* (Mr. 8:23), pero de este lugar, Lucas dice que es: *la ciudad llamada Bethsaida* (Lc. 9:10), y detalla que al estar Jesús en la casa de un fariseo llegó a su casa una mujer que era: *de la ciudad* (Lc. 7:37). El médico griego no aplica el término ciudad en forma automática a todos los lugares, cuando envía a sus discípulos a predicar, sanar y liberarlos apunta que vayan: *por todas las aldeas* (Lc.9:6).

Usa el término aldea cuando se refiere a los lugares propios de los samaritanos (Lc. 9:52), por ejemplo, de la casa de Marta y María, dice que se encuentra en una aldea (Lc. 10:38). Cuando envió Jesús a dos de sus discípulos en busca de un pollino, Lucas señala que fueron enviados a una aldea (Lc. 19:30), y al describir a Emmaus dice que es una aldea (Lc. 24:13, 28). Esto indica que no siempre hace referencia al término ciudad, pues son ejemplos de los lugares que se encuentran en las proximidades de Jerusalén. Lucas se concreta en contrarresta el papel de las grandes ciudades con sus lugares vecinos.

Las parábolas que Lucas desglosa, a diferencia de los otros, siempre subrayan lo urbano. Como ejemplo de la parábola del sembrador, Mateo (13:2) y Marcos (4:1) centran su atención en las grandes multitudes que seguían a Jesús; pero Lucas centra su atención en las diversas ciudades de donde proceden todos los que vienen a Jesús (Lc. 8:4). La figura del juez como centro de la parábola que enseña sobre la oración relata que este hombre estaba en una ciudad y que en esta ciudad había también una mujer con una urgente necesidad (Lc. 18:2, 3). Cuando Mateo describe la parábola del banquete donde los invitados no asisten, coloca su atención en la invitación que se hace a la gente que vive en la calle (Mt. 22:9), pero Lucas hace una descripción más particular al señalar: *las plazas y las calles de la ciudad* (Lc. 14:21). De la parábola de los diez talentos, Mateo expresa el premio que recibirán los fieles siervos (Mt. 25:21), Lucas con más precisión reseña que a los siervos premiados se les dará autoridad sobre un número determinado de ciudades (Lc. 19:17, 19).

Las descripciones de los evangelios presentan un panorama rural pero Lucas da un matiz urbano, por ejemplo: *Juntándose una gran multitud, y los que de cada ciudad venían a él* (Lc. 8:4, 1). Cuando Jesús comisionó a sus discípulos y a los setenta para que predicaran el Evangelio es Lucas quién dice que Jesús los envió: *a toda ciudad y lugar adonde él había de ir* (Lc. 10:1). De acuerdo a la visión de Lucas, Jesús tiene su atención en las ciudades como lugares de gran receptividad para el evangelio (Lc. 10:8, 10-12). Cuando Jesús libera a un endemoniado que vivía en las tumbas más allá del mar de Galilea, en la región de Gadara, Lucas detalla que es un hombre de ciudad (Lc. 8:27). Al sanarlo y enviarlo de vuelta a su familia para que testifique de los hechos del Señor en su vida, Marcos se concreta en decir que el hombre: *se fue, y comenzó a publicar en Decápolis* (Mr. 5:20), pero Lucas omite el nombre de la federación de ciudades helenística, para señalar que se fue: *publicando por toda la ciudad* (Lc. 8:39). En el milagro de la multiplicación de los peces y los panes Mateo (14:13) y Marcos (6:32), hacen alusión a la topografía aislada y solitaria del lugar pero Lucas habla del área geográfica desértica que tiene lazos estrechos con la ciudad de Bethsaida (Lc. 9:10).

La limpieza que Jesús hace en el Templo genera inmediatamente un juicio en contra de la ciudad (Lc. 19:41-44). La ceguera de la urbe (v. 42) se manifiesta incisivamente en el Templo que es miope a los propósitos de Dios para ella, al no reconocer el tiempo del Señor (v. 44). Lucas no describe ninguna aparición de la resurrección en Galilea, sólo en el entorno de la ciudad de Jerusalén. En todos los sucesivos relatos después de la resurrección, entre líneas, se lee que todos los acontecimientos suceden en Jerusalén. El clímax del evangelio de Lucas se da cuando Jesús ordena a sus discípulos permanecer en la ciudad hasta la llegada del Espíritu Santo (Lc. 24:46-52); en contraste con los otros evangelistas (Mt. 28:7, 10, 16; Mr. 16:8).

Esta influencia urbana no fue ajena al ministerio que Jesús desarrolló en Galilea. El vocabulario que utiliza da evidencia de las instituciones judiciales propias de la ciudad (Mr.5:25), de las plazas y mercados (Mt. 23:7; Mr. 5:56), hizo uso de analogías financieras desarrolladas en el interés de cuentas productivas de los bancos que sólo se desplegaban y aplicaban en la urbe ((Mt. 25:27; Lc. 19:23). Presentó a Dios como propietario de un terreno, infiriendo que estaba ausente porque no vivía en el campo (Mr. 12:1-12), ya que esta actividad era común en hombres adinerados que vivían en la ciudad y tenían propiedades en áreas rurales que eran rentadas o trabajadas. Trato en cierto momento con un centurión (Mt. 8:5); jefe militar que sólo se apostaban en ciudades. Invitó a un burócrata, cobrador de impuestos que estaba desarrollando su profesión en la entrada de la ciudad, a ser su seguidor (Mt. 9:10; Lc. 5:27). Todas estas narrativas se desarrollan en el contexto urbano galileo.

El biógrafo griego ocupa aproximadamente el 40% de su Evangelio para describir la peregrinación de Jesús rumbo a la ciudad de Jerusalén (Lc. 9:51-19:44). En contraste a lo que Mateo solo ocupa dos capítulos de tal jornada (19 -20) y Marcos uno (10). En toda la narrativa de Lucas se ve a Jesús resuelto a partir de Nazaret a Jerusalén (Lc. 9:51, 53; 13:22; 17:11; 19:11). El viaje escatológico de Jesús inicia a partir del monte de la Transfiguración (Lc. 9:31), así inicia el plan redentor para la ciudad. La fase final de la jornada concluye con la entrada de Jesús a Jerusalén. Las aglomeraciones de las gentes hacen eco al Salmo 117:26 al vitorear el acceso de Jesús. Sólo Lucas menciona el llanto de Jesús por la ciudad (Lc. 19:41), esto es porque la ciudad se ha convertido en el principal oponente de Jesús. El Señor ha llegado y ésta lo ha desechado.

Estos detalles del evangelio de Lucas revelan el parámetro de importancia que el médico griego da a los centros urbanos. Y estos elementos son característicos de Lucas sobre los demás evangelistas pues centra su atención en los aspectos citadinos de los seguidores de Jesús.

Los Hechos de los Apóstoles

La conexión teológica urbana entre el evangelio de Lucas y Hechos es irrefutable. En el primer tratado la intención es ratificar su paternidad, pero en Hechos describe que Jesús continua actuando, enseñando y ministrando después de su ascensión a través de sus seguidores en el poder y la manifestación del Espíritu Santo. Realiza una mirada retrospectiva sobre las acciones de Jesús. En el evangelio se retrata hechos y enseñanzas del Maestro como modelo para las acciones de la Iglesia. En el Evangelio y en Hechos las enseñanzas y las acciones no concluyen, continúan. Pasan de una generación a otra, es la intención que Lucas plasma en la mente de sus lectores.

El testimonio de las acciones de la iglesia en Hechos, en los centros urbanos, se describe con puntual cuidado. Señala ciudades cómo Jope (11:5), Derbe (14:6), Tiatira (16:14) y Listra (27:8). Tiene la preferencia de citar el término ciudad describiendo la fama de los milagros de Pedro que se extiende fuera de las fronteras de la ciudad de Jerusalén trayendo multitudes de otras ciudades. *Y aun de las ciudades vecinas muchos venían a Jerusalén, trayendo enfermos y atormentados de espíritus inmundos; y todos eran sanados* (Hch. 5:16).

Si los críticos de Lucas llegaron a señalar que en su primer tratado no tenía idea de la geografía de Palestina al asignar el título de ciudad a algunas comunidades por ser griego, en Hechos el argumento es invalidado. Lucas sí sabe diferenciar la ciudad de las aldeas, las villas, las pequeñas comunidades y las provincias. Sí existe una diferencia significativa de la forma en que Lucas y Pablo describen sus actividades misioneras. Las cartas de Pablo describen las provincias romanas como unidades, ejemplo de ello es cuando habla de Galacia, Acaya, Ilírico y otras.

Pablo se concreta a describir las unidades urbanas donde llega y concentra su esfuerzo en cuatro provincias del Imperio: Acaya y

Macedonia al occidente; Galacia y Asia al oriente. Éstas eran urbes populosas y llenas de vida y la intención del apóstol es asegurar la evangelización de toda la región. De tal forma que la iglesia de la ciudad de Corinto patrocina la obra en Cencrea, por su puerto en oriente (Ro. 18,1), y la iglesia en Éfeso a las congregaciones locales de Colosas y Laodicea, en el valle del Lico (Col. 1,7; 4,16). La comunidad de fe local en Corinto podía contar con un centenar de cristianos en una ciudad que se acercaba al millón de habitantes, así: "la misión paulina fue, pues, esencialmente urbana" (Meeks, 1988, pág. 345).

Pablo señala la provincia de Galacia y Lucas cita la ciudad de Iconio, Derbe y Listra que están dentro de esa provincia. Pablo presenta la provincia de Macedonia (2 Cor. 8:1), y Lucas señala sus ciudades, Tesalónica, Berea y Filipos (Hch. 16:9 – 17:14). No desecha los títulos de las provincias en los Hechos (Hch. 16:9; 18:5), cual griego, tiene sensibilidad política y por ello señala a: Galión como procónsul de Acaya (Hch. 18:12). En su interés urbano relata el trabajo de expansión del evangelio en las ciudades de Corinto y Atenas (17:15 – 18:18). Es evidente que en su relato de Hechos el trabajo misionero se proyecta únicamente en los centros urbanos.

El concepto de ciudad en el libro de los Hechos señala que la Gran Comisión continuó en casi todos el Imperio. Los mismos judíos llevaron el evangelio a las ciudades, Felipe predicó y: *anunciaba el evangelio en todas las ciudades* (Hch. 8:40). El mensaje que Santiago despliega en el Concilio de Jerusalén ante los ministros y delegados asistentes señala que en la Palabra del Señor es anunciada: *en cada ciudad* (Hch. 15:21). El ministerio de Pedro fue tan efectivo que: *aun de las ciudades vecinas muchos venían a Jerusalén, trayendo enfermos y atormentados de espíritus inmundos; y todos eran sanados* (Hch. 5:16). Algunas de estas actividades fueron el apedreamiento de Esteban que tuvo lugar: *fuera de la ciudad* (Hch. 7:59), el templo de Zeus fue construido: *fuera de la ciudad* (Hch. 14:13), Pablo es: *arrastrado fuera de la ciudad* (Hch. 14:19), los creyentes despiden a Pablo en oración: *fuera de la ciudad* (Hch. 21:5), Pablo da testimonio de la importancia de visitar a los cristianos que están: en *todas las ciudades en que hemos anunciado la palabra del Señor* (Hch. 15:36), tiempo después reconoce que en cada comunidad cristiana local él ha recibido testimonio del Espíritu Santo: *por todas las ciudades* (Hch. 20:23) y admite que persiguió a los cristianos: *hasta en las ciudades extranjeras* (Hch. 26:11).

El interés en la amplia distribución geográfica del ministerio de Jesús es más evidente en Hechos ya que en la perspectiva geográfica urbana del Evangelio inicia en Galilea y culmina en Jerusalén. En Hechos el movimiento urbano inicia en Jerusalén y puntualiza el avance en los centros urbanos importantes del Imperio hasta llegar a la ciudad central del mundo: Roma. El énfasis urbano de Lucas en el segundo tratado se caracteriza por los temas sociales que presenta: riqueza, pobreza, justicia, mujeres y otros. El clímax de Hechos se da cuando Pablo desde la ciudad de Roma predica y enseña el evangelio sin ningún impedimento, y recibe informes de sus colaboradores de los avances de la expansión del evangelio en las ciudades del Imperio donde han llegado (Ro. 28:30, 31).

Jesús en las comunidades

De acuerdo a la época, cultura, naciones y política entre otros elementos, califican a las poblaciones como ciudades indistintamente, pues los parámetros o estándares definidos para calificar una población con el título de ciudad son diversos. Los juicios basados en el tamaño de la población difieren unos de otros y en el caso de Nazaret (Mt. 2:23; Lc. 1:26; 2:4) y Capernaúm (Lc. 4:31) son designadas como ciudades.

La provincia de Galilea es donde ciudades se asentaron es un área geográfica de más de 1,200 kilómetros cuadrados. En el gobierno de Herodes Antipas contenía aproximadamente 200,000 habitantes, siendo la parte baja de Galilea una de las áreas más densamente pobladas del Imperio. El sistema carretero siempre estuvo vinculado a los centros regionales del poder romano, tanto en influencia como en cultura. Algunos ejemplos de ello son ciudades como la amurallada Magdala, Capernaúm, Seutópolis y Escitópolis, la ciudad más grande de Decápolis (Mt. 4:25; Mr. 5:20), Tiberias y Séforis donde se asentaba el Sanedrín que era la capital de Galilea. De esta ciudad el nombre hebreo es *Zippori* derivada según el Talmud de *zippor*. Jesús llama a Herodes Antipas, "zorro", al parecer era un apodo a la familia herodiana. Pudiera ser que Jesús usó estas dos palabras para aludir a la aristocracia viviendo en sus palacios o madrigueras y a la burocracia en sus nidos de manera exuberante. Una tradición señala que de esta ciudad fue la madre de María.

La Galilea de los gentiles (Mt. 4:15), así señalada por los líderes religiosos de Jerusalén, es una área creciente de urbanización idéntica a las urbes griegas importantes. Flavio Josefo describe que es una zona densamente poblada y urbanizada, detalla que las ciudades son grandes y que por su riqueza han alcanzado un aproximado de 15,000 habitantes. Galilea tenía organizada las poblaciones en forma lineal y existía una relación simbiótica entre las comunidades rurales y urbanas por lo que todos sus habitante rurales no podía estar al margen de la influencia de las urbes. Era imposible escapar de los efectos de la urbanización pues la vida en Galilea confrontaba una expansión en la edificación y expansión como en cualquier parte del Imperio en crecimiento.

Jesús ¿citadino o rural?

¿Jesús era un hombre rural, ajeno al área urbana? Algunos creen a pie juntillas que era totalmente un hombre rural porque el ministerio de Jesús se desarrolló en áreas rurales de Galilea. Marcos señala que Jesús es de Nazaret porque en el relato del bautismo dice que: *Jesús vino de Nazaret de Galilea* (1:9), y no menciona ninguna otra ciudad de origen, fuera de ésta; no da ninguna otra indicación alternativa como para pensar que proviene de otra parte. Cuando Jesús va a Nazaret, Marcos apunta que se fue a su patria (6:1), y en griego esta palabra es *patris* que significa literalmente la tierra natal o el lugar de nacimiento. Esto lo confirma el mismo Jesús; ante el escándalo que producen sus enseñanzas en Nazaret, expresa que un profeta en su patria, entre sus parientes y en su casa es despreciado (6:4). Todos conocen al Señor como Jesús de Nazaret, el endemoniado de Capernaúm lo dice (1:24), el mismo evangelista Marcos también (10:47), la criada del Sumo Sacerdote (14:67), y el ángel del sepulcro (16:6) lo reiteran. Nazaret fue el lugar donde asentó su hogar José y María, y ají pasó su niñez (Lc. 2:39). Por ello la mayoría lo asocia con esta ciudad.

Nazaret era un pueblo agrícola pequeño de poca importancia que habría desaparecido de toda la memoria nacional y mundial a no ser por su asociación con Jesús en los evangelios. Lucas la describe como ciudad en lugar de pueblo que se localizaba en la *Vía Maris*, cerca de Séforis. Nazaret no aparece en la lista de las cuarenta y cinco ciudades de Galilea enumeradas por el historiador judío Flavio Josefo, como tampoco entre las sesenta y tres mencionadas por el Talmud. El nombre de la ciudad proviene del arameo *nazor* o *nazir*, que significa príncipe, corona o tonsura. El nombre de la ciudad hizo que el nazareno, el oriundo de ella, se consideraba gente de linaje noble y dedicado a Dios. En Nazaret vivían los descendientes de la ilustre familia del rey David, (entre ellos José y María); esta familia que había reinado en Israel en siglos pasados fue apartada del poder en la época de los Macabeos. La nación dejó de escoger a sus líderes nacionales de los miembros de estas familias. La frase de Natanael: *¿algo bueno puede salir de Nazaret?* (Jn. 1:46), no alude a la insignificancia de Nazaret, sino a la caída política e influyente de sus ilustres habitantes, salidos del linaje del Rey David, caídos en el olvido.

Mateo señala que Jesús era un hombre de ciudad, un citadino: *entonces, entrando Jesús en la barca, pasó al otro lado y vino a su ciudad* (Mt. 9:1). Seguramente se refería a Nazaret, o ¿a Belén? ¿Tal vez a Jerusalén? Ninguna de ellas, se refería a Capernaúm, la ciudad conocida como la ciudad de Jesús. Esta fue elegida por Jesús para vivir en ella. Mateo señala que Jesús habitó en Capernaúm (Mt. 4:13). Aunque Jesús nació en una comunidad más pequeña y vivió su niñez en Nazaret, se desarrolló en Capernaúm.

La ciudad de Capernaúm cuyo nombre significa ciudad de consuelo o ciudad de Nahúm, ofrecía la ventaja de hallarse situada a lo largo de la gran arteria que conducía de Basan a Damasco y permitió a Jesús ministrar a más número de personas. Nazaret era una pequeña ciudad montañosa situada en el hueco de una meseta, aislada de las grandes vías de comunicación. Pero Capernaúm no distaba lo suficiente de los grandes centros urbanos, en especial de Tiberíades, donde Herodes Antipas había establecido su capital. Tenía su propia sinagoga, que 1 líder de la guarnición romana asentada en la ciudad había construido (Lc. 7:5). Este centurión romano, comandante del destacamento militar, estaba bajo las órdenes de Herodes Antipas.

Se encuentra a 2,5 kilómetros de Tabgha y a 15 kilómetros de la ciudad de Tiberias, en el margen noroeste del lago. Fue diseñada de acuerdo con el estilo urbano de ese período de líneas rectas, que se construyó en paralelo a la carretera principal imperial romana, que cruzó el pueblo en el lado norte. Capernaúm creció aún más en el tiempo de Jesús, pues en esta época romana temprana, en el año 1 a. C. una sinagoga fue construida en el centro de la ciudad. En esa ciudad Jesús enseña en la sinagoga (Mr. 1:21) y tenía su hogar (Mr. 2:1).

Capernaum gozaba de una calle principal amplia con orientación norte-sur de la que surgían pequeños barrios que se unían por no grandes calles transversales y callejuelas sin salida. Los muros de la ciudad eran construidos con rústicos bloques de roca reforzados con piedra y barro. Las casas tenían una sola puerta que daba a la calle, en ellas se observaban pequeños ventanales por donde entraba la luz del día, eran constituidas por un gran patio rodeado de habitaciones. La construcción de este tipo de casa habitación era de basalto y de cemento, y sus paredes estaban cubiertas con yeso de color claro, sus patios también pavimentados con basalto, y las escaleras de piedra fueron construidas sobre sus paredes, dando acceso al segundo piso o al techo.

El descubrimiento de este tipo de escalera aclara el relato del paralítico descolgado a través del techo (Mr. 2:1-12). Por el tipo de edificación era fácil subir al techo por la escalera del patio y quitar una parte para hacer descender al individuo. Las mejores viviendas estaban construidas en piedra negra de basalto con techos de lodo y paja, que hacían más soportable el calor fuerte de verano; generado por la gran depresión que forma el mar de Galilea. Las condiciones climáticas de la zona alcanzaban la temperatura de 35° C. en verano.

Contaba con un puesto de aduanas porque era frontera entre la Galilea del gobernador Herodes y la zona de Iturea y Traconítide, que correspondía a Filipo, su hermano. Además, estaba junto a la gran calzada romana que unía a Galilea con Siria, la llamada *Vía Maris*. "El nombre "Vía Maris" en latín significa "camino del mar" proviene de la traducción del Nuevo Testamento al latín vulgar de la Vulgata donde aparece mencionada (Mt. 4:15)" (Wales, 2011). Esta carretera principal que atravesaba Palestina, la ruta internacional que los romanos habían denominado con ese nombre al igual que la Vía Augusta, tenía una longitud aproximada de 1,500 kilómetros que discurrían desde los Pirineos hasta Cádiz, bordeando el mar Mediterráneo.

Otra de estas arterias internacionales era la *Vía Apia*, importante vía de comunicación que unía a Roma con Brindisi, el más importante puerto comercial con el Mediterráneo Oriental y Oriente Medio. *Vía Maris* no fue creación de los romanos, pues ya existía desde muchos siglos antes, conocida como ruta de los filisteos en referencia a su paso a través de la llanura de Filistea. Era un camino natural entre Egipto y Mesopotamia que literalmente atravesaba la Media Luna Fértil, yendo del Nilo hasta el Tigris y el Éufrates. Así, Palestina se convertía en el eje imprescindible de comunicación de todo este territorio dando como resultado la formación de esta ruta que siglos más tarde los romanos nombraran Vía Maris. Este camino internacional eludía montañas, valles, pasos estrecho encajado entre montañas y desiertos y salvaba la extensa zona pantanosa del Yarkón, el río más grande de la costa de Israel.

Esta carretera atravesaba por el norte de la ciudad de Capernaúm y esta posición estratégica hizo que tuviera una guarnición romana con un centurión a su mando. La ciudad de Capernaum tenía unos tres kilómetros de extensión con unos miles de habitantes. Los recursos económicos de la ciudad se generaban de la pesca, de los artesanos, recaudadores de impuestos y del comercio, así como la industria dedicada a la fabricación de utensilios de piedra, arcilla y vidrio. Además de estas actividades, la población se dedicaba a la agricultura de la aceitunas, el trigo y otros granos. Esta variedad de trabajadores vivían con sus familias en esta ciudad al parecer sin graves desigualdades económicas. Incluso las relaciones entre los habitantes de Capernaúm y los romanos se caracterizaban por ser especial, hasta el punto de que un centurión romano llegó a construirle la sinagoga a la comunidad hebrea, mientras los ancianos de la comunidad, en intercambio de similar generosidad, solicitaron a Jesús que sanara a su criado (Lc. 7:1-10).

Pedro, Andrés, Santiago y Juan eran pescadores que vivían en esta urbe (Mt. 17:24-27; Mr. 1:29-34; 2:1-3); Mateo, el recaudador de impuestos también vivía aquí y la suegra de Pedro (Mt. 8:14, 15). Jesús se enfrenta a un endemoniado mientras enseña en la sinagoga de esta ciudad (Mr. 1:21-27), donde pronuncia su sermón del pan de vida (Jn. 6:35-239), la alimentación milagrosa de los 4,000 con sólo siete panes y unos peces se produjo cerca de esta ciudad (Mr. 8:6-9).

Capernaúm finalmente comenzó a resentir y a oponerse al ministerio de Jesús. Aunque la ciudad fue testigo de grandes milagros y escucharon sus palabras de verdad y sabiduría, se negaron a arrepentirse y creer. Al hacerlo, la ciudad selló su propio destino, según lo señalado por el mismo Jesucristo en la denuncia de las ciudades que fueron testigos de sus milagros sin arrepentirse: *Y tú, Capernaúm, que eres levantada hasta el cielo, hasta el Hades serás abatida; porque si en Sodoma se hubieran hecho los milagros que han sido hechos en ti, habría permanecido hasta el día de hoy. Por tanto les digo que en aquel día del juicio, será más tolerable el castigo para la tierra de Sodoma, que para ti* (Mt. 11:23, 24). Con ello Jesús sentencia el fin de la ciudad que en su momento se había convertido en su terruño.

5

LIDERAZGO URBANO

Líderes urbanos son líderes de opinión, influyen decisivamente en la ciudad y desempeñan roles importantes en la misma. Los que se desarrollan en el área ministerial y eclesiástica tienen más herramientas para que realmente transformen la ciudad. En las filas de los ciudadanos comunes que diariamente se ocupan de sus actividades laborales, empresariales, familiares o personales, se encuentran cristianos con un alto nivel de liderazgo urbano. Ellos no necesariamente ocupan los reflectores y atrapan la atención de las masas ya que su preparación e idoneidad es superior a la que poseen muchos de los que presumen dirigir al Estado.

El autentico líder urbano cristiano es visionario; es decir, sabe lo que quiere para la ciudad, manifiesta cuáles son sus aspiraciones para ésta y materializa la imagen que desea en ella. Tiene una definición clara de su propósito para la ciudad, aporta una perspectiva de resultados y su pregunta clave es ¿Por qué? La doctora Larraine Matusak es una erudita en el liderazgo y dirige la firma consultora asociados LARCON (Meryland, 2010). Ha señalado que los líderes urbanos de éxito son los que asumen compromiso y pasión por marcar la diferencia: visión para alcanzar cambios y el coraje para poner acciones en movimiento.

La sociedad está cayendo en el grave error de aceptar líderes improvisados. Estos bisoños del liderazgo actúan influenciados y doblegados por las estructuras que se han formado en diferentes ámbitos donde se encuentran. En poco tiempo pasan a engrosar las filas de los olvidados. Los auténticos líderes urbanos sobreviven a las estructuras sociales, no caen en la tentación de las glorias políticas ni en los aplausos que hinchan el ego. Ellos dejan huella en la historia de la ciudad por sus acciones visionarias. El interés del líder urbano es influir sobre las personas para que éstas afronten sus problemas y sepan resolverlos, ofrecen respuestas a tales retos; plantean los problemas porque ven lo que otros no perciben y los resuelven. En el siglo XXI el liderazgo se considera como una actividad de cualquier persona que tiene la virtud de movilizar a otras personas para que realicen algo que sea socialmente útil.

La manifestación y el proceso del liderazgo urbano es vasto en las Escrituras y es descrito con visión dinámica en constante desarrolló. Moisés es presentado como el pastor y consejero urbano que guía a un pueblo por el desierto durante cuarenta años. Ejemplo cercano a lo que es una ciudad dándole sentido de identidad, fomenta la teología en sus habitantes, desglosa leyes de urbanidad, crea organismos útiles a la sociedad y escribe la historia. José es economista y diseñador, estructura todo el formato administrativo y logístico de un Imperio, y con su aportación, alimenta cada ciudad de todo el Medio Este de África. Nehemías es el arquitecto que reordena el gobierno y el estilo de vida en las familias, es constructor de relaciones y formador de líderes en pro de la estabilidad de la urbe.

Cada uno de los líderes urbanos bíblicos tiene un común denominador, adquirieron una educación en el entorno de la ciudad. Esteban dice que Moisés adquirió su educación en Egipto, educación que en ese momento era la de mayor trascendencia e influencia mundial (Hch. 7:22). No es descabellado pensar el tipo de materias que estudió en el campus universitario de Egipto, geometría, historia, astronomía, cultura general, diplomacia, filosofía, medicina, geografía y otras. No sólo Moisés está en este rubro, Ester, Uzías, Pablo, Manaem, José y otros. La mayoría de ellos no fueron educados en su propio país. El Señor movió las circunstancias para que fueran trasladados a otra nación con el fin de prepararlos en un sistema educativo de primer nivel para la tarea que realizarían posteriormente.

Su educación intelectual y secular aprendida en estos centros universitarios no soslayó su conocimiento escritural, por el contrario, los principios bíblicos plasmados en la Palabra de Dios fueron la base para llevar a cabo su tarea en beneficio de los demás, y para cumplir los propósitos del Señor. Estos centros de educación estaban en las metrópolis que marcaron la pauta mundial en su tiempo.

La educación secular ayudó a conocer la sociedad donde eran formados. Algunos de ellos experimentar una crisis de identidad como Moisés que luchó entre su origen y la nación que lo formó. Pero en el momento que definió su posición desplegó acciones que afectaron favorablemente a sus congéneres como la capacidad de reflexionar en pro de su nación. Deuteronomio 34 describe el testimonio de un líder urbano que reflexiona sobre su hábitat; hace un análisis teológico entre el pasado, el imperio egipcio, el presente, el desierto y el futuro, la tierra prometida que vincularía a Israel. De ello se aprende que la evaluación de la situación de la ciudad es propia del líder urbano.

La Biblia señala que estos líderes tienen un alto cuidado y preocupación por su ciudad. Abraham ora por Sodoma y Gomorra para que alcancen la misericordia de Dios. La presencia de los creyentes urbanos está relacionada con el cuidado y la preservación de la ciudad. La Iglesia no puede aislarse de ella porque Dios no lo ha hecho; no se puede pretender servir en una urbe que no se ame. El pecado está en los individuos que habitan en la ciudad no en el medio ambiente de ésta y el líder urbano requiere entenderlo.

Jonás fue llamado a predicar en una de las tres ciudades más importantes del imperio Asirio y la crisis de identidad que experimenta es contraria a la que vive Moisés. Mientras que éste se siente atraído por Egipto, Jonás repudia Nínive y parte en dirección opuesta pues su patriotismo y racismo influyó más fuerte en su vida que su llamado. Jonás es un ejemplo claro de aquellos que repudian la ciudad y esperan que Dios manifieste su juicio sobre ella.

La Biblia describe profesiones y actividades urbanas como banqueros (Lc. 19:23), contadores públicos y economistas (Mt. 9:11), médicos (Éx. 21:19; Job 13:4), escritores y editores (Ecl. 12:12), transportistas marítimos y terrestres (Jon. 1:3), empresarios internacionales de productos de exportación como la reina de Saba (1 R. 10:1-13,2 Cr. 9:1-12), diseñadores de interiores como lo describe el Cantar de los Cantares, inspectores de viviendas para proteger a la población de posibles brotes de epidemias como lo manifiesta Levítico de los sacerdotes. La lista continua: militares, abogados, inventores, ingenieros, embajadores, educadores, jueces, músicos y compositores, son sólo algunos de las diversas actividades que se desarrollaron en torno a la urbe bíblica. Cada uno de ellos llevó a cabo una serie de acciones que transformaron sus conglomerados e influyeron en el progreso. Aprender de ello se hace necesario para aplicar un liderazgo urbano eficaz y efectivo en la respectiva ciudad para expandir el evangelio.

Abraham

Aparentemente el personaje menos urbano de la Biblia es Abraham porque el testimonial de Génesis nos presenta su vida nómada. Abraham creció y vivió en Ur, antigua ciudad del sur de Mesopotamia que se encontraba asentada en la desembocadura del río Éufrates en lo que hoy es conocido como el Golfo Pérsico. Esta ciudad se menciona cuatro veces en todo el Antiguo Testamento, tres veces en el libro del Génesis, y una vez en el libro de Nehemías. Fue un gran centro de producción de cerámica y contaba con grandes extensiones de tierras en las que se cultivaba cebada y trigo. Miles de kilómetros cuadrados alrededor de Ur estaban atestados de higueras y palmeras que eran irrigados por una serie de sistemas de canales alimentados por el río Éufrates.

Se encontraron también tablas matemáticas. En estas tablas, además de simples sumas, estaban escritas fórmulas para la extracción de raíces cuadradas y de raíces cúbicas. Y en otros textos, los escribas habían copiado las inscripciones de los edificios de la ciudad y hasta una pequeña historia del templo. Abraham, evidentemente no era un simple nómada, sino habitante de una urbe adelantada en comodidades, avanzada en cultura y desarrollada en ciencias y en tecnología (Pariasca, 2002).

En las riberas de Ur había muelles donde llegaban y salían las embarcaciones cargadas de mercancías y los influyentes y ricos mercaderes vivían en casas de dos plantas símbolo de una ciudad próspera y rica. El liderazgo urbano de Abraham no se manifestó en su ciudad natal sino en ciudades que se encontraron bajo el juicio divino. Su interés por el beneficio de estas ciudades le lleva a interceder a favor de ellas, Génesis narra la intercesión de Abraham por ellas (18:16-19, 29). Dios está determinado a destruirlas por la práctica exacerbada de su pecado; Sodoma es mencionada expresamente cuarenta y seis veces en la Biblia. Representa la perversión humana en muchas formas, no sólo por la homosexualidad de sus habitantes, también por ufanarse de sus pecados (Is. 3:9) y por el desprecio a la Palabra de Dios (Ez. 16:49-50), entre otros.

Dios ha determinado destruir la ciudad y Abraham le insiste al Creador en la búsqueda del perdón por la ciudad, busca conseguir la misericordia del Señor. Abraham cree que en la ciudad se encuentran inocentes y espera que Dios no los condene como culpables. El amor que Abraham tiene por la ciudad le lleva a manifestar este ruego de misericordia. Esta oración tiene la esperanza de que la ciudad contenga algún puñado de justos. Con sumo cuidado Abraham una y otra vez apela a la misericordia del Señor: *No se enfade mi Señor si le digo* (Gn. 18:30), *cuidado que soy atrevido de interpelar a mi Señor* (Gn. 18:31) y *no se enfade mi Señor, que ya sólo hablaré esta vez* (Gn. 18:32). Pero la respuesta del Señor es negativa, no hay cincuenta justos, ni cuarenta, ni treinta, ni veinte, ni diez, no hay ninguna persona inocente en la ciudad. En cierto sentido la intercesión de Abraham sólo condujo a la salvación de Lot y sus hijas (Gn. 19:29).

El liderazgo urbano está caracterizado por una actividad constante y ferviente en la oración, pues sin una plataforma de oración, nadie que esté determinado a desarrollar un liderazgo efectivo progresará. Se requiere de la oración como un estilo de vida en el entorno de la urbe para que el liderazgo produzca resultados reales. Tal vez desde óptica no muy clara de la Iglesia, en la ciudad donde ahora se ministra no hay ni un justo, más no por ello quienes ejercen liderazgo deben prescindir de la oración. Jesús sostuvo su liderazgo urbano sobre la base de una constante práctica de oración, acción que debe mantenerse en vigencia.

José

El liderazgo urbano de José se manifiesta en diferentes rubros. Como Daniel, José confronta un intento por olvidar su pasado cuando la cosmovisión egipcia hacia los esclavos pretende cambiar su nombre. Faraón le llama Zafenat Panea y es desposado con una egipcia. Lo llamativo de su matrimonio es que su suegro es el líder de un culto egipcio en la ciudad de Heliópolis, urbe consagrada al culto del sol (Gn. 41:45, 50; 46:20). Pero nada de esto quebrantó su devoción por el Dios de sus padres. Como líder desarrolla actividades en beneficio de las ciudades egipcias que traspasan las fronteras del imperio. Ante Potifar, el capitán de los soldados, el carcelero, el copero real, su propia esposa, su suegro y el mismo Faraón, José manifiesta fidelidad a Dios (Gn. 39:2).

Esta relación con su Creador prosperó cada una de sus acciones. Su comunión con Dios fue una característica que lo acompañó en toda su existencia, pues le ayudó para que ninguna situación de la vida afectara sustancialmente su carácter. Entendió cuál era el propósito del Señor para él y lo manifestó al no culpar a sus hermanos de las acciones en su contra. Tampoco lo hace con Potifar por creerle a su esposa de la acusación del intento de violación y dudar de su inocencia, mucho menos guarda resentimiento en contra del copero real al olvidarse de él en la cárcel. José aprendió que su vida dependía directamente del Señor y cada situación de su vida era controlada por Dios. Es concluyente cuando testifica a sus hermanos de que Dios lo había enviado delante de ellos cuando señala: *Dios me ha puesto por señor de todo Egipto* (Gn. 45:5, 8, 9).

José sabía que tenía un propósito de Dios y que se cumplió cuando llegó a ser líder en Egipto (Gn. 41:37-43). Dios preparó, preservó y llamó a José para servir a las necesidades de cientos de miles de familias que dependían de Egipto. Esta convicción de ser un líder llamado le da fortaleza para servir sin importar el costo, las circunstancias y los desafíos de su tarea. En la corte faraónica adquirió la comprensión clara de por qué el Señor lo llevó a Egipto y estaba dispuesto a asumir responsabilidades.

Su integridad fue incuestionable, el líder mundial, Faraón, manifestó esta característica de José haciendo una pregunta, *¿Acaso hallaremos a otro hombre como éste...? Y* (Faraón) *lo hizo subir en su segundo carro...* (Gn. 41:38, 43). En casa de Potifar, en prisión y ahora en palacio, la reputación de José nunca fue menoscabada aunque se intentó. Esta integridad era la plataforma en la que sostenía el respeto que adquirió en todas las ciudades del imperio. Dios elevó a José a una posición de liderazgo impresionante, su capacidad es innegable y una vez más el gobernante mundial señala de él ante todos los egipcios: *...Vayan a José, y hagan lo que él les diga* (Gn. 41:55).

José no se convirtió en buen líder de un día para otro, creció en condiciones adversas y esta serie de experiencias forjaron su carácter para llegar a una posición de liderazgo urbano extraordinario. En su hogar aprendió a servir y caminar bajo autoridad (37:2, 12-17), en la casa de Potifar, el jefe militar, aprendió administración y organización (39:4), y en la cárcel continuó su aprendizaje en la administrativa desarrollando un sentido correcto de relaciones interpersonales (Gn. 39:22). Ante Faraón, cuando interpreta el sueño, conmina al monarca para que aplique ciertos principios de administración, le indica que ponga hombres de confianza en la administración, inspectores que recauden la quinta parte de todas las cosechas del país en los siguientes siete años. El grano cosechado y almacenado produciría las reservas necesarias en los tiempos de escases que llegarán (Gn. 41:33-36).

Al escucharlo el monarca le confiere el control administrativo y logístico de todo el imperio. Su docilidad por aprender lo convirtió en un líder urbano capaz, dando los resultados esperados durante los ochenta años que sirvió con fidelidad transformado a Egipto que lo recibió como esclavo, lo acusó de un crimen que no cometió y lo encarceló; pero José mantuvo su confianza en el Señor y espero que Él lo pusiera en el lugar donde sería usado para engrandecer el nombre de su Dios.

El liderazgo urbano que José desarrolla se caracteriza por la integridad dando cuenta de cada uno de sus hechos. Esta virtud acrecentó su autoridad ante cada una de sus autoridades correspondientes. La confianza que adquirió se dio en relación con su padre (37:2), con el jefe militar Potifar (39:4, 6), con el jefe de los carceleros (39:23), y con Faraón (41:41-43). Esta relación se sustentó en los informes que rendía de sus actividades. Muchos que están en autoridad creen que no necesitan rendir cuentas de sus actos a nadie, ni siquiera a sus autoridades inmediatas, pero José vio en el hecho de rendir cuentas, una herramienta a su favor y un medio de liberar su carga. ¿Quién cuestiona a un líder que actúa así? Sus informes revelan la honestidad con la que se desenvuelve en el trabajo. Reportes, estimaciones y evaluaciones están a la vista de todos, la honestidad es carta de presentación y la política con la que se condujo José le ayudó a servir a los hombres como sí lo hiciera a Dios.

Ya con las responsabilidades adquiridas José aplicó la estrategia que le presentó a Faraón (41:34-37). Primero inspeccionó todo el territorio para conocer las áreas de cultivo (41:46), formó equipos y delegó responsabilidades concretas que debían aplicarse durante los próximos siete años (41:47); en cada ciudad realizó obras de construcción edificando graneros que almacenarían el grano de las cosechas (41:48, 49). Formó guardias y administradores que estuvieran al cuidado de estos lugares; preparó por todas las ciudades grupos de intérpretes y cambistas para vender comida a aquellos que se trasladaban de otras naciones en busca de alimento (41:57), y en el momento requerido, cuando el hambre asoló al país, estableció en venta el alimento acumulado (41:56). Las reglas que implementó en todo el imperio fueron sencillas y fáciles de cumplir por todos; con anticipación comunicó las necesidades, los planes a corto, mediano y largo plazo, generó fuentes de trabajo y preparó a toda una nación para que se convirtiera en el abastecimiento mundial de comida (41:57).

José convirtió a Egipto en la nación más importante del mundo. Hizo de ella el centro mundial de acopio alimentario y generó gran afluencia de divisas extranjeras, literalmente el dinero corría a raudales por las calles de las ciudades egipcias, pues a cualquier precio las naciones compraban alimento. José no sólo salvó a Egipto de la hambruna, también lo hizo con muchas otras naciones. Elevó el estatus financiero del imperio. Con vehemencia y certeza expresó que para ese propósito el Señor lo había sacado de su tierra (45:8); y su familia que en un principio se burló y lo desechó, literalmente acabaron comiendo de su mano.

Samuel

Cuando el Señor llamó a la familia de Leví para enseñar su Palabra les da la custodia del Tabernáculo. Debían realizar los ritos estipulados en la Ley; así el sacerdocio levítico se entiende como una función y no como una vocación. Ellos estaban en un una función de un rito que les confiere gracia. Cada miembro de esta familia ejerció un liderazgo que debían preservar; y cuidar con gran celo la enseñanza divina, educando al pueblo de generación en generación. Es entonces que el sacerdocio aparece como una organización social capaz de transformar su realidad urbana.

El libro de Jueces da testimonio que en esa época la familia de Leví se corrompió a tal grado que cada quien hacia lo que quería en todo el país. El líder de ese momento de la casta sacerdotal es Elí. Este hombre no fue responsable en su tarea y generó anarquía, inestabilidad y decadencia ministerial, social, moral y espiritual en toda la nación. En medio de toda esta situación Dios actuó ante esta crisis nacional de hunde a un país en la ignorancia absoluta. Es llamado un adolecente conforme a su corazón para que la nación sea transformada. En medio de la decadencia Dios llama a Samuel y se convierte en la figura preponderante en este período tan crucial para Israel cómo nación.

En torno al ministerio de Elí y su familia Dios prepara el corazón de Samuel. Hijo de un efrainita de Ramá llamado Elcana (1 S. 1:1) y de Ana mujer piadosa, de fe y oración (1 S. 1:11), Samuel es entregado en manos de Elí para su formación ministerial. Su familia devotamente religiosa cada año asiste a la ciudad de Silo a adorar (1 S. 1:3). La Escritura establece que desde su niñez servía a Dios (1 S. 2:11), al igual que en su adolescencia (1 S. 2:18), de joven siguió con la mismas acciones (1 S. 3:10). Su trabajo ministerial fue aprobado por la nación (1 S. 2:26).

El lugar de Samuel en la historia de Israel es único. Siendo el último de los Jueces, ejerció la jurisdicción por toda la tierra de Israel. Además, ganó el reconocimiento como el más grande profeta de Israel desde los tiempos de Moisés. También ofició como sumo sacerdote, aunque él no pertenecía al linaje de Aarón, a quienes pertenecían las responsabilidades del sacerdocio (Scott, 1980, pág. 120).

Samuel realizó cinco tareas en su ministerio que transformó y repercutió en la vida urbana de todo Israel. Primero, Samuel funge como legislador, es el último de la lista de los dieciséis jueces de Israel. Formó un circuito civil y judicial e implantó cuatro tribunales donde se aplicó la Ley en beneficio de cada ciudadano (1 S. 7:15-17). Recorría cada año para evaluar el trabajo de los jueces donde se procuraba la justicia para el bien y la paz de la nación (1 S. 7:16, 17). Samuel asentó el primer tribunal en la ciudad de Betel que se encontraba en la región de Efraín al norte de la ciudad de Jerusalén, el segundo tribunal en la ciudad de Gilgal al este de Jericó, el tercer juzgado en la ciudad de Mizpa en el territorio de Benjamín donde Samuel erigió una piedra en memoria de la victoria contra los filisteos (1 S. 7:7, 11). El último tribunal se estableció en Rama, ciudad de Efraín donde estaba su residencia. Con la aplicación de este programa Samuel trajo paz y equidad en toda la nación.

Ya que el libro de la ley estaba a cargo de los sacerdotes, los casos más importantes debían ser juzgados por un juez con sacerdotes como asesores... Sus responsabilidades (de los jueces) incluían el ejercicio de la justicia, la guarda del orden, la recaudación de impuestos y tributos, el suministro de información y la provisión de hospitalidad (Douglas & Hillyer, 1982, pág. 764).

La segunda tarea desarrolla el ministerio profético. A partir de Samuel surge una serie ininterrumpida de profetas que ministran hasta el destierro (Hch. 3:24). La nación reconoce su vocación profética, fueron testigos de que Dios siempre sostuvo cada palabra dicha por él (1 S. 3:19-21). Como profeta, alza su voz para denunciar el pecado de Israel y promueve una limpieza total de idolatría que existente en toda la nación, y con ello dirige a la nación a una conversión auténtica (1 S. 7:3-6). El pueblo lo consulta y en base a la Palabra los educa (1 S. 3:19-21).

El profeta desempeñaba el papel más importante en la educación. Era la figura central de la educación nacional, debido a sus constantes exhortaciones y recordatorios concernientes al propósito y a la voluntad de Dios para con la nación hebrea y su necesidad de vivir una vida recta y justa (Amstrong, 2007, págs. 14, 15).

La tercera actividad se manifiesta en su caudillaje con sus dotes de líder, político, militar e ideólogo. No es un caudillo en el sentido de un jefe que dirige su ejército personal, más bien realiza la tarea de reagrupar a Israel, le da valor, lo conduce a tomar conciencia de su unidad nacional y los anima a confiar en el Señor, prepara la plataforma para una transformación política, y nacional. En Samuel la nación se encuentra así misma, al igual que sus antecesores, toma las armas para defender a la nación y logra una victoria de renombre. Los filisteos, enemigos acérrimos de Israel, alarmados por la reunión que se da en la ciudad de Mizpa lanzan un ataque fiero.

Samuel anima a todos a confiar en la mano poderosa de Dios donde públicamente ora con profunda convicción a favor de la nación, y el Señor se manifiesta con rayos y truenos el día de la batalla. Dirige con destreza el ataque militar y las ciudades que tiempo atrás habían sido capturadas por sus enemigos, ahora son devueltas por la mano de Jehová a través de Samuel (1 S. 7:2-14). Este hombre manifestó carácter para enfrentar a sus enemigos y nunca mostró temor a pesar de su edad avanzada. Ejemplo de su carácter hacia sus enemigos se manifiesta cuando no perdona la vida del rey Agag, y delante de Saúl lo descuartiza (1 S. 15:33).

La cuarta actividad son acciones que lo califican como reformador. Establece los cimientos y las normas que regirán y regularán a la nación, pues es el catalizador en este período de transición que transformó a Israel. Su tarea sociopolítica de construir una nación sólida es su más grande obra, porque al ungir al primer rey inicia la vida política de Israel. En la ceremonia pública de ungimiento, el profeta recuerda a la nación su pasado histórico y quién es su único y verdadero Rey, les advierte de la carga hacendaria que será mantener una monarquía y les presenta a su primer rey, Saúl. El evento público Dios se manifiesta en aprobación al mensaje de Samuel y da la unción a Saúl como rey.

Este mensaje de Samuel fue divinamente confirmado a los israelitas con una súbita lluvia, un fenómeno ocurrido durante la cosecha de trigo. El pueblo quedó profundamente impresionado y agradeció a Samuel por aquella continuada intercesión. Aunque los israelitas habían vuelto a un rey para su gobierno, las palabras de seguridad de Samuel, el profeta que había barrido la marea de apostasía e iniciado un efectivo movimiento profético en su enseñanza y ministerio, les volvió conscientes de su sincero interés por su bienestar (Schultz, 1960, pág. 122).

La quinta acción se da al iniciar y formalizar oficialmente la escuela de profetas (1 S. 10:5). Con ello Samuel manifiesta su vocación magisterial y docente que lo convierte en un maestro de ministros y en un líder de profetas, así inicia un programa de educación en toda la nación. Los matriculados en las diferentes escuelas que Samuel crea son dirigidos y enseñados por él. En sus aulas aprenden a cultivar la vida espiritual propia de un ministro que guiará a las ciudades hacia el Señor, aprenden la importancia de salvaguardar el culto al Señor y contrarrestar cualquier infiltración de doctrina anti-escritural. Samuel ve la conveniencia de que estos ministros se desplacen en grupo por las diversas ciudades preparando el ambiente con cantos y música para impartir el mensaje de Dios; con ello Samuel logra unificar a Israel en cultos públicos dirigidos a Jehová. Conjuga las comunidades y ciudades transformándolas de un grupo de tribus a una nación independiente y la hace competente para enfrentarse con fuerza y vigor a su tiempo.

Ante la declinación moral del sacerdocio bajo la mano de Elí y de sus malvados hijos, Samuel tuvo la visión de formar una escuela de profetas. En ella los jóvenes aspirantes, mayormente los levitas, se entrenaban para aprender y enseñar la Ley de Dios en las ciudades y en las comunidades rurales. Una de las escuelas se encontraba en la ciudad de Ramá y era presidida por el mismo Samuel. Fue en este centro escolar que David llegó huyendo de Saúl (1 S. 19:18-21).

El texto bíblico manifiesta que otra de estas escuelas se encontraba en la ciudad de Gilgal donde Samuel menciona la existencia de una compañía de profetas (1 S. 10:5, 10), así las escuelas de Samuel "subsistieron largo tiempo en la historia hebrea, siendo famosas las comunidades de profetas sobre las cuales presidía Eliseo" (Scott, 1980, pág. 121). Un par de escuelas más se encontraban en las ciudades de Betel y de Jericó (2 R. 2:1, 3, 5; 4:38), que en su momento fueron presididas primero por Elías y después por Eliseo.

Samuel inicia estas escuelas para desarrollar ministros y diseminarlos por todas la ciudades de la nación. Los versículos señalados infieren que en estas escuelas además de enseñar la Ley de Dios y la historia de Israel, también se enseñaba música y poesía sagrada. El llamado y el entorno de estos noveles ministros, como los textos refieren, están ligados a la alabanza y la adoración. Era tal el número de alumnos en estas escuelas que el testimonio bíblico señala a una de ellas, la de Gilgal, cerca de 100 que comieron con Eliseo (2 R. 4:38-44). No es descabellado pensar que Elías tuvo que pasar por Betel, Gilgal y Jericó antes de ser levantado por el Señor para despedirse de los alumnos y profesores que se encontraban en estos centros de formación ministerial. Es posible que fue alentar, y a su vez a presentar a Elíseo como su nuevo director y sucesor. De la escuela de Jericó se menciona que cincuenta de sus alumnos fueron a buscar el cuerpo de Elías (2 R. 2:7).

La ignorancia de la Palabra de Dios causa gran ruina a cualquier nación (Os. 4:6), y esto Samuel lo entendió. Con la creación de las escuelas de ministros Samuel desarrolló un despertamiento nacional de adoración, pero sobre todo de conocimiento de la Palabra de Dios. La finalidad de las escuelas también fue desarrollar un concepto alto hacia la figura del ministro en la nación; el respeto por el ministro implicaba el respeto por quien lo había llamado y por ende el resultado era la sujeción a la enseñanza de la Palabra. La restauración del culto al Señor condujo a la nación a un encuentro personal con su Creador.

Samuel observó la necesidad urgente de educar a la nación y enseñar la Palabra para sacarla de su oscurantismo. Estas escuelas ayudaron a restaurar la comunión del país con el Señor y paulatinamente se fue generando la unificación de Israel como nación. El problema más serio de Israel era la ausencia de unidad y sólo la exposición de la Palabra en un ambiente de adoración podía ayudar a la nación a crear una unidad nacional. El liderazgo urbano que imprimió Samuel afectó decisivamente en la paz y estabilidad social del nuevo país y del nuevo gobierno.

Uzías

Es el tercer rey más próspero de Israel después de Salomón y Josafat. Fue el décimo gobernante de Judá que reinó 52 años en el siglo octavo (c 790-c 739 a.C.). Las características de Uzías como líder urbano son un manual para aquellos que hoy realmente manifiestan tener un alto grado de servicio a su país. Ya sean políticos, líderes de opinión, ministros del evangelio, empresarios, presidentes de instituciones filantrópicas, juntas escolares de padres de familia, líderes de barrios o colonias, y toda persona que esté buscando el beneficio de su comunidad debe entender y estudiar la vida y obra de Uzías.

Aplicó principios en beneficio de su nación que no pierden vigencia, ya que los resultados benefician a la población a la que se pretende servir. Uzías hizo un equipo de colaboradores que incluyeron ingenieros, artesanos, militares, consejeros y políticos, y por medio de ellos hizo prosperar a su país. En su gobierno se desarrollaron logros en los campos de la arquitectura, la ciencia, la agronomía, la ingeniería, y en los inventos de maquinaria de guerra que defendieron a su nación.

La primera característica que infiere el pasaje bíblico estriba en su definición espiritual. Aunque era muy joven (16 años), no le fue un impedimento para servir a Dios, su determinación por buscar al Señor a través de su consejero Zacarías (2 Cr. 26:5) se ve cuando atiende las indicaciones de él trayéndole prosperidad a su gobierno (2 Cr. 26:5). Su fuerza política y financiera está relacionada con el hecho de que buscaba a Dios, pues bajo su administración se desarrolló una gran apertura a la predicación de la Palabra que dio como resultado el inicio de los ministerios proféticos de Isaías (Is. 1:1), Oseas (Os. 1:1) y Amos (Am. 1:1). Un gobernante que da apertura a la expansión de la Palabra produce en su ciudad o país cambios sociales en beneficio de la misma. Procuró que la Palabra de Dios fuera diseminada por toda la nación, determinó que sus consejeros fueran individuos versados en las Escrituras y muestra de ello, Zacarías.

Todo líder urbano que se rodea de personas que le aconsejen basados en las Escrituras recibirá correctas directrices en beneficio de su tarea. No es fácil para un líder urbano mantener una relación estable con el Señor pero el pasaje bíblico señala que: *Uzías persistió en buscar al Señor* (2 Cr. 26:5). Las demandas y presiones urbanas en un líder son extenuantes y Uzías entendió que sólo en la dirección y gracia del Señor podía cumplir con sus responsabilidades gubernamentales. No antepuso sus actividades políticas, familiares, gubernamentales o personales para posponer su comunión con el Señor.

La segunda característica de Uzías fue dominar a sus enemigos a través de ciertas estrategias. Recupera y reedifica la ciudad de Elat en poder de sus enemigos y la reintegra a Judá (2 Cr. 26:2). La urbe de Elat era un puerto marítimo importante para el comercio con naciones de oriente, por esta vía entraba el cobre que fue bien aprovechado por Uzías para armar y construir su nación. Desmantela una serie de ciudades enemigas como Gat, de Jabnia, y Asdod, y edifica nuevas ciudades para que los filisteos vivan en ellas, de esta manera logra tenerlos bajo sujeción supervisada, acciones qué también son aplicadas a las tribus árabes (2 Cr. 26:6, 7). Obliga al pago de impuestos a los amonitas (2 Cr. 26:8), crea un ejército y lo organiza en compañías, regimientos y escuadrones de forma uniforme, estos servían por turnos en diversas áreas del país. Así reconstituye el ejército y reorganiza las defensas de la nación (2 Cr. 26:9-15). Es responsable de restaurar la fama militar de la nación gracias a las diversas victorias sobre ciudades filisteas.

El censo de militares se lleva a cabo por funcionarios expertos que están a cargo de Hananías, oficial de alto rango en el gobierno de Uzías. El censo arrojó la cifra de 307,500 militares bajo las órdenes de 2,000 oficiales con la característica primaria de ser hombres de valor. Cada militar tenía todo el equipo necesario para la guerra y la defensa de su país, contaban con yelmos de bronce, corazas, hondas para tirar piedras, espadas, lanzas, escudos, arcos y flechas, y otras armas (2 Cr. 26:14). El ejército de Uzías era una fuerza de combate altamente entrenada. Aunado a ello, decide iniciar un programa armamentista y se da a la tarea de reunir a ingenieros e inventores para que le ayuden a diseñar nuevas armas de defensa en forma de catapultas (2 Cr. 26:15). Es maquinaria bélica que expide proyectiles. Plinio, escritor, científico, naturalista y militar romano expresa que estas armas tienen su origen en Siria, pero la Escritura se las acredita a Uzías. El nuevo armamento sirve para proteger su ciudad y con ello su fama bélica se difunde hasta Egipto (2 Cr. 26:15).

La tercera característica fue desarrollar un programa de construcción en beneficio del país. Construye torres en lugares estratégicos de la ciudad de Jerusalén desde donde se podrá resistir y defenderse contra cualquier ataque, reforzó sus muros, parte de los cuales habían sido derribados por Joás (2 Cr. 25:23). Estas edificaciones estratégicas las realiza en la esquina noroeste de la ciudad llamada la puerta del Ángulo (2 Cr. 25:23), otra en el lado oeste donde está la puerta del valle, conocida como la puerta Joppe. Con estas edificaciones domina diferentes puntos cardinales de entrada. Fuera de la ciudad construye una serie de casetas de vigilancia con el propósito de defender y vigilar el ganado que pasa por los caminos. En beneficio de los ganaderos construye una serie de cisternas para que sus rebaños tengan siempre agua. Edifica torres en diferentes partes del país con cuadrillas de ejército para defender y abastecer de alimento y agua como las tierras de Sefela que eran lugares áridos.

En las áreas de cultivo y en las vegas la construcción, de estas torres tiene como propósito asegurar la producción alimenticia y la seguridad de las caravanas de mercaderes que generaban el comercio de exportación y de importación. Despliega una red de acueducto para que pueda alimentar las áreas de cultivo y así asegura el flujo del vital líquido para las ciudades. Granos, cereales, leche, fruta y carne comenzaron a abundar gracias a estas obras. Uzías estimula el crecimiento en la agricultura nacional, resultado de su gran interés y placer por todas las actividades del campo (2 Cr. 26:10). Diseñó un proyecto urbano apoyado en un equipo de personas que ayudaron a obtener destacados logros en beneficio del país. No se deleitó en la guerra, ni en la diplomacia, mucho menos se aficionó a los deportes, sino que se deleitó en gobernar bien.

La productividad y proyección que desarrolló fue a consecuencia de su visión nacional urbana. Recibió un país en crisis y entregó una nación en franco crecimiento. Creó la secretaria de la defensa nacional, aplicó un programa nacional anticrimen y proveyó a la gente de su país con fuentes de trabajo permanente. La secretaría de industria y comercio, junto a la de agricultura y recursos hidráulicos desarrollaron programas que beneficiaron a la totalidad de la población. Las exportaciones e importaciones elevaron el nivel de calidad de vida de los gobernados y las ciudades iniciaron un desarrollo industrial y comercial. El transporte por carreteras y vías marítimas fue fluido, pues la protección militar que existía era efectiva. Se podía vivir y transitar en franca paz. Los éxitos de Uzías generaron certidumbre en los ciudadanos y la gente de las zonas rurales, pues la base de su éxito en el liderazgo urbano reposaba en su comunión y relación con el Dios de las Escrituras, digno ejemplo de todo líder urbano actual.

Nehemías

Hoy es importante responder las preguntas, ¿Cuánto tiempo lloró por mi ciudad en presencia del Señor? ¿He preguntado al Señor cual es la solución a la condición de mi ciudad? Sólo cuando Nehemías puso atención a la situación de su entorno citadino, el Señor le dio visión y discernimiento para ella. Este personaje bíblico confrontó un grave problema urbano y tuvo la capacidad de darle soluciones prácticas, reales y prontas. No patinó en el burocratismo gubernamental ni cayó en el error de enajenarse en un problema, tuvo la opción de no enredarse en ello, pero determinó asumir el desafío, y aceptó voluntariamente llevar a cabo la tarea urbana que tenía ante sí. Al término, Nehemías hizo de las calles de su ciudad un lugar seguro y funcional, generó trabajos, edificó centros de educación y creó albergues para los más necesitados. La ciudad donde Nehemías trabajó produjo justicia y misericordia para sus habitantes. Este líder entendió el plan de Dios para su ciudad a través de la oración (1:3, 4).

Nehemías era hijo de Hilcías, de quien no existe referencia, pero ciertos pasajes infieren que era miembro de la tribu de Judá (Neh. 1:2; 2:3). Fue tomado por los babilonios y llevado cautivo y es allí donde se cree que Nehemías nació. Las Escrituras lo presentan en edad adulta realizando un trabajo prominente en el palacio del rey persa en Susa (1:11). La posición que ocupó de coopero es de relevante importancia, pues el temor de cualquier soberano a ser envenenado con el vino que injería lo llevaba a utilizar hombres de suma confianza.

Un coopero que tuviera en el corazón los intereses del monarca y se mantuviera informado de los acontecimientos de sus dominios podía ejercer gran influencia en el soberano. Además de la responsabilidad de probar el vino del rey, tenía el coopero la responsabilidad de custodiar los dominios reales (Barber, 1982, pág. 12).

En su arduo y peligroso trabajo Nehemías recibe la visita de Hanani junto con otros varones. En la plática aflora la situación de la ciudad, los informes son desalentadores. Describen que la vida en ella es extremadamente hostil, el espíritu de los habitantes es titubeante y con desesperanza; el ambiente social es intolerante. Todos se encuentran atemorizados por causa de una inminente invasión y son asechados constantemente por sus enemigos, además que éstos se burlan continuamente y hacen escarnio de su deplorable condición. Al escuchar sobre la ruina en la que se encuentra su ciudad llora por ella y busca al Señor en oración y ayuno para encontrar respuesta. El informe tocó el corazón de Nehemías y después de un período de oración e intercesión presenta la realidad de sus compatriotas al rey quien le concede el permiso para realizar el viaje a Jerusalén. Al llegar a su destino inició el proceso para echar andar el plan.

Por lo tanto era lícita y correcta, ya que Nehemías, al contrario de Esdras, iba a Jerusalén en misión oficial, que llevase tropa armada que le defendiese y diese valor a su calidad de gobernador de tú a tú, con la misma pompa y aparato usado por los mandamases orientales (Valles C., 1991, pág. 83).

Actuó diferente a los hombres de su tiempo, no llegó a la ciudad a dando órdenes sostenido en el poder que recibió del monarca mundial Artajerjes, se limitó a invitar al pueblo y a sus líderes religiosos y civiles a integrarse al trabajo que estaba por iniciar.

La mayoría de los tratados de administración, los catedráticos universitarios, así como los asesores y administrativos, definen la administración como el lograr hacer el trabajo por medio de otros. Este es un concepto popular y es muy atractivo para la naturaleza humana inclinada al pecado, ya que con él, concede a las gentes el "derecho a manejar y explorar a los que están a sus órdenes (Rush, 1985, pág. 10).

Tomó los elementos que tenía a la mano para realizar el trabajo, fue coherente, pues hizo uso tanto de lo humano como de lo divino, y los resultados beneficiaron a todos. Los libros de Esdras y Nehemías relatan sobre los exiliados que regresaron de Babilonia a Jerusalén y cómo fueron adaptándose en la comunidad judía de la ciudad. Ilustran sobre la importancia de la planificación que aplicó Nehemías, declara que un total de 42,360 exiliados regresaron con 7,337 esclavos, además llegaron 200 hombres y mujeres dedicados al canto. El número de sacerdotes se elevó a 4,289; con ellos había 74 levitas, 128 cantores de los hijos de Asaf, 139 porteros y 392 sirvientes del templo e hijos de los siervos de Salomón (Esd. 2). Para organizar a todos ellos en sus respectivos trabajos se requirió de una excelente organización y planificación.

Aplicó un programa de reconstrucción en la ciudad de sus ancestros. Su visión de lo que pretendía y su confianza en el proyecto le dieron excelentes resultados. Fue un hombre de fe y de acción, tuvo la iniciativa y las decisiones que motivaron a todos los demás a utilizar sus recursos y capacidades para lograr las metas. Es un ejemplo del liderazgo corporativo y la aplicación de una administración que se debe emplear en beneficio de una ciudad en crecimiento y desarrollo. Su labor, junto con Esdras y Zorobabel, benefició a los habitantes de Jerusalén usando eficientemente los recursos humanos, económicos y en especie que recibió.

Manifestó integridad y rectitud en su carácter (1:5-11) pues estaba convencido de la tarea que tenía que realizar en favor de la ciudad (2:12). Llevó a cabo la restauración del muro (2:17), declaró sin ninguna vergüenza su experiencia espiritual en Susa (2:18), respondió las acusaciones infundadas de sus adversarios (2:20) y esperó la respuesta en el Señor (4:20). Declaró fidelidad y lealtad a su Dios, al rey, así como a los hombres que servían bajo su dirección (4:4), exhibió firmeza de carácter, tenacidad y disciplina en cada acción que tomó a pesar de la opresión del enemigo (4:14), y las amenazas de muerte (6:10, 11). No tuvo temor de enfrentar la injusticia social (5:1-12) y mostró humanidad por sus hermanos que representan sus raíces. Fue un hombre con sabiduría y discernimiento, pues sabía lo que había que hacer (2:5). Como estratega buscó información de primera mano (2:12-15) y en base a ello señaló y definió metas (2:17), motivó a la ciudad y a su equipo de trabajo a confiar en la grandeza de Dios (4:14) y en su poder (4:20), entonces todos se dieron a la tarea de reconstruir las murallas.

La fórmula de su éxito es claramente señalada por su capacidad de desarrollar relaciones humanas sanas. Todo el capítulo tres da evidencia de esta característica (3:1-30), la frase: *junto a ellos*, es recurrente en todo el capítulo (vv. 2, 4a, 4c, 7, 8a, 8b, 9, 10, 12, 19). Esto detalla que sabía dónde se encontraba cada persona en el organigrama de la empresa y preparó a cada uno para que entendiera donde debía estar, cuál era su responsabilidad y qué se esperaba de ella. Este líder urbano aprovechó a cada individuo para cumplir con el proyecto de la ciudad, el conocimiento de las habilidades de cada uno de ellos facilitó su tarea (vv. 21, 23, 28, 30). Esta noción le ayudó a desarrollar una efectiva coordinación.

Alentó a todos los involucrados en la reconstrucción del muro para que tuvieran: *ánimo para trabajar* (4:6) y: *con fervor* trabajaron en su actividad asignada (3:20). La narrativa señala que líderes religiosos (v. 1), artistas (v. 8), líderes políticos (vv. 9, 15, 16, 19), artesanos (v. 8) y el mismo (v. 16), llevan a cabo sus respectivas tareas y no permitió que un grupo que no se quiso integrarse al trabajo (v. 5) afectara el ánimo de terminar el trabajar que beneficiaría a la ciudad. Una estrategia aplicada por Nehemías fue motivar al equipo de trabajo al identificar a cada uno de ellos por su nombre, todo el capítulo lo testifica. Con sabiduría reconoció el esfuerzo colectivo (v. 13), el esfuerzo individual (v. 14) y en especial el trabajo de las mujeres (v. 12), característica poco común en el Antiguo Testamento. Con ello generó una red de comunicación urbana que se ve en todo el libro y no expresa temor de delegar autoridad a los miembros del grupo. Estas acciones produjeron unidad en el grupo llevándolo a trabajar con pasión, entrega y dedicación. Cada uno se propuso realizar su tarea y no meter sus narices en las actividades de otros. Así Nehemías logra coordinar un excelente equipo de trabajo.

Gozó de una tremenda capacidad para estimular a sus compatriotas, y cuando se requería les manifestaba su aprecio. Con rapidez trataba los problemas antes que generaran mayor complicación pues su capacidad de organización, puesta de manifiesto mediante su hábil estrategia y sus planes detallados, constituyen un desafío para todo el que aspira a ser un líder urbano. Nehemías es conocido en la historia bíblica como gran constructor, pues establece la diferencia entre el éxito y el fracaso. Tiene claro el objetivo, aplica estrategias sanas y desarrolla un buen programa de alistamiento.

Un elemento digno de considerar es que fue creador y precursor de cultura pues influyó decisivamente en la liturgia. En el tiempo de la reconstrucción hubo reuniones cúlticas, se reorganizó el ministerio del templo, se aumentó el personal dedicado a la música (1 Cr. 6:33-37). La Biblia da los detalles relacionados con la organización de los levitas, así como de los porteros los cuales fueron distribuidos entre las diferentes puertas de la ciudad. Los levitas son puestos en áreas de responsabilidad como el trabajo en las cámaras y en los tesoros (1 Cr. 9:26-32; 23:24-32). Permanece como modelo para todos aquellos que quieren ser líderes urbanos exitosos que pueden lograr conjuntar un equipo de trabajo en armonía y desplegando sus dotes para que cada individuo se desarrolle en las áreas que más se le faciliten. Sin duda, el mérito más loable de él, es lograr una sincera entrega del pueblo a Dios, con una pasión ardiente; pueblo y líder glorificaron con su servicio el nombre de Jehová.

Ezequiel

Unos cuantos años antes de que naciera el profeta Ezequiel sucedió una grande irrupción de tribus bárbaras conocidas bajo el nombre de Escitas, que llegaron del norte. Con el tiempo estas incipientes tribus conformaron el poderoso imperio babilónico. La poderosa maquinaria babilónica inició su programa de expansión mundial y en pocos años el dominio fue colosal. Aquellos que se resistieron al imperio eran aplastados y los pocos sobrevivientes eran conducidos a las ciudades caldeas como esclavos.

Los que aceptaban vivir bajo su señorío recibieron un trato más benevolente. En algunos casos un grupo determinado de los conquistados era llevado a Babilonia aplicando con ello la política de la deportación. De esta forma egipcios, asirios, sirios, judíos y otros grupos étnicos llegaron a vivir a las ciudades babilónicas, donde concurrieron individuos y poblaciones enteras deportadas, lo que contribuyó al esplendor de las ciudades y en especial a la de Babilonia.

El rey Josías condujo, con ayuda del profeta Sofonías, todo un proceso de renovación en Israel. Después de la muerte de este rey comienza el deterioro de la nación pues sus sucesores eran impuestos por los grandes imperios vecinos; es así que el rey Joacim recibe la corona gracias al apoyo del faraón (2 R. 24:25-30; 2 Cr. 36:5-8). Pronto Egipto pasó a ser dominado por el imperio babilónico y de esta manera todos le pagaban impuestos viviendo en relativa calma. Joacim, deja de pagar tributos y Nabucodonosor invade Jerusalén y lleva presos a la familia real y a otras familias. Babilonia impone un nuevo rey en Israel y la calma vuelve a la región durante los siguientes nueve años con una carga tributaria más pesada. El pueblo no puede aguantar el peso de la opresión y se produce una revuelta, la respuesta no se hace esperar: Jerusalén es cercada por el ejército babilonio y después de año y medio de asedio se rinde, entonces la ciudad es incendiada y saqueada, y todos sus habitantes son llevados cautivos a Babilonia.

La política aplicada a los deportados era que cada grupo que llegaba a las ciudades era respetado en sus aspectos básicos culturales. Se daba libertad a los llegados para que no les fuera tan difícil adaptarse a su nueva vida y así aportar en beneficio al imperio. Existen pocos datos acerca de la vida de Ezequiel, se dice que es hijo de un sacerdote llamado Buzi, y que por ello ejerció el ministerio. Siendo joven Ezequiel es llevado a Babilonia con el primer grupo de los deportados, en el año 597 a. C. Con treinta años de edad (1:1), Dios lo llama a la sagrada vocación de ser profeta y ejerce fielmente durante veintidós años. La misión de Ezequiel consiste principalmente en combatir la idolatría, la corrupción de las malas costumbres, y las ideas erróneas del pronto regreso a Jerusalén.

La comunidad judía como la de otros grupos desplazados experimentan la escasez de recursos que todo grupo confronta. Babilonia estaba sufriendo la enfermedad de Sodoma (16:49, 50), es una ciudad que se enriquece desmedidamente entre la clase rica y empobrece rápidamente a la clase pobre. El entorno social, urbano, religioso, culinario, cultural, habitacional, familiar, climático, militar, de idioma, laboral y político de los recién llegados es trastornado radicalmente. Ezequiel desarrolla su ministerio en un tiempo de transición urbana en la vida de sus compatriotas, ministra y desarrolla su liderazgo entre los que llegan de la ciudad de Jerusalén a la ciudad de Babilonia.

En el ministerio de Ezequiel se manifiestan claramente dos etapas, la primera se da entre su llamado y la llegada a Babilonia del segundo grupo de los desterrados. En este período Ezequiel analiza las causas del desastre de Israel y encuentra como principales culpables a los líderes que se han corrompido y han buscado más su propio interés que el bien del pueblo (Ez. 22:23-31).

La destrucción de Jerusalén es inminente y para ello usa alegorías, parábolas y acciones simbólicas que son el producto de las visiones que recibe. Ezequiel busca hacer entender a la nación que la destrucción de Jerusalén no puede evitarse. En tema central de los primeros veinticuatro capítulos del libro es la destrucción de Jerusalén; el mensaje es recibido con absoluta incredulidad, situación que el Señor le manifestó de antemano (Ez. 2:3, 4). El gran número de compatriotas rechaza el mensaje, no creen que Jerusalén con su templo será destruida y apoyándose sobre un falso optimismo, siguen creyendo hasta el fin que las profecías de Ezequiel son falsas y equivocadas. En la mente de la nación es imposible de manera alguna que ellos, quien tiene a Jehová por Dios, y que poseen la Ley, las tradiciones, los profetas y la historia de centurias, sean abandonados por el Señor a un destino tan horrible como el que pinta Ezequiel.

La segunda etapa de la actividad de Ezequiel se da cuando se produce la segunda deportación e Israel entra en una profunda crisis nacional. El mensaje del profeta cambia de tono y da esperanza a una nación que se siente abatida y derrotada. Un ejemplo de ello es el capítulo treinta y siete que está lleno de consuelo y esperanza, anuncia una vida nueva para el país se daba por muerto. Da esperanza en medio de una urbe que genera desesperanza, desamor, tristeza, nostalgia y abandono y manifiesta que llegará la restauración y después del cautiverio volverán a ser nuevamente una nación.

De la misma manera que los judíos rechazaron el primer mensaje de la destrucción de la nación, el segundo mensaje de la restauración de la patria no es aceptado. Tan grande es el pesimismo que siguió a la caída de la ciudad, y tan profundo el abatimiento moral y espiritual, que no podían creer que las ruinas de Jerusalén se reconstruirían algún día. En todo el ministerio urbano de Ezequiel los judíos manifestaron un falso optimismo y rechazo. Antes del cautiverio no creyeron en la predicación de la caída de la nación y después de la destrucción, la completa desconfianza y desesperación que existía entre ellos fue innegable. Este falso optimismo tuvo el efecto de quitarles fe en la posibilidad de una restauración. A pesar de la incredulidad, tocante a sus mensajes que el pueblo manifestaba, Ezequiel gozó de cierta fama entre ellos. En algunas ocasiones los líderes del pueblo lo visitaron para averiguar cuál era la voluntad del Señor (cap. 8).

La característica urbana del liderazgo de Ezequiel es notoria porque logra recuperar la confianza de las personas en la Palabra del Señor, su predicación educa, disciplina y en cierto modo evangeliza a los ciudadanos. Su predicación está contextualizada a la situación preocupante que las personas de la ciudad experimentan diariamente, en especial con aquellos que viven la incertidumbre de llegar a una ciudad desconocida. Ezequiel da esperanza a aquellos que llegan a una urbe que intenta devorarlos y transforma su corazón. Este es el mensaje que hoy necesita ser proclamado en cada ciudad del mundo sumida en constante fatalismo además de sus marcados estratos y disparidades sociales y culturales. El mensaje a los desplazados es de confianza y seguridad en Dios; mensaje que hoy la Iglesia debe dar a aquellos que se desplazan en las inmigraciones urbanas.

Daniel

Personaje que se desenvuelve en niveles de gobierno como consejero, político y estadista. Vivió en la capital del mundo de su tiempo y desde esta ciudad aportó con su liderazgo acciones políticas que ayudaron a diversos gobiernos. El libro que lleva su nombre da testimonio de sus hechos en las cortes de los reyes. Comprometido con Dios sobre las demandas de la política y sobre las exigencias de gobiernos enfocados en tareas bélicas. Aunque se encuentra inmerso en culturas completamente diferentes a la suya, es productivo usando los dones que el Señor le dio para ayudar a mejorar las decisiones de los políticos a los que sirvió.

Su biografía relata que enfrentó la realidad de ser deportación. El rey Nabucodonosor sitia Jerusalén y los sobrevivientes son conducidos a la capital caldea de Babilonia. Ya en ella es escogido junto con otros por ser del linaje de príncipes (Dn. 1:3), para servir en la corte real. Recibe una educación y formación con el fin de que olvide sus orígenes, el adoctrinamiento es incisivo. El propósito es que se identifique con la nueva cultura y adopte costumbres nuevas, se intenta que cambie tanto su estilo de vida como su carácter y principios espirituales. El adoctrinamiento que recibe es en base a la astrología, adivinación y otras artes ocultistas. La reprogramación es completa: aprender el nuevo idioma, la literatura, la religión, la cultura y la ingesta de una nueva alimentación. El propósito era debilitar su fe, su cultura y su deseo de regresar, y adquirir el gusto por este nuevo estilo de vida.

El proceso educativo duró tres años (1:17-19), quien se fortaleció fue la propia sociedad babilónica con nuevos administradores (1:5). El cambio de nombre es un intento por raer de su corazón toda formación de su niñez. Daniel significa: Dios es mi juez, ahora con su nuevo nombre Beltsasar que quiere decir: Bel es mi juez o Príncipe de Bel, que era el jefe de los dioses, se intenta imponer una nueva religión en su corazón. A sus compañeros: Ananías, cuyo nombre significa: A quien Jehová ha favorecido, se le asigna el nombre de Sadrac que significa: Iluminado por el Marduk, el dios del sol; a Misael que significa: ¿Quién como Dios? se le impone el nombre Mesac que quiere decir: ¿Quién como Aku?, diosa de la tierra, y a Azarías que su nombre significa: A quien ayuda Jehová, se le impone el nombre de Abed-Nego que quiere decir: Siervo de Nebo, dios del fuego. De esta forma la influencia babilónica pretende que estos jóvenes pierdan todo vestigio de su cultura, pues cada uno de estos nombres impuestos son los dioses principales de Babilonia y con ello intenta dedicarlos a un estilo de vida nuevo. El cambio es indicativo de su relación directa con la corte mundana y religiosa de Babilonia.

A pesar de esos constantes y sistemáticos intentos de cambio, los cuatro jóvenes determinan mantener los principios escriturales y espirituales aprendidos en su niñez. Renuncian a alimentarse de la mesa del rey porque era comida ofrecida a las divinidades babilónicas antes de ser degustada. Asumen el desafío de abstenerse de estos alimentos por diez días y al término su aspecto se ve mucho mejor que los demás. Entre los babilonios el aspecto físico era asociado con el poder mental, de allí que Daniel y sus tres compañeros son escogidos después de la prueba auto impuesta (vv. 1-4).

Desde su llegada a la nueva cultura Daniel manifestó un carácter diferente y asumió el liderazgo en la corte del rey. Esta decisión marcó el rumbo político y administrativo de su vida en Babilonia y también en el imperio Medo-Persa. Su liderazgo abarca un período de tres gobiernos durante sesenta y siete años (1:1-4; 7:1; 10:1; 12:13). Ejerció su influencia en el gobierno de Nabucodonosor, en el de Nabónido o Belsasar y en el Medo-Persa de Ciro. Daniel asume un carácter honesto con su estilo de vida y es congruente con su fe. Antes de entrar al servicio de la corte, Daniel conquista el respeto y la confianza de propios y extraños, pues da evidencia de su carácter y personalidad. En su integridad no teme manifestar su amor para con Dios y sin cortapisas expresa sin temor que aborrece al mal y manifiesta fidelidad, honestidad, valentía y obediencia a su Dios sin importar las consecuencias.

En el capítulo cinco Daniel no teme revelar la interpretación de la pared al rey. En el capitulo seis Daniel se enfrenta a sus acusadores y no acepta renunciar a su vida devocional. No le preocupa su posición política ni la opinión que se tenga de él, está ocupado en mantener su integridad que se sostiene en su comunión con el Señor y se convierte en el consejero del gobernante más poderoso del momento, señalando con ello el rumbo a tomar en asuntos personales, políticos y oficiales.

Su residencia en Babilonia y su alto puesto le dan un conocimiento interno de la política mundial, esto lo capacita para entender y aplicar estrategias correctas a través de sus consejos. No hay indicios de que Daniel tenga una relación directa con una comunidad de fe, sino que desde los pasillos de la corte pagana y las intrigas políticas; manifiesta su fidelidad al Señor. Este liderazgo urbano beneficia a los tres gobiernos señalados y a sus gobernados desde la posición de consejero.

Pablo

La conformación de equipos urbanos que generan cambios sociales determinantes dan evidencia del liderazgo del apóstol Pablo. Estos tienen la tarea de plantar iglesias en las ciudades del imperio romano pues el grupo con el que Pablo trabajó está conformado con más de cuarenta personas. Determinó que la tarea sería ineficaz si la realizaba por sí mismo. Sus miembros deben tener excelente testimonio en sus congregaciones locales. Algunos de ellos eran permanentes como Tíquico, Silas, Timoteo, Lucas y el matrimonio compuesto por Aquila y Priscila (Hch. 18:18). La reputación de Timoteo había repercutido en las ciudades de Listra e Iconio, su notoriedad había ido más allá de los límites de su propia ciudad (Hch. 16:1, 2) y no sólo la comunidad judía, también la comunidad griega daba fe de su buen proceder (2 Ti.1:4, 5).

El equipo que Pablo había formado contaba con creyentes de diferentes iglesias, ciudades y culturas generando con ello más posibilidades de expansión. La conformación del grupo fue determinada por la necesidad de tocar diversas ciudades pues cada urbe presentaba una serie de elementos que se tenían que evaluar para poder impactar. Algunos elementos a considerar fueron la idiosincrasia de la urbe, costumbres, clima, alimentación, barrios, administración de gobierno, comercios e industrias, culturas y demás.

Factores que Pablo y su equipo consideraban con el fin de presentar el evangelio en forma efectiva. Innegable es el auxilio divino como clave para lograr la expansión de la Palabra. Los miembros que estaban dedicado a ciertas ciudades de acuerdo a su conformación como Sópater hijo de Pirro era oriundo de la ciudad de Berea, Aristarco y Segundo eran de la ciudad de Tesalónica, Gayo de la ciudad de Derbe, y Tíquico y Trófimo de la provincia de Asia (Hch. 20:4). Aunque el equipo era altamente estructurado, su conformación dependía de los objetivos que se tenían. Pablo aprende esta estrategia de Bernabé cuando es incluido en su equipo de la comunidad de fe local junto a Manaem, Niger y Lucio

(Hch.13:1-3), y después en el equipo misionero donde incluye a Juan Marcos (Hch. 13:5).

La regla que aplicó fue establecer comunidades de fe en centros de administración romana, centros de civilización helénica, lugares de influencia judía y ciudades donde están las principales rutas comerciales. Todos los centros en los que Pablo estableció sus iglesias eran centros de la civilización griega. "Pablo, según parece, se movió sólo de ciudad en ciudad, y apenas misionó en los pueblos rurales...." (Meeks, 1988, pág. 33). Una de las acciones estratégicas que Pablo aplica en la propagación del Evangelio en las áreas urbanas tiene que ver con el idioma. "El griego era la lengua urbana universal de las provincias romanas orientales, pero sólo en las áreas urbanas" (Theissen, 1985, pág. 165). No hay evidencia bíblica que Pablo llegara a cierta ciudad presentando el Evangelio en un idioma diferente al griego. Predica y escribe en griego, y todos sus conversos leían sus escritos en griego.

El plan era que el Evangelio llegara a las ciudades influyentes del imperio, en especial las que estaban situadas a lo largo de las calzadas romanas que eran más fácilmente alcanzables; además, sólo allí el apóstol podía hacerse entender en griego. Es notorio que se enfoca en cuatro provincias, Galacia, Asia, Acaya y Macedonia. Antes del 47 d.C. no había iglesias locales en estas provincias y diez años después en el 57 d. C. ya había un gran número de iglesias locales en estas cuatro aéreas geográficas del imperio. "A fines del siglo I había cristianos en todas las principales regiones del nordeste del Mediterráneo...." (González, 1970, pág. 39). Pablo planifica su estrategia bajo la dirección del Espíritu Santo y es netamente urbana.

Filipos, la colonia romana; Tesalónica, la principal metrópolis de Macedonia; Corinto, la capital de Grecia bajo la administración romana; Pafos, el centro del gobierno romano en Chipre; Éfeso, la ciudad principal de la provincia de Asia. Es difícil escapar a la conclusión de que esta sucesión de ciudades importantes..., no fueran tocadas por accidente... (Sawatsky, 1982, pág. 2).

La estrategia fue llegar a áreas geográficas conocidas que evitaban perder tiempo en la compresión de la idiosincrasia de los habitantes. Por ejemplo, el primer viaje fue en dirección a Chipre de donde era Bernabé (Hch.4:36), el segundo viaje lo realizaron por Cilicia, siendo su capital Tarso, lugar de nacimiento de Pablo (Hch.21:39). Su tarea inicial se desplegó en lugares distantes pero conocidos por ellos. Tocaron las provincias más ricas como Macedonia y Acaya y las ciudades comerciales más importantes como Antioquía de Pisidia, Iconio,

Tesalónica y Corinto, pues estas eran las rutas más lucrativas del imperio. Las ciudades intelectuales como Atenas, Corinto y Rodas vieron el arribo de estos predicadores urbanos donde el evangelio se presentó con argumentos a la altura de sus oyentes.

Aunque las ciudades de Listra y Derbe que se encontraban en las altas planicies de Licaonia que formaba parte de la provincia romana de Galacia, no eran tan prominentes en el rubro comercial o intelectual, sí tenían una gran presencia militar y este hecho fue importante en la propagación del evangelio. La estrategia urbana de Pablo era fundar iglesias locales en ciudades que pudieran influir en comunidades de menor rango. Así, la comunidad de fe ya madura de cierta ciudad, tomaría el desafío de llevar la Palabra de Dios en su zona conurbada. Sí Pablo hubiese determinado llevar el evangelio a comunidades semi rurales o rurales, difícilmente penetraría e influenciaría las ciudades. Pablo entendió que el evangelio debía llegar primero a la ciudad, pues la ciudad influye decisivamente en su entorno.

La teoría de San Pablo de evangelizar una provincia no era predicar él mismo en todo lugar, sino establecer centros de vida cristiana en dos o tres lugares importantes de los cuales el conocimiento podría ser esparcido en todo el campo alrededor (Sawatsky, 1982, pág. 3).

Un ejemplo de esta actividad es la región de Macedonia con la llegada del evangelio y el fortalecimiento de la iglesia allí, en poco tiempo los cristianos llegaron a las ciudades de Tesalónica, Berea y Filipos. En la región de Acaya sucede lo mismo, los cristianos se dirigieron a Atenas y Corinto. La ciudad de Chipre es otro ejemplo pues de allí llegan los conversos a las ciudades de Salamina y Pafos.

Pablo y su equipo centra sus actividades en diversas urbes de la región y no en un área pequeña. El enfoque hacia una área geográfica extensa (Hch. 19:8-10) es con el fin de que cada una de las distintas culturas existentes dentro de la región reciba el evangelio (Hch. 19:10). Este tipo de acciones da mayor posibilidades para tocar la región entera (Col. 4:13, 16), y así centralizan el trabajo en la ciudad como elemento de influencia social. Por ello, Pablo planta o afirma iglesias en cuatro de las cinco ciudades más grandes en el mundo del primer siglo, Roma (Hch. 28), Antioquía (Hch. 11), Éfeso (Hch. 19) y Corinto (Hch. 18).

Estas urbes eran influyentes en su respectiva región y el apóstol sabe que proveen oportunidades únicas para la plantación de iglesias porque son centros de comunicación, ejes de negocios (Hch. 16:14), cosmopolitas (Hch. 2:5-18; 13:1), y que atrapan un mayor flujo de viajeros (Ro. 16:3-5; Col. 4:13, 16). Por ello, ciudades como la existente en la región portuaria de Dalmacia (2 Ti. 4:10), el puerto de Troas (2 Ti. 4:13), en el centro comercial portuario de Mileto (2 Ti. 4:20), en Creta, la gran isla del Mediterráneo (Tit. 1:5) y en el puerto de Nicápolis (Tit. 3:12) son tocadas por el equipo de Pablo con el evangelio.

La iglesia en la ciudad de Éfeso es otro ejemplo de cómo diseminó el evangelio en toda Asia. Metrópoli situada en el vértice de una pronunciada ensenada en la desembocadura del río Caísto, rodeada por una cadena de colinas que se extienden a campos de mijo y huertos frutales. Debía su importancia a su favorable emplazamiento, a su puerto, que se prestaba fácilmente para la navegación. En el año 133 a. C. fue una provincia imperial, y más tarde, en el 27 a. C. fue declarada senatorial. Anualmente era enviado un procónsul que residía ahí con autonomía administrativa que implicaba funcionarios y poder judicial propio (Hch. 19:35). Cuando Pablo llega a esta ciudad para fundar la iglesia encuentra una población de entre 200,000 a 300,000 habitantes, de mayoría griega, a la que se sumaban gentes de tribus orientales, y también judíos. Tiene un auge económico floreciente y fuerte, con bancos y relaciones comerciales internacionales prósperas. Numerosas industrias tienen su sede en esta ciudad, como la manufactura de lana, la preparación abundante de mármol, la orfebrería en plata y oro y la confección de alfombras.

Estas actividades hacían de ella una gran urbe cosmopolita. Pablo trabaja en la proclamación del evangelio y en la fundación de iglesias durante tres años (Hch. 20:31). La actividad misionera y pastoral de Pablo en esta ciudad es un modelo para todo ministro e iglesia local actual (Hch. 20:17-35). En estos tres años esta urbe se convirtió en el centro de actividad misionera dirigida a Macedonia, Asia y Acaya. Desde ahí Pablo busca solucionar las crisis surgidas en las congregaciones locales, entre los ministros y ante la infiltración de herejías, anima a mantener la fe de los creyentes, y les demuestra su cercanía. Todo lo hace, ya sea por carta o enviando a sus colaboradores, quienes estaban listos para llevar a cabo cualquier encomienda.

Algunos de sus colaboradores son: Ninfas (Col. 4:15), Febe (Ro. 16:1), Sópater (Hch. 20:4), Apolos (Hch. 18:24), Priscila y Aquila (Hch. 18:2, 18; Ro. 16:3), Aristarco (Hch. 19:29; col. 4:10), Epafrodito (Fil. 2:25; 4:18), Erasto (Hch. 19:22; Ro. 16:23), Gayo (3 Jn. 1), Tiquico (Ef. 6:21; Col. 4:7; 2 T. 4:12; Tit. 3:12), y Epafras (Col. 4:12), todos ellos con la convicción de su llamado en diversas y multifacéticas aéreas ministeriales que partían de la congregación de Éfeso. "Los que se habían convertido durante su visita a Éfeso volverían con el evangelio a sus respectivas comunidades. También es probable que los asociados de Pablo, Silas y Timoteo puedan haber evangelizado las ciudades circunvecinas" (Mayfield & Earle, 1965, pág. 481). Pablo enseñó esta responsabilidad a las comunidades de fe locales que plantaba en las diferentes urbes siguiendo el mismo patrón aprendido en la iglesia de Antioquía. Esta iglesia desarrolló líderes urbanos y los envió. La iglesia en la ciudad entonces debe enfoca en las necesidades de las comunidades cercanas (Mr. 1:38; Mt. 4:23), de las pequeñas regiones (Lc. 10:1; Hch. 10:23) y de las necesidades espirituales de las áreas conurbadas (Jn. 4:35).

El equipo de Pablo recorrió cientos de kilómetros por las carreteras y rutas navieras romanas que unían los centros urbanos del imperio. Los puestos militares escalonados a lo largo del trayecto garantizaron una buena seguridad. Pablo da testimonio de sus viajes declarando qué: los viajes han sido incontables; con peligros al cruzar los ríos, peligros provenientes de salteadores, de mis propios compatriotas, de paganos; peligros en la ciudad, en despoblado, en el mar; peligros por parte de falsos hermanos. Trabajo y fatiga, a menudo noches sin dormir, hambre y sed, muchos días sin comer, frío y desnudez. Y a todo esto añádase, la preocupación que supone la solicitud por todas las iglesias (2 Co. 11:26-28 NVI).

Reflexión

Los líderes urbanos que la Biblia presenta no son todos los que se han descrito aquí, existen muchos más: Ester, Esdras, Salomón y Jeremías por señalar algunos. Pero ¿cómo enfrenta la iglesia latinoamericana los desafíos de la vida en la ciudad? Las situaciones propias del ser urbano, su forma de pensamiento, la cultura, las formas de intercomunicación e interdependencia y cada uno de los aspectos de la urbe deben ser conocidos por la iglesia local. La falta de ello genera serias dificultades para compartir el evangelio apropiadamente.

Las iglesias necesitan cambiar su forma de pensar para responder a estas realidades urbanas. Estos líderes urbanos bíblicos ven la necesidad, enseñan y desarrollan las cualidades existentes en sus seguidores para aplicarlas en beneficio de la ciudad. Una investigación seria arroja que Jesús ocupó la mitad de su tiempo ministerial con sus discípulos, y de este tiempo el 25% lo dedicó a Pedro, Juan y Santiago. Jesús no se preocupó en enfocarse en las multitudes, se encauzó en un grupo pequeño para que desarrollaran su liderazgo y con este método logró un grupo de líderes urbanos efectivos.

Las investigaciones de liderazgo han detectado que el sufrimiento que el líder experimenta en diversos rubros es el horno que genera madurez en su vida. Este aprendizaje puede perderse en la decepción, frustración, fracaso, perturbación, abuso de confianza, debilidad personal, desaliento, insatisfacción, consecuencias de malas decisiones, mediocridad, temor a los cambios, inseguridad existencial y falta de equilibrio en la vida. El líder urbano adecuado que la iglesia latinoamericana necesita ha de manifestar un cambio interno radical. Es importante percibir que si el líder no experimenta sufrimiento, rara vez tendrá suficiente motivación y humildad para generar y hacer cambios, pues sin la experiencia del sufrimiento, tienden a estar ensimismados en sus propios intereses y deseos políticos egoístas.

No se intenta avalar una teología del sufrimiento, sino al esfuerzo, la crisis y el dolor que experimenta el líder antes de ver consumados sus proyectos. Quien no pasa por estas experiencias es difícil que mantenga una actitud abierta a un nuevo paradigma de liderazgo; los testimonios bíblicos señalados dan razón de ello. Enfrentaron una serie de experiencias terribles que lejos de pasmarlos, traumarlos o amargarlos desarrollaron un liderazgo transformacional que repercutió en sus ciudades.

La urbe es centro de atención, espejo que refleja contradicciones del mundo actual. Genera relaciones múltiples y simultáneas en individuos que fluctúan al extremo, van del odio al amor, de la riqueza a la pobreza, de la esperanza más prometedora a la desesperanza más destructiva, esto es porque el 80% de la población de la ciudad es pobre en el contexto latinoamericano. La urbe es despreciada por la mayoría de sus habitantes, son pocos quienes realmente se preocupan y expresan amor por ella; la Iglesia debe ocuparse en estudiarla desde diversas plataformas: bíblica, sociológica, antropológica, eclesiástica, estratégica y otras. Toda ciudad necesita líderes bíblicos urbanos que la amen y tengan un corazón sensible para ella. Jesús de Nazaret es el ejemplo más acertado con respecto al espíritu que se debe manifestar hacia la urbe al llorar por ella.

El profeta Jeremías hace un llamado a los líderes de la ciudad sobre sus responsabilidades para con la población: *Además, busquen el bienestar de la ciudad adonde los he deportado, y pidan al Señor por ella, porque el bienestar de ustedes depende del bienestar de la ciudad* (Jr. 29:7 NVI). En todo el capítulo se enfoca en la comunidad, señala que todos los que viven en ella, sin distingos, deben cuidarla y de esta manera el testimonio no se dará de forma individual sino colectiva. Esto implica que la Iglesia es responsable de lo que esté aconteciendo en las ciudades.

6

PASTORAL URBANA

Los cambios que las ciudades están viviendo conducen a una devaluación de la concepción integral del ser humano. Sus valores se encuentran en franca decadencia y la vida del individuo es amenazada por los sistemas económicos injustos que excluyen a las mayorías. Esto no sólo priva de bienes económicos, sino también de los bienes sociales, educativos y tecnológicos. Los seres humanos han sido seriamente lesionados por la imposición de modelos globales; por otro lado, los avances tecnológicos que son capaces de manipular genéticamente la vida y la red de comunicaciones con alcance mundial, han llegado como una devastadora marejada a las ciudades. Estos cambios han causado una crisis que está afectando la vida en comunidad y muchos individuos han quedado excluidos en áreas laborales y sociales.

Los jóvenes en la mayoría de los casos están recibiendo una pésima calidad educativa en las Universidades y las oportunidades de empleo al egresar son ínfimas; un gran número de desplazados e inmigrantes han venido a generar más problemas, disparando las cifras de los que quedan en excluidos. Por ello se requiere que a todos con una pastoral urbana efectiva, y es la Iglesia quien está llamada a relanzar con fidelidad y audacia esta tarea; no remplazando su actividad principal por la formación educativa, sino como coadyuvante en el reforzamiento de valores.

Pastoral urbana no es pastorear iglesias locales en la ciudad, va más allá. Dios se mueve en la ciudad y la falta de pastoral urbana conduce a la iglesia local y a sus ministros a no dar soluciones a los nuevos retos que la urbe confronta. Esta pastoral es una herramienta que tiene la intención de dar respuestas acertadas a las necesidades de la ciudad, y cada miembro y ministro de las diversas comunidades cristianas locales son agentes de transformación. Es preciso leer la realidad de las ciudades para llevar a cabo una correcta pastoral urbana porque es la matriz de la proyección estratégica de un cambio real en ella. Esta tarea es la acción de la iglesia local en favor de la ciudad en todos sus rubros, desde lo social hasta lo ecológico.

La pastoral urbana es el quehacer de la iglesia en beneficio de la ciudad en todos sus niveles sociales. El pastor atiende, cuida, alimenta y fortalece la vida del rebaño para que se desarrolle sanamente. La iglesia local actúa en la misma medida hacia la ciudad con el fin de proveer cuidado, atención, dirección y defensa a favor de los ciudadanos, sin demeritar la centralidad del mensaje de Salvación. Es innegable que el cristiano de hoy recibe influencia e impactos de la cultura urbana porque ésta se ha convertido en el lugar propio de nuevas culturas que se están gestando e imponiendo con un nuevo lenguaje y simbología propio. Necesitamos entender que las grandes ciudades son laboratorios de esa cultura contemporánea, compleja y plural.

En el mundo urbano acontecen transformaciones socio-económicas, culturales, políticas y religiosas que hacen impacto en todas las dimensiones de la vida de la iglesia local. En la ciudad conviven diferentes categorías sociales, élites económicas y políticas; la clase media con sus diferentes niveles y la gran multitud de los pobres. Coexisten binomios que desafían cotidianamente a la Iglesia. Esta realidad que la Iglesia enfrenta debe llevar a la renovación de las congregaciones locales y a los nuevos ministerios a la aplicación de una visión y una misión clara y objetiva.

Necesita desechar los miedos tendenciosos a mantener métodos tan antiguos como sus autores que hoy yacen en la tumba. No se debe olvidar que en sus inicios la Iglesia se formó en las grandes ciudades del imperio romano y se sirvió de ellas para extenderse. Esta hazaña desafía a asumir la misma acción en las urbes de hoy.

Cada iglesia local urbana necesita entender cuál es su posición y responsabilidad en la ciudad. No puede llevar a cabo una correcta influencia si no conoce las problemáticas que la comunidad tiene. A menudo la iglesia pasa por alto una serie de elementos cuando determina una acción de expansión evangelística. Uno de los errores que se cometen constantemente es calificar a las ciudades por iguales, creyendo que todas tienen los mismos problemas, y se equivocan al evaluarlas en el mismo tenor. Aunque manifiestan los mismos problemas, cada una de ellas tienen su propio contexto.

Debido a la globalización ninguna está asilada de las demás y sin embargo cada ciudad manifiesta su propio ambiente, idioma, estilo de vida, situación social y liderazgo; por ello es importante que la iglesia local conozca estas relaciones que se dan en la ciudad para saber hacia dónde pretende direccionar las acciones en favor de la urbe. La iglesia local necesita dirigir su atención y recursos a las necesidades reales.

Tradicionalmente, las congregaciones locales se mueven en su enfoque personal sin una perspectiva bíblica que contextualice a su ciudad. Por ello urge descubrir sus propias capacidades para confrontar las demandas sociales, así como conocer las situaciones y necesidades de su entorno. Necesita tener presente la historia, los hechos que ha heredado, y los cambios que se han dado en los últimos treinta años para deducir la situación presente de su ciudad; de esta manera entenderá el contexto cultural en el que se encuentra sumergida la congregación y podrán presentar un mensaje bíblico y efectivo, desarrollando una pastoral urbana acertada.

Geografía Urbana

La geografía urbana en este contexto no se define territorialmente, sino por los sectores humanos que la componen y la iglesia local es responsable de tocar y atender. Tener iglesias locales territoriales ya no es práctico ni eficiente; mucho menos mantener los mitos que nos han impedido desarrollar una pastoral urbana para trabajar con prostitutas, bisexuales, transgenéricos, homosexuales, madres y padres solteros, tribus urbanas, niños de la calle, alcohólicos, divorciados y pandillas entre otros. Entender la geografía urbana ayuda a percibir los desplazamientos sociales de las urbes y cómo se integra la diversidad social y las conexiones existentes en ellas.

Cada urbe manifiesta matices en su expansión social como en las conductas reprobables que se muestran en el tráfico de estupefacientes, violencia relacionada con la delincuencia, drogadicción, tráfico de influencias, y el abandono de los valores familiares y morales. Los colapsos ambientales como la contaminación del agua, atmósfera, acústica, subsuelo y la ocupación habitacional en zonas de alto riesgo también son una problemática que le genera crisis a la ciudad, y a las cuales la Iglesia puede dar respuesta.

Entender esta geografía llevará a la iglesia a mirar realmente si los problemas son históricos o culturales. Reflejan los valores que han prevalecido, la ideología que la ha permeado y la estructura social que se sostiene en la ciudad. Ayuda que la comunidad de fe local lleve a cabo un análisis social y teológico para saber dónde se han manifestado ciertos problemas específicos de la población. Los conflictos de la ciudad demandan atención por parte de la iglesia para dar respuestas con el evangelio; en la zona donde se encuentra. La verdadera comprensión de su entorno social geográfico ayudará a desarrollar y aplicar una pastoral urbana correcta.

Geografía urbana es una herramienta que ayuda a delimitar dónde se dan en mayor o menor escala estas actividades sociales que tanto afectan a la ciudad. Desconocer la geografía urbana en el sentido de los grupos sociales es dar golpes al aire. Cada ciudad proporciona el material con el que trabaja una congregación, la gente. El conocimiento de esta geografía social facilitará a la iglesia lanzar ministerios adecuados, en este contexto se debe implementar estrategias urbanas adecuadas. El tráfico, la polución, el ruido, el costo alto de la vida, las condiciones terribles de vivienda, la disparidad económica, la carga excesiva psicológica, las largas y extenuantes horas de trabajo y la violencia, son algunos de los desafíos que la iglesia enfrenta; sin duda bajo un lente de un contexto latinoamericano.

Por ello la comunidad de fe necesita un buen par de zapatos. Sí, un buen par de zapatos porque le es imprescindible crear un buen equipo para que salga a las calles a estudiar la geografía social de la ciudad. Parece algo obvio, pero la iglesia local no conoce su ciudad, incluyendo a los ministros que la dirigen. La mayoría tiene su vehículo que usan para desplazarse y hace muchos años que no camina por las calles; esto ha producido comunidades de fe y ministros sin un contacto con su entorno y miopes porque no ven la realidad de su comunidad.

Todos ellos en su gran mayoría llegan a sus reuniones cúlticas en auto. Sólo aquellos que llegan en el transporte urbano o caminando conocen la realidad de la urbe. ¿Será por ello que Jesús andaba caminando en las ciudades donde llegaba?, pudo comprar un carro tirado por caballos o mulas, o burros para cada uno, pero no lo hizo, ¿será que esta actividad física fue una herramienta que ayudó a leer las ciudades y entender al hombre y mujer urbanos?, ¿será por esto que el grupo conocido como los testigos de Jehová han crecido en la ciudad?, ¿será que esta estrategia efectiva es utilizada por algunos grupos políticos y con ello han desarrollado mayor influencia en su comunidad? Caminar por las calles de la ciudad es una metodología que ayuda a leer la ciudad con efectividad. No se puede llevar a cabo una pastoral urbana efectiva si no se conoce la geografía de la ciudad.

Idiosincrasia Urbana

La gente que pulula en las calles de la ciudad son las que dan vida a la urbe y el signo de la vida en ella es la rapidez. Todos se desplazan con velocidad y su vida se sustenta en este parámetro. Como un corazón que bombea sangre por todo el cuerpo para que tenga vida, así es la gente en la ciudad que producen la idiosincrasia de ella. Palabra que proviene del griego διοσυγκρασία, que significa temperamento particular, denota rasgos, temperamento, carácter, pensamiento y estos pueden ser "distintivos y propios de un individuo o de una colectividad" (Española, 2001).

Así, idiosincrasia es todo aquello que caracteriza a las personas que pertenecen a un determinado grupo social, en este caso a los habitantes de una ciudad o de un área geográfica urbana. Para elaborar un efectivo plan en la pastoral urbana es necesario conocer cuál es la realidad temperamental y el carácter de la ciudad y del grupo social donde se ministra. Esta personalidad se da por diferentes factores, entre ellos está el clima, la alimentación, las influencias del exterior, la historia de su fundación e incluso la altura sobre el nivel del mar.

El error de los ministros es aplicar la misma pastoral que emplearon en los lugares de donde provienen. Es urgente percibir cuál es el alma de la ciudad y sólo a partir de este entendimiento se puede delinear con claridad los desafíos que la pastoral urbana. Cada asentamiento es una sociedad multicultural extremadamente compleja, pero tiene su propia identidad e idiosincrasia. A pesar de las comunicaciones en masa en la ciudad, la gente se siente más sola, y esta situación da un elemento nuevo al carácter de la urbe; ahora la gente se comunica mejor en las redes sociales que en persona.

La iglesia local precisa entender cómo se están reconfigurando las familias en la ciudad. Estas ya no se forman por papá, mamá e hijos como en el pasado. Ahora las familias son tan diversas como descompuestas. Abuelos educando nietos, hijos sosteniendo financiera y emocionalmente a sus padres, niños que pasan más de diez horas en casa sin un adulto que los supervise porque sus padres trabajan, tíos educando sobrinos, hermanos mayores intentando formar a sus hermanos menores, departamentos o casas habitados con más de una familia, parejas compuestas de ambos sexos que educan niños propios o adoptados.

Esto lleva a la gente de la ciudad a vivir en el imperio del light. Esta vida es la ausencia total de planificación, viven sin preocupaciones de lo que pasará mañana. El alimento, el dinero para pagar el transporte al colegio, limpiar y planchar el uniforme, hacer las tareas, pago de guardería infantil, llevar al niño a vacunar, conseguir trabajo, el uso de las redes sociales, teléfono celular para cada integrante de la familia, el mantenimiento del auto y demás responsabilidades son elementos del nuevo carácter en la ciudad.

La ausencia del sentido de responsabilidad, vida light, es aquella donde no importa el estilo de vida familiar en la que se encuentran inmersos mientras experimenten felicidad. Tal forma ha conducido al atraso moral, al descuido, desgano por vivir, y a la muerte emocional, moral y ética del individuo. Esto debilita y socava el sentido espiritual de las personas en todos los estratos sociales. Aunque el carácter de la ciudad fue adquirido desde su nacimiento y se fue formando a lo largo de las décadas de su crecimiento, hoy sigue evolucionando y de ello debe estar consciente la iglesia local.

Las urbes siguen construyendo su identidad y se proyectan al futuro. Se expanden y son cosmopolita como símbolo de desarrollo y crecimiento, pero también es distintivo de crudeza y soledad. Son los rasgos que describen la idiosincrasia de una urbe. Las iglesias locales requieren estar preparadas para trabajar con los grupos multiculturales sociales sin prejuicios, generando una verdadera pastoral urbana. No puede sustraerse a las necesidades y carácter mismo de la ciudad, tampoco encerrarse en sus cuatro paredes enajenándose de la realidad de la urbe.

La comunidad de fe local no puede dejar de enfrentarse con las diferencias que día a día la ciudad crea; un mundo donde hay mucho que ministrar y a su vez transformar con el evangelio. No está en la naturaleza de la iglesia sumarse a la discriminación de las instituciones políticas, sociales, religiosas y gubernamentales. Es una entidad que aporta en favor de los grupos sociales.

Iglesias urbanas en la encrucijada

Una pastoral urbana efectiva demanda cambios sustanciales en la mentalidad de las iglesias locales. Debe conocer la realidad de su gente para desarrollar un efectivo discipulado y así convertirse en una congregación que se abre a toda la ciudad. Que convoca y anuncia con su testimonio la Palabra del Señor, que presenta el evangelio en un lenguaje para todos sus habitantes. La pastoral urbana se centra en la ciudad, es el eje de su actividad ministerial, asume compromisos responsables con los más necesitados buscando la justicia y la solidaridad.

El Nuevo Testamento señala que la pastoral urbana se realizar en Jerusalén, en las ciudades de Samaria, en las de Judea y en las de todo el mundo (Hch. 1:8). El Templo pierde su centralidad para dar paso a los hogares, las oficinas, las escuelas, los mercados, las calles, las plazas y todo lugar donde la gente se reúne. Con ello se sigue el método de Jesús que no esperó a nadie en un edificio, fue a donde estaba la gente, y es allí donde hoy la iglesia debe hacer presencia. Existen diferentes escenarios en la ciudad que a la iglesia le urge conocer. Estos escenarios son áreas a penetrar con el evangelio para tocar la vida de las personas, pero por desconocimiento o descuido la iglesia se ha enfrascado en asuntos que la han desviado de su responsabilidad.

Uno de estos errores son las luchas teológicas que se dan entre todas las comunidades de fe. Algunas de ellas se han convertido en plataformas políticas, otras en enfoques mercantiles, otros en grupos místicos, algunas más como centros de diversión e industrias del entretenimiento y las variedades se dan de acuerdo a cada iglesia local. Toda esta situación tiene que ver con el deseo de presentar a la iglesia de acuerdo a estructuras e ideas humanas que vayan acorde a la sociedad. La confrontación se convierte en el común denominador de las congregaciones que luchan por mantener la supremacía sobre las demás. El espíritu que permea en la mayoría de estas congregaciones locales les lleva a acentuar un exagerado amor a su denominación que se limita al aumento en números, finanzas, historia e influencia.

Muchos ministros por temor a perder miembros e influencia utilizan detonadores de control basados en el temor. La competencia se convierte en su razón de ser. La cooperación se encuentra lejos de estas congregaciones, pues aquellos que la promueven son vistos con recelo. Un alto número de iglesias locales manifiestan un carácter independiente, moviéndose de acuerdo a sus conceptos y sin el menor asomo de caminar bajo autoridad. No dan informes de nada a nadie, la transparencia no es una característica en sus vidas, ¿cuántas congregaciones de la ciudad han sido producto de divisiones? Salen de sus congregaciones locales infatuados por el espíritu de independencia para fundar una nueva congregación con tantos slogan que usan para defender su unicidad y avalar su autenticidad.

No hay que perder de vista que muchos de estos nuevos ministros estando en sus congregaciones fueron líderes exitosos. Su desarrollo y crecimiento fue evidente; benefició vidas, familias y su congregación. Pero creyendo que sus pastores titulares habían alcanzado el cenit de su ministerio, como Absalón, se levantaron y confrontaron la autoridad. Se olvidaron que la eficacia de su ministerio se sustentaba al estar bajo la sombra de sus pastores y no por ellos mismos, mostraron una actitud poco dispuesta a la sujeción, dividieron su propia congregación e iniciaron su proyecto personal arrastrando a creyentes poco avisados. En estos grupos el celo y la envidia permean. Los mensajes de sus púlpitos atacan a los diferentes ministros y congregaciones de la ciudad. Su inseguridad y el ego inflado les mueve a actuar así; la realidad es que un alto número de éstos nunca han sido llamados al servicio por el Señor. Creyendo que sus dotes naturales son suficientes para desarrollar actividades ministeriales se lanzaron convirtiéndose profesionales que por voluntad propia se dan de alta en el ministerio.

Su profesionalismo, lejos de manifestar un auténtico carácter pastoral, los conduce a asumir actitudes que pisotean la vida de las personas; dividiendo, llevan implícito la semilla de la división. Por ello, no es raro ver que con el tiempo también sufren una serie de divisiones pues como una ley natural que quien divide será dividido. Es entonces que la iglesia lejos de confrontar los poderes demoniacos y las fuerzas de maldad que se mueven en la ciudad, acaba confrontándose ella misma. Los ministros han olvidado que cada congregación cristiana, sin importar su denominación, es una trinchera en la guerra para arrebatar la ciudad del infierno.

Estas acciones han dificultado por décadas una correcta pastoral urbana. Los auténticos ministros conducen a sus congregaciones a desarrollar una iglesia efectiva que afecte positiva y considerablemente la ciudad. Ese tipo de comunidad de fe cumple con las responsabilidades ministeriales y eclesiásticas, dan a la ciudad toda la atención, desarrollan sabiamente un discernimiento capaz de realizar una correcta hermenéutica urbana. Esta actividad requiere un constante entrenamiento entre los santos (Ef. 4:11-13), no se produce espontáneamente.

Congregaciones y ministros responsables que gozan de un compromiso real ante su ciudad, se han depurado del legalismo, del orgullo en su propia estructura y de un sistema eclesiástico asfixiante. El ritualismo litúrgico, el nombre de la congregación y el titulo ministerial han ocupado una segunda posición. Lo primario es su responsabilidad con Dios y el cumplimiento de la Gran Comisión en su ciudad. Con ello han manifestado un rechazo absoluto a lo fácil y cómodo, desarrollando un nuevo carácter eclesiástico hacia la urbe.

Una pastoral urbana sana, demanda que la iglesia deseche toda improvisación, centralismos, individualismo, moda, discontinuidad y competencia para realizar su tarea correctamente. Un buen grupo de ministros y congregaciones cristianas locales han hecho una pastoral más allá de sus paredes, viendo como algo normal dedicarse no sólo a su propio entorno eclesiástico; sino a solucionar la necesidad de la ciudad.

La pastoral aplicada ha renunciado a ser jerárquica, piramidal o conservadora. No se presenta como triunfalista o masificada, renuncia a preocuparse por mantenerse viva a través de programas, campañas, seminarios y talleres. No alimenta únicamente a sus miembros, se preocupa por extender la Palabra, da énfasis en su tarea de expansión. La pastoral urbana sana está centrada en la ciudad, no en el pastor, en los miembros de la congregación y en el edificio donde se congregan, porque sabe que estas actitudes son poco significativas para el individuo urbano.

La pastoral urbana implica hacer evangelismo, el cual es diferente al que se aplica en contextos rurales. La diferencia básica de hacer evangelismo es el contexto, la forma de presentar el mensaje. En áreas rurales las situaciones cotidianas se dan de forma más sencilla, por ello no se demeritar este trabajo rural. Pero en la urbe existe una suma de culturas en un mismo lugar. En áreas rurales la cultura es la misma, pero en una ciudad existen muchas subculturas, de allí que la tarea de la iglesia local es mirar esos contextos, observar sus particularidades y contextualizar el mensaje para que sea entendido sin barreras culturales. El profesor, maestro y formador de líderes urbanos, Eugenio Hunt (2009) señala: "el error de la Iglesia es dar el mismo mensaje bíblico en todas las culturas que existen y convergen en la ciudad. La Iglesia debe entender la cultura de sus oyentes para que al trasmitir el mensaje realmente genere comunicación".

El individuo urbano de principios del siglo XXI es calificado por los sociólogos más allá del posmoderno. Se define como un modo de pensar, una cosmovisión, un juego de perspectivas compartidas por muchas personas que hace poco tiempo alcanzaron la mayoría de edad. En los siglos XVII al XX se desarrolló el período moderno que dejaba atrás los períodos de los griegos y los romanos. A finales del siglo XX inicia el posmodernismo. Esta expresión se usó a principios de los cincuentas en la arquitectura y las bellas artes, tiempo después en la literatura y la filosofía. Los jóvenes del siglo XXI se les llama con títulos como generación Y, generación I (de IPOD), generación D (de Digital), generación M (de milenial, por el nuevo milenio), y generación Z porque se considera la generación totalmente conectada a la tecnología.

La característica de esta generación señalan los expertos, es la búsqueda y el cuestionamiento de todo. Los niños pasan veinte horas a la semana en las redes sociales. Adolecentes manifiestan escepticismo, dudas de las verdades absolutas, aunque son atraídos por lo espiritual no les llama la atención la iglesia tradicional. Sus opiniones sobre la vida son plurales, la comunidad es esencial y dan gran valor a la experiencia. Para ellos el progreso es una cuestión frágil y la percepción humana es compleja por lo que se echan en los brazos de la pasividad. El control es importante y están determinados a tenerlo y no entregarlo a nadie. La Biblia es un libro importante pero sin relevancia para esta época.

Aunque rechazan abiertamente la iglesia, la figura de Jesús de Nazaret les atrae enormemente. Esta actitud los conduce a caminar a la deriva por la vida buscando canalizar su fe. Ven a los demás intolerantes a muchas tendencias, una de ellas la homosexualidad que enjuician sin tener todos los elementos y que manifiestan una recalcitrante hipocresía. Para ellos la sociedad está fuera de moda, no entienden la realidad, son insensibles a los demás y es aburrida; algunos de ellos transitan por el anarquismo radical. Esta generación es un desafío para la iglesia y necesita saber cómo alcanzarla.

Iglesia urbana sana

Ante esta manifestación generacional muchas iglesias no han logrado mantenerse al día con los cambios. Sus reuniones siguen siendo las mismas de hace veinte a cuarenta años. Muchos de los miembros de estas congregaciones piensan y viven como en esos años porque sus énfasis se mantienen en programas y grupos propios de la organización a la que pertenecen, cuando la gente de la ciudad tiene otras necesidades y otras estructuras para recibir enseñanza.

La generación de hoy se caracteriza por la búsqueda y el cuestionamiento, pero a muchos líderes cristianos les aterra la libertad de pensamiento y la lluvia de cuestionamientos que caen sobre ellos. Seguir con las viejas prácticas hace que los servicios de la iglesia se encuentran en desventaja ante las redes sociales. Estos cambios tan dramáticos son un desafío y toda congregación que no hace uso de la tecnología y mantiene la tradición didáctica que se convierte en un estorbo en la presentación del evangelio. Como ejemplo de la tradición didáctica es la exigencia del profesor, maestro o pastor bíblico en la forma de vestir que se exige a los asistentes.

La iglesia necesitar evitar toda acción y actitud que impida una correcta y efectiva enseñanza bíblica. Es su responsabilidad presentar mensajes claros, sencillos y prácticos a la ciudad para que se interese en el evangelio; volver al evangelismo relacional, a los valores de la justicia social, a la compasión por el prójimo, a la correcta vida de comunidad de la congregación, y pugnar por una autentica relación con Dios pues la innovación en la liturgia es urgente. De no hacer tales cambios esta generación no podrá ser tocada por el evangelio. La meta es alcanzar a los que no asisten a las iglesias cristianas. La comunidad de fe local urbana que se han actualizado tiene páginas web, sus pastores están estudiando, actualizándose, renovándose y ministran por medio de las redes sociales con la congregación.

En sus lugares de reunión usan pantallas para presentar la letra de las alabanzas en programas multimedia y el mensaje bíblico en video. Quienes exponen la Palaba han dejado de exigir determinado uso de ropa en los asistentes. En el mostrador de la recepción del lugar de reunión está una dotación de hojas impresas que promocionan y explican la filosofía de la iglesia, boletines con mensajes breves y directos y una hoja de bienvenida para los que visitan por primera vez la reunión.

La ciudad crea una gran oportunidad para compartir el evangelio pero genera un problema a la iglesia local que no transforma sus técnicas y le es más difícil desarrollarse y crecer. Cada congregación debe estar atenta hacia las personas que constantemente se mueven en la ciudad en busca de algo. Este movimiento se da porque buscan un cambio real en sus vidas y anhelan algo nuevo para sus familias, esperan ser expuestos a nuevas ideas y oportunidades. Dios está usando la migración o la inmigración del constante movimiento en la ciudad, es una oportunidad para ministrar en ella, pues no se puede alcanzar al mundo con el evangelio si primero no se alcanza su propia ciudad.

Una iglesia local equilibrada sabe que debe tocar el contexto de muchedumbre, diversidad, peligro e intensidad que la ciudad manifiesta. Desarrollar una pastoral urbana implica redescubrir, desplegar y hacer teología para la ciudad que hable al corazón de las personas, toque sus emociones, sanes sus dolores y transforme sus vidas. Cuando Jesús visitó las ciudades vio a los desvalidos y atormentados como campos listos para cosechar, ministró en esas ciudades enseñando en las sinagogas, proclamando las buenas nuevas del reino y sanando toda enfermedad (Mt. 9:35-38).

Si la iglesia local está determinada a ser efectiva en la ciudad necesita realizar cambios radicales a su interior. Y estos cambios deben generarse en la mente y el corazón del ministro y de los miembros. Planear reuniones que generen una atmósfera confortable, iniciar con un preludio musical ayuda a crear ese ambiente que anime y tranquilice a los asistentes a no centrar su atención en las preocupaciones propias de la semana y abrir su corazón a Dios. Su liturgia debe contener alabanzas que ayude a los asistentes a tener comunión, dando paso al mensaje bíblico con un profundo énfasis en la experiencia espiritual personal. Es importante que el exponente de la Palabra manifieste un acervo cultural aceptable, de otra forma revelará ignorancia del tema que está exponiendo y los oyentes dejarán de asistir.

Su leguaje debe ser fluido, claro, elocuente y certero. Al terminar la exposición bíblica, hacer un llamado para ministrar en oración, y mientras se ore por los que aceptan la invitación, el preludio musical es fundamental en apoyo a la ministración para posteriormente dar espacio a reunir las ofrendas, resaltando el carácter de seriedad a este acto. En este espacio los asistentes deben levantarse de sus lugares y entregar sus aportaciones voluntarias hasta el recipiente que esté en el altar, con ello se da un sentido de expresión cúltica participativa. La exposición de breves anuncios y saludar a los asistentes que están por primera vez puede ser la conclusión.

El servicio debe ser fluido y cargado de un ambiente espiritual que conduzca a la reflexión y acción. El desarrollo de la reunión no debe superar las dos horas y con ello se genera hambre en los oyentes para que tengan el deseo y emoción de volver. Es un error intentar en una sola reunión que los asistentes conozcan todos los temas bíblicos, e igualmente por ningún motivo permitir que los participantes en la alabanza o la predicación lo hagan sin la preparación adecuada, pues hacer uso de espontáneos o emergentes podrá ir en detrimento del mover del Espíritu Santo.

Si la reunión principal sobrepasa las dos horas se ha perdido el objetivo, salvo que el Espíritu Santo conduzca a direcciones diferentes. Los participantes en la alabanza y la exposición de la Palabra en todo momento deben estar abiertos a la dirección del Espíritu Santo. Al finalizar la reunión en las mesas habrá una variedad de comida para consumir con un modesto costo en apoyo a la congregación misma.

El tiempo que se ocupa en consumir estos alimentos se utiliza en fortalecer las relaciones e identificar situaciones para llevarlas en oración en las reuniones semanales y visitas pastorales acordadas en subsiguientes días. Este tipo de iglesias están orientadas a las personas que no asisten regularmente a sus reuniones. Son congregaciones locales que pretenden que sus asistentes se sientan bienvenidos y a gusto, que no sólo asistan los domingos sino que sean partícipes del programa semanal. El pastor y los líderes en todos los niveles, así como los miembros, se enfocan en las personas nuevas y en crear lazos relacionales sinceros.

La gente necesita pastores con actitudes más disponibles y que no se concreten únicamente a sus miembros; necesitan un lugar donde se sientan amados y atendidos, pues están cansados de la atención burocrática que todos los días lo viven en la ciudad. Es necesario que el pastor y la congregación manifiesten real interés. La Iglesia debe romper con la mentalidad de ofrecer sólo los servicios religiosos en el lugar de reunión. El ambiente en la congregación tiene que ser fraternal y de auténtico servicio a todos, valorando el impacto que genera en las personas un trato cercano y amigable.

Una iglesia urbana sana manifiesta constante atención personal, servicio digno, enseñanza clara y objetiva de las Escrituras, fomenta la unidad sin desvirtuar el mensaje Cristo-céntrico; crea espacios para grupos nuevos que comienzan a llegar a la comunidad de fe local para una atención directa, discípula sistemáticamente a los nuevos convertidos dando seguimiento cuidadoso de los futuros líderes urbanos, y procura la expansión real del evangelio. Si se evalúa a la iglesia local bajo estos parámetros se puede responder la pregunta ¿está sana o enferma? Una iglesia sana podrá desarrollar acciones pastorales urbanas sin estorbos.

Las opciones en la ciudad se han incrementado porque la iglesia local compite con cines, teatros, bares, reuniones de grupos religiosos heréticos, festivales dominicales, actividades deportivas, reuniones cúlticas televisadas, redes sociales y otras. Aquellos hábitos de la iglesia que ya no funcionan en la expansión del evangelio deben ser desechados inmediatamente o reorientados. En el pasado funcionaron y fueron extremadamente efectivos en favor de la predicación del evangelio y en la captación de nuevos convertidos. Un ejemplo de ello son las campañas evangelísticas que fueron efectivas en la década de los 40s a los 80s. La historia de la Iglesia enseña que es fundamental no caer en extremos. Las iglesias urbanas deben aplicar una pastoral adecuada para que esta generación conozca el evangelio de Jesucristo y vivan una efectiva vida cristiana.

La cultura urbana a la que se enfrenta la Iglesia es difícil, plural, globalizada y compleja porque los desafíos urbanos evolucionan constantemente. Lucas presenta cómo llevar a cabo una pastoral urbana efectiva (Lc. 4:18, 19). El elemento principal para desarrollar eficazmente ésta pastoral urbana es la presencia del Espíritu Santo en la vida de los creyentes, pues sin él es una tarea ineficaz. Jesús mismo requirió la unción del Espíritu Santo para llegar a las ciudades con un carácter pastoral, así que la Iglesia no puede ir a la ciudad con sus capacidades y habilidades, necesita ir con la unción del Espíritu Santo. Toda iglesia local puede aplicar estrategias, tener poder financiero, desarrollar una serie de acciones sociales, generar influencia en todos los sectores de la ciudad y contar con un ejército de personas dispuestas a realizar las tareas que se les demande, pero sin esta unción no tendrá la fuerza para conmocionar su ciudad.

Con la unción del Espíritu Santo la iglesia local tiene la capacidad de alcanzar a los marginados. "Esta discriminación o marginalización responde a los prejuicios religiosos de la clase dominante, que llega a separar a la sociedad de acuerdo a los niveles de ingreso económico, sociales, culturales y políticos" (López, 1997, pág. 123). Sólo aquellos que están ungidos podrán llevar a cabo el programa de Dios en la ciudad, ya que la pastoral urbana confronta enemigos directos y sin la unción del Espíritu Santo no tendrá la fuerza para derrotarlos.

El estilo de vida urbano es un fenómeno de la movilidad humana. Aunque el territorio urbano continúa transformándose, la Iglesia tiene su principal punto de referencia en las personas. Enfrentar los desafíos de la ciudad requiere de flexibilidad pastoral; es decir, que los involucrados apliquen una nueva actitud y práctica evangelizadora. La pastoral urbana no debe estar condicionada por la personalidad del pastor o por los miembros, ni por la consideración de los límites territoriales. En los ministros tiene que existir disposición para atender a todas las personas con las que entren en contacto y los miembros deben asumir la misma actitud.

Ministerio urbano

Aunque el mundo se ha convertido en urbano desde hace muchas décadas, las iglesias evangélicas han permanecido con una mentalidad rural y suburbana. Su enfoque ha sido fuera de la urbe y no dentro de ella, pues las comunidades de fe evangélicas tienen la tendencia a no ser parte de las ciudades. ¿Quién tiene un programa de misión hacia la ciudad?, muy pocos. ¿Quién tiene un programa de misión hacia las etnias, los desiertos, las selvas, las áreas alejadas del planeta?, todos. La ciudad es un desafío a la misión porque cientos de grupos sociales y étnicos la componen. Naciones enteras están llegando a las ciudades y es significativo descubrir que en la misma ciudad se encuentran caminos más cortos a ellas. La Biblia señala que a Dios le interesa la ciudad y la Biblia es un claro testigo de este tema.

Debido a la naturaleza cambiante de las ciudades y la constante llegada y salida de inmigrantes, las ciudades ofrecen una oportunidad única de localizar personas con el evangelio cuando ellos están más abiertos. Un individuo que creció en la granja de un pueblo que llega a la ciudad ha dejado su red social y ahora la presión que experimenta le lleva a buscar una comunidad que lo apoye emocional, social y moralmente; sin su religión, ni familia, sin amistades se hace mensos resistente al cambio. Toda persona que deja su terruño y llega a la urbe experimenta perturbaciones serias en sus emociones. Enfrentan nuevos valores, nuevas formas de hacer y un nuevo vocabulario. Al mismo tiempo dejó tras de sí su sistema de apoyo social y por primera vez se encuentra sin familia y amigos. Esto crea una inmejorable oportunidad para presentar el mensaje de salvación. Si se convierte al evangelio podrá extender la Palabra de Dios en áreas circunvecinas como lo realizó la iglesia primitiva (Hch. 19:9, 10; 1 Tes. 1:8).

Es importante fomentar una serie de estrategias para desarrollar un ministerio urbano bíblico. La iglesia local podrá aplicar principios importantes para ello. Primero, el propósito y fundamento del ministerio urbano descansa en la iglesia local, en su entorno es donde se da la acción de Dios y despliega su poder por medio de Jesucristo (Ef. 3:10). Pablo manifiesta en sus cartas que la iglesia es la única comunidad social donde Dios lleva adelante la consumación de sus planes y propósitos en beneficio del mundo. Es fundamental que todos los involucrados en el ministerio urbano sean miembros activos de su congregación local y estén directamente comprometidos en la plantación de nuevas iglesias urbanas.

Segundo, compasión y misericordia son parte integral de la vida cristiana. Iglesias locales deben desplegar las acciones de Jesús hacia la ciudad con este espíritu. Es común que dentro de la comunidad cristiana estas acciones sean habituales, pero no hacia la ciudad. La iglesia debe tener ojos abiertos para desplegar la gloria transformadora de Cristo en el área urbana que se necesite. Los evangelios dan evidencia de las múltiples ocasiones que Jesús manifestó misericordia y compasión (Mt. 14:14; 15:32; Lc. 7:13), e hizo un llamado a sus discípulos para que actuaran de la misma manera (Lc. 10:25–37). Aunque esta compasión se da entre los creyentes, también se debe extender hacia los incrédulos (Jn. 13:35; Hch. 2:45; 11:27–30; Stg. 2:14–16; Gá. 6:1–2).

Tercero, auténticas conversiones producen vidas transformadas. Ministros e iglesia no deben estar buscando quiénes desean ser discípulos, la meta no es convencer a otros para que sean parte de la iglesia, el objetivo es que se convierta al evangelio, que se arrepientan de sus pecados y que vivan una vida acorde a la Biblia. La proclamación bíblica tiene que ser el tema central en cualquier estrategia ministerial urbana; las Escrituras son claras en ese rubro. Cualquier ministerio urbano que remplace el anuncio de las buenas nuevas ofrece un evangelio anti-bíblico. La estrategia del Nuevo Testamento es la proclamación del evangelio de Jesucristo como Salvador y Señor y en el momento que las personas se convierten al evangelio la tarea de transformar la ciudad se lleva a cabo.

Sin la intervención del Espíritu Santo la transformación del pecador nunca se realizará, sólo será un convencido de su situación (Jer. 13:23). Es imposible para aquellos que han experimentado el perdón de sus pecados mantenerse quietos ante el avasallador avance del pecado, la misma vida de Dios en su interior los impulsa a realizar acciones que detengan tal progreso demoniaco. En la medida que hombres, mujeres y familias son transformados por el poder del evangelio, la ciudad avanza hacia el cambio.

Cuarto, las necesidades espirituales deben estar por encima de las necesidades materiales. Jesús y los apóstoles son testimonio de este principio (Mr. 1:36–38; Hch. 6:1–4; 1 Tes. 3:10). Para la iglesia los problemas de salud, las crisis materiales y las preocupaciones no son la prioridad. Necesita percibir cuáles son las responsabilidades eclesiásticas colectivas; así podrá distinguir entre el ministerio centrado en la predicación del evangelio y la acción social.

Estos cuatro principios deben ser el fundamento de toda estrategia para desarrollar un ministerio urbano bíblico. Todos aquellos que se perfilan en esta acción necesitan comprender la magnitud de los problemas de la urbe. Este conocimiento puede agobiar decisivamente al percatarse de la constante pobreza, injusticia, corrupción, pecados, decadencia, maldad y degradación social. El ministerio urbano puede caer en la tentación de dirigir sus acciones en aliviar el sufrimiento temporal con programas sociales y descuidar la necesidad real, su reconciliación con el Creador. Entender equivocadamente la verdadera naturaleza de pecado y el plan de Dios para la ciudad puede crear erróneamente una utopía urbana.

En la implementación de estas estrategias básicas los involucrados deben entender que confrontan diversas barreras. Una de ellas que produce gran crisis es la soledad; pues aunque las ciudades están llenas de cientos de miles de personas, un altísimo porcentaje de ellos viven en aislamiento emocional. A la ciudad le falta el carácter de comunidad, los residentes, incluyendo a los ministros urbanos, experimentan soledad en medio de la muchedumbre, por ello es importante que el ministro esté constantemente conectado con otros ministros de la ciudad para desarrollar un compañerismo. Además debe ser parte de un equipo ministerial local que le ayude y apoye a confrontar los sentimientos de soledad.

Otro peligro que enfrenta es el apoyarse totalmente en sus propias habilidades y en las ciencias sociales, psicológicas y urbanas en lugar del poder del Espíritu Santo y las Sagradas Escrituras. Erróneamente se ha llegado a implementar estrategias de plantación de iglesias basadas en la investigación científica y la experiencia personal, mientras que la Biblia es ignorada. La historia de la Iglesia da testimonio de que en el momento que la Biblia es ignorada el Espíritu Santo no apoya el ministerio por muy efectivo que haya sido en el pasado. Todo líder cristiano urbano debe estar estrecha y permanentemente conectado con la Palabra de Dios y la guía del Espíritu Santo presentándose ante la ciudad como un siervo de la urbe para que realmente provoque un cambio social.

Equivocadamente el ministro puede tener una visión romántica de la ciudad. Las urbes tienen el poder de atraer hacia ellas a las personas porque son lugares de poder e influencia, centros de negocio, de autoridad, educación, arte, cultura, de empleo y son lugares atractivos para vivir. Sin embargo, las urbes también son lugares de pobreza, crimen, racismo, ruido, polución, y muchos otros problemas sociales graves que pueden causar desilusión y rechazo. Al determinar vivir y criar a una familia en la ciudad, el ministro debe reconocer estas barreras, pero sobre todo requiere tener en claro que la ciudad, es el lugar donde Dios lo ha puesto para que desarrolle el ministerio de difundir el mensaje de Salvación.

Misión urbana vs Jonás

Los problemas relacionados con la misión de la Iglesia se concentran en la ciudad. Se requiere un serio estudio de las necesidades del hombre urbano y el desarrollo de una teología compatible con los principios y los modelos bíblicos. La iglesia local necesita ocuparse en estudiar este perfil y entenderá que la ciudad no es tan insensible y atea como se cree y mucho menos es ajena a su necesidad de Dios. "La misionología urbana es una disciplina o ciencia que investiga, registras y aplica datos relacionados con el origen bíblico, con la historia, con los principios y con las técnicas antropológicas y la base teológica de la misión cristiana en la ciudad" (Greenway & Monsma, 1989, pág. 8).

Se puede caer en el ridículo como Jonás y descubrir que la ciudad puede reconocer la presencia del Señor más rápidamente que uno mismo. La pastoral urbana conduce a dar un mensaje a la ciudad que va más allá de la condenación. "Jonás, profeta escogido de Dios y apartado para una misión que estaba más allá de su comprensión, actúa humanamente, reacciona comprensivamente, guiado por el temor y los prejuicios" (Groh,

1999). En el corazón de Jonás sólo existían su patria, un templo y un grupo social determinado; su visión era miope, egoísta, limitada, prejuiciosa, racista y totalmente discriminatoria.

Nínive era la capital de Asiria y tenía la reputación de ser la ciudad más cruel e inhumana de Medio Oriente; cuando conquistaban ciudades se especializaban en desollar a las personas vivas, mutilaban, con fiereza las arrancaban las lenguas de sus enemigos y hacían collares con ellas; decapitaban y hacían pirámides con las cabezas de sus víctimas, y los sobrevivientes eran encerrados en jaulas del tamaño de las perreras. La jactancia de su crueldad era insignia de su poder y era motivo de canciones, y alabanzas entre los ninivitas; incluso sus logros artísticos estaban cargados de obscenidades e idolatría. Por este carácter de los ninivitas Jonás esperaba que esta nación fuera hecha trizas por el Señor, y en especial la ciudad capital.

Como Jonás, muchos ministros y congregaciones asumen el mismo carácter y desprecian la ciudad. Sus mensajes bíblicos son dirigidos con ferocidad hacia la urbe por sus pecados. La historia en torno a Jonás describe algunos hechos desde la perspectiva de Dios con respecto a la urbe que se necesitan entender para aplicar una pastoral correcta en la propia ciudad y desarrollar apropiadamente la misión.

Primero, Dios conoce cada parte que compone la ciudad: calles, barrios, parques, mercados, edificios gubernamentales, industrias, comercios, centros educativos, y demás. Dios llama a Nínive la gran ciudad (1:1; 3:1), manifiesta la noción que tiene de ella. El Señor tiene conocimiento del tamaño de la urbe ya sea pequeña, mediana o grande; sabe la extensión geográfica de cada una de ellas y el tiempo que se ocupa en transitar por sus calles, avenidas y bulevares (3:3).

Segundo, Dios conoce el número exacto de sus habitantes. El gobierno de cada ciudad y nación está preocupado por conocer el número de personas que viven en la ciudad y cada tiempo aplican indicadores para medir su población. Las estrategias que utilizan son variadas y a pesar de su rigurosidad se escapan algunos números por lo que manejan estimaciones. En cambio el Señor está al tanto de cada individuo y persona que habita la ciudad (4:11), nadie escapa a su conocimiento, sabe el nombre y vida de cada habitante.

Tercero, Dios conoce la economía en la que se sustenta la ciudad. Este rubro ha traído grandes dolores de cabeza a los gobiernos; en este tiempo se ha acrecentado aún más por la economía informal que ha tomado el control de las ciudades latinoamericanas. No todos declaran impuestos y tampoco declaran realmente lo que gastan. Al igual que el número de habitantes, la economía de la urbe se maneja en estimaciones. Nínive era un importante punto de paso de las rutas comerciales que cruzaban el Tigris. Ocupaba una posición central en las rutas entre el Mediterráneo y el Índico, uniendo así el Este y el Oeste, recibiendo influencias y riqueza de muchos lugares. Es interesante notar que el gobernante de Nínive ordenó que todo el ganado sea puesto en ayuno (3:7, 8). Esta abundancia de ganado (4:11) describe cuán grande era la economía de la ciudad.

Cuarto, Dios sabe cuál es la confusión espiritual en la que se encuentran la urbe. Gobierno, empresarios, grupos sociales y esfuerzos filantrópicos aplican una serie de programas para ayudar a las personas en situaciones complicadas tanto emocionales, psicológicas, relacionales y hasta económicas. Pero sólo el Señor conoce realmente cuales son las confusiones que agobian a las personas de la ciudad que no saben distinguir una situación de otra (4:11). Este conjunto de ambigüedades en los habitantes de la ciudad los ha conducido a practicar y vivir en la maldad que insulta el carácter del Señor (1:2). Dios tiene respuesta a esta condición humana por boca de sus enviados.

Quinto, Dios tiene compasión de la ciudad y determina intervenir en su beneficio. Aquellos que se involucran en la urbe para buscar su beneficio lo hacen con el fin de adquirir ganancias a su favor. El slogan político "vocación de servicio" realmente esconde deseos malsanos de enriquecimiento ilícito, de allí su constancia en aparecer ante los medios de comunicación y redes sociales como personas que tienen la capacidad moral de ayudar a la ciudad. La Biblia señala que el Señor conoce el pecado de la ciudad, sabe de su arrogancia, de su orgullo, de su codicia, de su desobediencia y de su rebelión; y ante ello no desecha a las ciudades, más bien se involucra enviando mensajeros que lleven su Palabra y hablen de su amor, les da la orden de ir, les dice, como a Jonás: *ve* (1:2; 3:2).

Para muchos la ciudad es potencialmente enemiga de Dios, representa una vida ajena al Creador y a su Palabra. Es vista con ojos sucios, y ve las áreas de necesidad como lugares peligrosos. De la forma cómo se ve a la ciudad es lo que se encuentra en ella. Jonás vio a la ciudad como sanguinaria y propia de ser castigada y en esa óptica esperaba que el Señor se manifestara. Cristianos y no cristianos son intimidados por los edificios, la muchedumbre, las presiones y las exigencias de la urbe, esto hace que un gran número de personas decidan vivir fuera de ella. Para los cristianos por lo general, la ciudad es vista como territorio enemigo. Pero Dios no la ve así.

El Señor ama la ciudad y hace un llamado a sus habitantes para que vivan bajo su bendición. Si alguien desprecias su ciudad significa que está en el mismo tenor de Jonás y por consiguiente no tiene el Espíritu del Señor. A pesar de toda la concentración de sus pecados, la urbe también es un lugar donde Dios derrama su amor. Repetir el error de Jonás es ver la ciudad con problemas, manifestar molestia es contrario al Creador que expresa compasión y misericordia. Dios acrecienta su amor por ella, sólo quiere redimirla. Es verdad que el pecado abuna, pero Dios ve una ciudad llena de pecadores que deben ser redimidos. Nínive representa todas las ciudades del mundo.

La tierra está llena de Nínives y el Señor está buscando a quién enviar allí. Existen dos caminos para la iglesia urbana, ir a Nínive o escapar a Tarsis y muchas congregaciones y ministros han dirigido sus naves rumbo a Tarsis. Sus naves de congresos, seminarios, talleres, cruceros o viajes a tierra santa, campañas de sanidad, confraternidades y retiros que navegan rumbo a la paz y bendición de Tarsis. Estas naves pierden tiempo y no ven su responsabilidad urbana en su propia Nínive. El Señor da la oportunidad de servir en nuestra Nínive pero equivocadamente soñamos con vivir en Tarsis enajenándonos de nuestra responsabilidad.

Hay una Nínive qué conquistar con el evangelio pero la iglesia decide tomar el camino equivocado. Tiene temor de ir, pero el Señor la necesita allí; tiene temor de hablar, pero la ciudad necesita oír la Palabra del Señor; tiene temor de tomar acciones e iniciar un movimiento restaurador, pero el Señor le dice: confía en mí, Yo estoy contigo.

Dios quiere a la Iglesia en Nínive y que deseche contemplar el horizonte suspirando por Tarsis. Nínive representa trabajo, Tarsis descanso y solaz. Toda congregación y ministro que se embarca rumbo a Tarsis no debe olvidar la tormenta y el gran pez que le aguarda. Pueden vivir una vida distinguida, luchar por mantener un buen nombre pero sin olvidar que la tormenta y el gran pez están acercándose. La ciudad está mal y es cruel, pero necesita la Palabra y sólo la Iglesia tiene la solución; la urbe se ha llenado de pecadores y la Iglesia responde anunciando las buenas nuevas de Salvación.

Al igual que Jonás, la Iglesia necesita ver la delincuencia, la contaminación, la codicia y la decadencia moral, pero no como elementos disuasivos para vivir en ella. Entender que a los ojos de Dios la urbe es preciosa, y su gracia y misericordia están disponibles para todos. Vislumbrar las necesidades de la ciudad para compartir el amor de Dios a los perdidos y ser capaces de ministrar compasión a una sociedad rota.

Jeremías le dijo a los exiliados en Babilonia que decidieran buscar la paz y la prosperidad de la ciudad (Jer. 29:4-14). Babilonia era una sociedad que intimidaba por su diversidad, pero los judíos tenían que relacionarse y responder con amor a todas las personas. Los cristianos urbanos deben trabajar con los principios de la paz y la gracia en beneficio de su ciudad. Isaías presenta la posición que los cristianos deben asumir en la ciudad, porque es un preámbulo de su posición en la ciudad santa, celestial y eterna. Buscar la paz y la prosperidad de la ciudad por medio de la oración y el servicio comunitario es una de sus tareas principales (Is. 25:6-26:6). Ambos profetas, Isaías y Jeremías dan el lineamiento para la aplicación de una pastoral urbana.

Jesús llevó a cabo una pastoral urbana efectiva en las ciudades donde ministró. Esta tarea de Jesús provocó que sus adversarios lo atacaran y lo juzgaran como una persona irreverente. Despectivamente fue llamado: *amigo de pecadores* (Lc. 7:34), su relación con prostitutas, ladrones y personas desechadas por la sociedad le dieron ese título, realmente fueron amigos de Jesús. Estos desechados de la sociedad también eran desechados por los religiosos, que lejos de mostrar el amor y la misericordia del Señor, de sus corazones proferían expresiones de juicio y condena. Hoy en la ciudad se encuentran estos ministros que usan la Palabra de Dios para juzgar y condenar a toda clase de personas, ¿Dónde están los amigos de los pecadores?

Un ejemplo de esta acción en Jesús que causó molestia fue que atrajo para sí a un miembro del grupo zelote. Judas Galileo formó parte de un movimiento político nacionalista en el siglo I en Israel, su objetivo era independizar a su nación del imperio romano y los medios para llevar a cabo esta independencia eran mediante la lucha armada. Era la fracción más radical de la época en Israel. Este grupo armado acusaba a los saduceos y fariseos de tener su amor puesto en la posición y el dinero y no en la nación. Lucas describe un de los líderes de este grupo (Hch. 5:37), y algunos historiadores señalan que Barrabás pertenecía a este grupo. Sus miembros habían hecho un juramento de muerte en el que incluía asesinar a todo judío que trabajara para el gobierno romano. Jesús alcanza a uno de estos terroristas urbanos y lo hace su discípulo (Lc. 6:15).

Otro ejemplo de la tarea de Jesús se da fue cuando gana a un líder urbano que gobernaba en la ciudad de Jericó llamado Zaqueo, un publicano rico (Lc. 19:1-10). Roma usaba como recaudadores de impuestos a determinadas personas en cada ciudad y eran llamados publicanos. Esta posición servía para abusar cobrando de más a caravanas, familias y personas que entraban o pasaban por las ciudades. Tenían el monopolio del cobro y además el mejor sueldo de las provincias. Algunos publicanos lograron fortunas inmensas y uno de ellos fue Zaqueo. Como la producción y la exportación de bálsamo eran importantes en Jericó, el cobro de los impuestos le daba mucho dinero. Este despreciado hombre de la sociedad fue alcanzado por Jesús y lo convirtió en uno de sus discípulos. La lista de personas despreciadas por la sociedad que Jesús tocó con su pastoral urbana es amplia.

Hoy la vocación de la iglesia debe seguir el mismo patrón de Jesús. Es llamada a servir a los nuevos grupos sociales que han dejado de ser atendidos y sólo se ignora su existencia por los gobiernos y sectores de la sociedad. La lista de estos grupos sociales es amplia: divorciados, padres o madres solteros, escatos, darketos, skines, emos, intelectuales, castas políticas, comunidad lésbico-gay, drogadictos, desempleados, niños de la calle y prostitutas son quienes engrosan la lista de los grupos a los que la Iglesia es llamada a alcanzar. Cada grupo cristiano local debe constituirse en amigo de pecadores sin importar el juicio que reciba de los demás. Desatender esta acción es ir contra del plan de Salvación para el mundo.

La inclusión a la comunidad de fe local de todos estos grupos sociales es un esfuerzo que el mismo Jesús haría; su inclusión no significa tolerar de su estado pecaminoso, sino más bien conducirlos en amor al arrepentimiento y regeneración. Sin una pastoral urbana adecuada las comunidades de fe locales sólo se dedicarán a sobrevivir hasta avejentarse y morir. La pastoral urbana demanda de cada uno de los cristianos disposición total para transformar su ciudad con una óptica bíblica contextualizada a su entorno; pero sobre todo, con la unción del poder del Espíritu Santo.

7

ANTIOQUIA, UNA IGLESIA URBANA

Al fundar la iglesia, Jesús claramente especificó que él mismo la haría crecer para que el mundo le conociera (Mt. 16:18), La narración meticulosamente en el libro de los Hechos señala que el desarrollo y crecimiento de la Iglesia es sustentado por el mover del Espíritu Santo. Un ejemplo es la vida de la comunidad de fe local de Antioquía (Hch. 11:19-26; 13:1-3), que presenta principios bíblicos para la iglesia urbana actual.

La palabra misión se deriva de la razón missio, que significa <<encargo>>. Esta palabra latina es traducida en el griego por apostollei, que significa enviar (enviar con fuerza). Entonces misión es el encargo de Dios (mensaje de redención) a la Iglesia, para enviar con fuerza (misioneros) a todas las naciones para anunciar el evangelio del reino (Cueva, 1992, pág. 14).

Antioquía de Siria es un ejemplo de ciudades con las que se enfrentaron los cristianos del siglo I. En esta urbe la iglesia llevó a cabo una penetración de forma impresionante, mostrando que el problema primario de la expansión del evangelio en las grandes urbes no tiene que ver con estrategia, logística, administración, organización, cultura, economía o algún otro elemento.

La vida de esta iglesia revela que el problema de expansión es eminentemente de naturaleza espiritual; es decir, depende de la vida espiritual interna que la congregación experimente para que la expansión se dé eficazmente en cualquier urbe porque: "el crecimiento de la Iglesia ocurre cuando la iglesia local cumple sobrenatural y fielmente con la Gran Comisión en su contexto único y con una visión para el mundo" (Hemphill, 1996). No por ello deja de ser importante conocer los elementos que ayudaron a extender la Palabra de Dios en esta urbe del primer siglo.

La ciudad

Roma mantenía dominio en todo el mundo, el emperador gobernaba y su poderío se extendía por toda la cuenca del mar Mediterráneo, el imperio se encontraba en la cumbre de su esplendor. Las provincias eran gobernadas por hombres nombrados por el emperador o el Senado y eran custodiadas por el ejército. Los gobernantes de las provincias y de las ciudades importantes usaban al ejército para aumentar su poder personal y una de estas provincias era Antioquía de Siria.

Esta ciudad se encontraba situada "junto al río Orontes, hoy Antrakya en él SE de Turquía, unos 500 kilómetros al norte de Jerusalén, fue fundada 300 a.C. por Seleuco I Nicátor después de una victoria contra Antígono en Iso (310 a.C.)" (Douglas & Hillyer, 1982, pág. 77). Seleuco I Nicátor le dio el nombre de Antioquía a la ciudad "en honor de su padre Antíoco" (González J. L., 1992, pág. 179). El río Orontes o Crontes desemboca en el mar Mediterráneo y la ciudad era protegida por peñascos del monte Silpo.

Estaba situada en un valle amplio y fértil, protegido por montañas majestuosas cubiertas de nieve, y le llamaban Antioquía la Bella y Dorada. En el año 65 los romanos tomaron la ciudad y la hicieron la capital de la provincia romana de Siria. Los reyes seléucidas y primitivos emperadores romanos extendieron y adornaron la ciudad hasta que llegó a ser la tercera ciudad en importancia del Imperio Romano (después de Roma y Alejandría) con una población, en el primer siglo d. de J.C., de alrededor de 500 mil habitantes (Douglas & Tenney, Diccionario Bíblico Mundo Hispano, 1997, pág. 85).

Por hallarse entre montañas y casi rodeada de agua, "gozaba de un clima muy favorable en contraste con la mayor parte de Siria" (Wilton M., 1974, pág. 33). En la cima de este monte se ubicó la ciudad y al pie de ella una roca enorme esculpida en forma de cabeza humana sin rostro. La gente creía que esta cabeza era de Caronte, una divinidad griega.

En la mitología griega era hijo de la Noche y de Erebo, que personificaba la oscuridad bajo la tierra a través de la cual las almas de los muertos, iban hacia la morada de Hades, el dios de la muerte. Caronte era el viejo barquero que transportaba las almas de los muertos por la laguna de Estiga hasta las puertas del mundo subterráneo (Encarta, 2003).

El gobierno de la ciudad

La forma de gobierno existente en todo el vasto imperio era republicana, multiforme en su administración y gobernadas según su propia idiosincrasia. Para Roma existían dos categorías de provincias. Unas eran llamadas Senatoriales que generalmente estaban en el centro del imperio y su vida social era en extremo pacífica, además de ser gobernadas por un procónsul.

En la otra categoría estaban las provincias Imperiales que se encontraban en la periferia del imperio y constantemente estaban expuestas a los ataques de otras naciones aún no sometidas. Tenían la necesidad de guarniciones militares en su interior y de una dependencia directa del emperador quien nombraba un procurador como su representante oficial. Estas se dividían en tres grupos. El primero son las Consulares que contaban con un aglomerado mayor de habitantes y en ellas se encontraban instaladas un buen número de legiones romanas.

Las segundas son las Pretorianas, que eran menores en el número de habitantes y se encontraban protegidas por una sola legión. Por último están las Procuratorias, las más difíciles de controlar por el liderazgo local o por la agitación social existentes en ellas. Antioquía era una de las tres ciudades más importantes del imperio y pertenecía a la provincia imperial en el rango Consular. Antioquía era la capital y el asiento administrativo de la provincia romana de Siria y un procónsul gobernaba con el apoyo de dos legiones romanas. Contaba con aproximadamente "unos quinientos mil habitantes" (González J. L., 1992, pág. 179), experimentando un gran auge económico, político, cultural y comercial:

Ya que fue planeada desde el principio sobre el modelo hipodámico de parrilla; Augusto y Tiberio la ampliaron y embellecieron, mientras que Herodes el Grande proveyó columnatas a ambos lados de su calle principal y pavimentó la calle misma con piedra pulida (Bruce, 1998, pág. 265).

El trazado hipodámico es un planteamiento urbanístico que organiza la ciudad en cuadras o manzanas rectangulares y fue el padre del urbanismo, Hipodamo de Mileto diseñó este tipo de ciudades. La ciudad adquirió relevancia en el imperio: " porque su importancia había sido reconocida por los romanos, quienes la habían declarado ciudad libre en el 64 a. C." (Horton, 1987, pág. 124). Tenía un palacio imperial donde se ejercía el control desde Roma por parte del emperador en turno. El sistema de gobierno era designado por el emperador quien delegaba, nombraba y controlaba a los respectivos funcionarios. La ciudad tenía el acuartelamiento de legiones para su defensa: "era el centro de las relaciones diplomáticas con los estados vasallos del este y era, en realidad, un lugar de reunión de muchas nacionalidades, un lugar donde las barreras entre gentiles y judíos eran apenas perceptibles" (Green,

1997, pág. 196). Todos los habitantes libres residentes en ella tenían derechos plenos de ciudadanía: "Josefo dice que los Seléucidas alentaron a los judíos a emigrar hacia allí en grandes cantidades, y les dieron plenos derechos ciudadanos" (Douglas & Hillyer, Nuevo Diccionario Bíblico, 1982, pág. 77).

Era una ciudad cosmopolita y por ende era muy populosa. "Constituía un bastión militar y albergaba un extraordinario número de judíos los cuales tenían plenos derechos ciudadanos juntamente con los gentiles naturales de allí" (Green, La iglesia local agente evangelizador, 1996, pág. 103). Fue el lugar de reunión de las civilizaciones más importantes del momento (romana, judía y griega): "era una gran urbe, que no solamente tenía importancia económica, sino también cultural y religiosa" (Kürzinger, 1985, pág. 305).

Cultura antioqueña

El imperio era culturalmente griego. Aunque muchos no hablaban el idioma del conquistador que era el latín, el griego, que era el idioma internacional y oficial. Los esclavos eran considerados legalmente objetos, nunca como personas, la separación social y cultural entre un libre y un esclavo era abismal; un esclavo no tenía ningún derecho porque era considerado como la clase social más baja; quien se atreviera a socorrer a un esclavo fugitivo podría ser encarcelado por infringir la ley.

Las clases rica compuesta por políticos, comerciantes, militares y líderes religiosos se encontraba totalmente alejada de la pobre que era el grosor de la población. Las mujeres eran un sector relegado en la sociedad grecorromana, se encontraban en perpetuo aislamiento social y su situación era casi igual que la de un esclavo. Para el hombre romano y griego, la mujer era el sexo inferior, sin ningún grado de influencia, sin derechos y bajo la entera potestad de su padre o esposo según fuese su estado civil.

La comunidad siria aportó mucho al colonizar, y conforme crecían, formaron parte de ella: "Por ser la capital de la provincia romana de Siria era muy culta" (Taylor & Campos, 1993, pág. 62), el ambiente cultural de la ciudad era absolutamente polifacético e intelectual: "pues el mismo Cicerón expresó su admiración por la cultura que imperaba en el interior de la ciudad" (Pfeiffer, 1982, pág. 44). La belleza de la ciudad era imponente: "casas lujosas adornaban su calle principal (6 Km.) y los emperadores acostumbraban contribuir a su belleza general" (Douglas & Hillyer, Nuevo Diccionario Bíblico, 1982, pág. 51). El esfuerzo y trabajo del imperio sirvió porque: "los romanos contribuyeron a realizar la magnífica arquitectura de la ciudad, con la construcción de templos, palacios y teatros, la ampliación del acueducto y la pavimentación con mármol de las calles más importantes de la ciudad" (Encarta, Antioquía, 2003).

El estilo arquitectónico de Antioquía se asemejaba a otras dos ciudades importantes del imperio: Roma y Alejandría, esta última famosa por su monumental biblioteca y sabiduría que emanaba de los letrados que allí se refugiaban para el estudio y la enseñanza. Ambas ciudades eran mayores por la proporción al número de sus habitantes y extensión geográfica, pero las tres se igualaban en su belleza arquitectónica. Originalmente Antioquía tuvo una población absolutamente griega, esto elevó indiscutiblemente el intelecto de los individuos que conformaban la ciudad.

Era un ejemplo excelso de arquitectura y urbanismo de su tiempo. Tan avanzado era su desarrollo que era de las pocas ciudades que: "contaba con alumbrado público" (Grower, 1990, pág. 199). Se le conocía por dos títulos que había ganado: "La bella Antioquía y la reina del oriente" (Pfeiffer, 1982, pág. 44). Contaba con barrios ricos y pobres: " y un hipódromo donde según la novela de Ben Hur, se efectuaban las carreras de cuadrigas" (Pollock, 1969, pág. 65). Gozaba de amplias calles, las principales adornadas de columnas majestuosas, la ampliación del acueducto ayudó a un mejoramiento en cuanto al saneamiento público de la ciudad.

La seguridad Imperial favoreció el desarrollo de ésta en todas sus áreas. Siendo un puerto, la ciudad se encontraba en la ruta principal comercial marítima de las ciudades urbanizadas del Mediterráneo y las caravanas comerciales del desierto. Esta situación favoreció para importar y exportar una serie de productos; la migración mundial la condujo a tener vínculos de negocios en todos los rubros. Como centro mercantil también generó una vida pecaminosa en alto grado pues la vida licenciosa de los antioqueños llegó a tal estado que los habitantes de Roma los consideraban aberrantes e inmoderados en su forma de vivir. Una característica de los ciudadanos antioqueños fue el uso exagerado del ridículo, todo aquel que caía en sus comentarios de corte soez era motivo de despiadados señalamientos y burlas que se diseminaban por toda la ciudad y sus alrededores.

Religión de la ciudad

La comunidad judía era numerosa en la ciudad: "tenía una bella sinagoga a la que muchos paganos se sentían atraídos" (González J. L.,

1992, pág. 79). Además vivía un gran número de filósofos, intelectuales, pensadores que se encontraban interesados en saber del evangelio que comenzaba a difundirse en la región. En este tiempo el imperio contaba con la mitad de su población con gente libre, la otra mitad eran esclavos. La mayoría habían perdido la fe en las expresiones y manifestaciones intelectuales y la influencia filosófica de los griegos no llenaba la necesidad y sed espiritual del individuo. Esta ciudad: "era devota del sexo y vivía envuelta en la superstición" (Green, La iglesia local agente evangelizador, 1996, pág. 103). La magia era una práctica normal y el temor a los demonios era común. La gente se sentía presa y a merced de aquellos que tenían el poder de realizar artes mágicas en su contra.

Para contrarrestar todo ello, el uso de talismanes era desmedidamente utilizado: "Era común el ocultismo junto con la magia, la hechicería y la astrología. Las excavaciones arqueológicas en la ciudad y sus contornos indican que en Antioquía había seguidores de todas las religiones de los tiempos antiguos" (Greenway R. S., 1981, pág. 62). Gran número de habitantes tenían la seguridad de que los demonios eran los causantes de la enfermedad y los desastres naturales, además de que éstos eran muy peligrosos: "esta era la teoría que yacía detrás de muchos sacrificios antiguos" (Green, La evangelización en la iglesia primitiva, 1997, pág. 210).

Se creía que la vida era regida por las estrellas y que todo debía seguir invariablemente su curso. Ante ello la inmensa población se resignaba a aceptar su condición social, moral, espiritual, financiera y familiar. Para el antioqueño el destino era quien gobernaba su vida, todo lo que hiciera ya estaba predestinado. Los descubrimientos y excavaciones arqueológicos actuales en la ciudad arrojan que: "el patrono de la ciudad era Tique, cuya memoria se preserva en el Vaticano por medio de una hermosa reproducción de mármol" (Unger, 1985, pág. 448). Tique era la personificación del destino y la fortuna que regía la suerte y la prosperidad de la ciudad.

Poseía su Panteón y un templo dedicado a todos los dioses de su religión o mitología específica: "El ejemplo más impresionante y mejor conservado de este tipo de edificios es el panteón de Agripa en Roma, una de las obras más importantes de la historia de la arquitectura" (Unger, Nuevo Manual de Unger, 1985, pág. 448). Los antioqueños también eran adoradores de las divinidades griegas, Zeus el padre de todos los dioses, y Apolo dios de la profecía, la luz, la verdad, la agricultura, la ganadería, y quien había enseñado a los hombres la medicina. Uno de los bosques existentes a las afueras de la ciudad tenía una estatua dedicada a Dafne y en fechas determinadas se practicaban ceremonias plagadas de actos sexuales en su honor: "A veces para distinguir entre Antioquía y las muchas ciudades del mismo nombre, es especificada como Antioquía de Dafne" (Microsoft, 2003). En este culto un sinnúmero de prostitutas servían y entregaban sus placeres a todo hombre que quisiera adorar a esta divinidad.

La fama de laxitud moral de la ciudad se acrecentó con el culto a Artemisa y Apolo en Dafne, a ocho kilómetros de distancia, donde la antigua adoración siria de Astaré y su consorte, con su prostitución ritual, se llevó a cabo bajo nomenclatura griega (Wilton M., 1974, pág. 51).

También floreció el culto sirio, donde se ofrecía adoración a la diosa madre y a Baal. El culto a Isis era conocido y practicado por muchas familias antioqueñas y las religiones de misterios con sus innumerables mensajes de salvación, iniciación y muerte eran el común denominador de todos. Estos eran incansables en su comprensión, pues únicamente los iniciados lo entendían.

Muchos estaban tratando de encontrar en diversos cultos de misterio a un señor divino que garantizara la salvación y la inmortalidad a sus devotos; ahora se les aseguraba a los paganos de Antioquía que lo que habían buscado en vano en aquellos templos podía obtenerse por la fe en el Hijo de Dios, que se había hecho hombre últimamente, había experimentado la muerte y había vencido a la tumba en Palestina (Bruce, 1998, pág. 265).

La clase rica, ya fuera el eminente comerciante que había instalado su jugoso negocio, el militar que aspiraba a tener un mayor grado, el tribuno que sabía ejercer su poder basado en la influencia de quién había delegado su autoridad y el clérigo que manejaba las masas a través de la religión, les era urgente una respuesta a los interrogantes de la vida. La clase pobre, ya fuera por ser perseguidos de la ley, por ser parte de la inmensidad de esclavos existentes, o criminales que buscaban refugio y los mismos parias que la ciudad generaba, soñaban con tener una vida mejor: "Entre los árboles y templos vivía también una muchedumbre de esclavos, criminales y deudores fugitivos además de otros que habían hecho del lugar su refugio" (Pollock, 1969, pág. 65). Para sus habitantes el cristianismo ofrecía expectativas de vida más dignas. La variedad racial de individuos que se habían refugiado en la ciudad encontró en el cristianismo una mejora de vida.

Influencia del evangelio

Para la ciudad la llegada del evangelio con la nueva agrupación de fe ofrecieron calidad de vida en comunidad. Sin importar su situación, fuese esclavo o libre, mujer o niño, soldado o magistrado, cual fuera su estrato sociocultural o socioeconómico, todos eran recibidos y respetados por convertirse en discípulos de Jesucristo.

La iglesia pudo dedicarse de inmediato y por entero a predicar el evangelio y a hablar de él a los paganos en el mercado, por las casas, en los baños, en los cuartos de vestir de los gimnasios y en el hipódromo, sabiendo que ya había una iglesia fuerte y cariñosa para acoger a los conversos (Pollock, 1969, pág. 65).

El evangelio dignificó y elevó la estima de la mujer, el esclavo, el pobre y el desposeído: "pues muchos gentiles habían perdido su confianza en los ídolos y andaban buscando algo mejor" (Horton, 1987, pág. 124). Al individuo se le dio el valor que nunca había recibido en una comunidad sui géneris de su tiempo. La participación del antioqueño redimido al interior de la comunidad de fe fue sin restricciones, cada discípulo fue colaborador en el trabajo de misión, ejercitándose como líderes, diaconizas, maestros, predicadores, evangelistas y multiplicidad de servicios eclesiásticos.

En esta iglesia local, el individuo redimido encontró un lugar dónde ser útil. Aprendieron que en Cristo el esclavo y el libre son iguales, así como la mujer y el hombre (Gá. 3:28; Col 3:11), teniendo un lugar de honor, respeto y calidad. Las normas morales tan elevadas en un contexto lleno de amor y aceptación, atrajeron a la sociedad antioqueña, pues el amor entre los discípulos, la calidez de la comunión y las cualidades morales desplegadas entre ellos fueron un factor determinante para penetrar esta urbe.

La congregación en esta ciudad fue la primera que ofreció apertura sin restricción a todos los individuos. Cumplió cabal y objetivamente con la Gran Comisión que Cristo ordenó: "entre los no judíos, pero quizá el factor importante que más atrajo a la gente de la calle fue la liberación: de los demonios, del destino, de la magia" (Green, La evangelización en la iglesia primitiva, 1997, pág. 211).

Las señales y milagros portentosos, el testimonio mismo de los mártires, el cambio radical en los individuos, la sanidad efectiva, la inefectividad de los maleficios en contra de la congregación y demás hechos rompían con el estatus común de la gente que sabía de los efectos diabólicos.

Según una antigua autoridad citada en el siglo sexto, los creyentes solían reunirse en determinada calle del distrito Epifanía, el cual quedaba cerca del Panteón y casi al pie de la cabeza de Caronte. Probablemente se congregaban cada domingo en la casa de un hermano acaudalado, pues el domingo era el día de la resurrección de Jesús, el cual ellos llamaban el día del Señor (Pollock, 1969, pág. 65).

La gran urbe no impresionó ni amedrentó a los mensajeros, para ellos representó el desafío de cumplir la gran comisión. Penetrar e influir a esta sociedad fue su premisa y lejos de huir de la ciudad, atacarla o despreciarla, manifestaron su amor por ella. Los predicadores y maestros del evangelio se entregaron de lleno a la exposición de la Palabra y a la conformación de la iglesia local, su pasión por la ciudad y la iglesia se ve manifiesta en los constantes regresos a ella. Después de cada viaje misionero realizado, Bernabé, Saulo y los demás miembros del equipo regresaban a ella. Algunos asumen que volvían para dar informes detallados de su tarea misionera; pero no es descabellado pensar que fue más su amor por la ciudad e iglesia la razón que los hacía volver.

Líderes urbanos generados por la comunidad de fe local

El distintivo en esta congregación fue el pluralismo ministerial que desarrolló en su interior. Sus líderes urbanos son descritos en los primeros versículos del capítulo 13 del libro de Hechos. Lucas señala que contaban con un equipo de ministros que conducían a la iglesia local de la ciudad. El líder de este equipo es José, mejor conocido como Bernabé. Miembro de la familia sacerdotal levítica y originario de la isla de Chipre, este personaje es primo de Juan Marcos, el escritor del Evangelio (Col. 4:10). Bernabé desarrolla una actividad religiosa directa con el Templo de Jerusalén, el ser levita, por lo tanto conocía las demandas del ministerio sacerdotal.

Otro miembro del equipo es Simón a quién se le llamaba o apoda Níger, palabra que viene del latín: negro. Es de origen africano: "sin duda de la cuenca del Nilo, en el África Oriental" (Green, La iglesia local agente evangelizador, 1996, pág. 119). Social y económicamente procedía de una cultura pobre, pues parece ser que "era un judío de la dispersión" (Trenchard, 1977, pág. 300). Otros creen que: "era hijo de un judío casado con una mujer de color" (Horton, 1987, pág. 137), situación que está lejos de ser aceptada por la mayoría de los eruditos bíblicos. Lo que sí se sabe es que la mayoría de los hombres de piel negra de aquella época eran esclavos, siendo posible que Níger fuera un esclavo.

Un tercer miembro de este equipo es Lucio, originario de Cirene, antigua ciudad griega en la actual Libia: "probablemente de extracción árabe" (Green, La iglesia local agente evangelizador, 1996, pág. 119). Esta ciudad era un puerto ubicado al norte de África, construido por griegos y convertida en una urbe rica en agricultura y textiles. Lucio es el nombre diminutivo de Lucas, por lo que algunos creen que era griego, sin dejar a un lado la idea de que fuera un árabe.

Otro miembro de este equipo es Manaem, quien fue criado junto a Herodes como lo señala el historiador Lucas. La expresión: "criado junto a, permite suponer que Lucas está tratando de decir que Manaén era un hermano de leche de Herodes Antipas, el tetrarca de Galilea y Perea" (Kistemaker, 1987, pág. 485). El título hermano de leche se da a los niños de una misma edad que se criaban en las cortes junto a los hijos de los reyes. De acuerdo con las costumbres de la época este tipo de relación infantil seguía conservándose aún en la edad adulta.

La historia señala que Manaén y Herodes el Tetrarca eran nietos de dos grandes amigos, Herodes el Grande y Manaém porque eran edomitas y descendientes de Esaú. "Probablemente, este Manaén era nieto de otro Manaén, un esenio mencionado por Josefo como favorito de Herodes el Grande" (Guthrie & Motyer, 1977, pág. 737). Manaén tenía amistad con Herodes quien edificó la ciudad de Tiberias y tuvo un breve encuentro con Jesús al devolverlo a Poncio Pilato para ser enjuiciado. Antipas fue el hijo más capaz que tuvo Herodes el Grande que vivió en adulterio con su cuñada Herodías y es el que ordenó encarcelar, y ejecutará Juan Bautista a quién Jesús llamó: zorra (Lc. 13:32).

El último miembro del equipo es Saulo, nacido en la ciudad de Tarso, enclavada en las llanuras de Cilicia en Asia Menor. Fue instruido a los pies del rabino, doctor de la ley y miembro del Sanedrín, Gamaliel, éste lo adiestró estrictamente conforme a la ley de Moisés hasta convertirlo en un fariseo (Hch. 22:3; Fil. 3:5). Como fariseo buscó controlar el estado a través de la religión. Su profesión le llevó a dominar todo el texto del Antiguo Testamento y ser conocedor de la Ley en todos sus detalles. Saulo era el miembro más joven del grupo.

Ellos conforman un equipo urbano que representa tres continentes pues dos de ellos son africanos, Simón el Níger y Lucio de Cirene; de Asia son Bernabé y Manaén, y Saulo de Europa. Este equipo tocó a judíos étnicos, griegos, romanos y otros. Las iglesias de la ciudad hoy en día dan por sentado que en su entorno debe haber pluralismo social y cultural, pero no siempre la diversificación de la dotación de personal para hacer el pluralismo congregacional genuino es posible.

Lucas presenta una comunidad de fe donde sus miembros ministran a su interior para su propia edificación; y a su vez los capacita para su salida en la propagación del evangelio en otras aéreas geográficas. Como iglesia urbana requería de ministerios urbanos, y el Señor pone en ellos habilidades y capacidades sobrenaturales para servir en la ciudad donde ahora se encuentran y a las que pronto irán. Su responsabilidad era proveer dirección para formar y equipar a la comunidad de fe.

El médico griego explica que Bernabé estuvo congregado en la iglesia de Antioquía enseñando aproximadamente un año (Hch. 11:26). Con una mentalidad multicultural y multiétnica, la iglesia no tuvo problemas en tener en su seno a individuos de diferentes estratos sociales y culturales como líderes. Cada uno de ellos desarrolló una función determinante y única para el crecimiento y el fortalecimiento de esta iglesia local en la ciudad. El tipo de gobierno hacía que se multiplicara el liderazgo urbano y tendía a multiplicarse y a equipar a otros (2 Ti. 2:2). Para ellos, no fue problema y no les causó crisis la salida de dos de los miembros del equipo cuando fueron llamados por el Señor a realizar tareas en otras ciudades (Hch. 13:2, 3).

La iglesia aglutinó en su interior individuos tan diferentes. Esta diferencia intelectual, cultural, económica, social y familiar fue evidentemente abismal en sus líderes. Uno era levita, el otro era de descendencia negra, probablemente un esclavo, uno más era griego o árabe, el otro era un judío influyente y letrado, y otro era un joven teólogo rabino. Todos ellos eran tan diferentes, pero existía un aspecto que los unía, misma que desarrollaban con equilibrio: la misión.

El equipo estaba al servicio de la comunidad de fe local y bajo la autoridad del Señor, ministrando en sus respectivas áreas de trabajo. Participaban en un culto público (Hch. 13:2), y en esa actividad el Señor ordena: "a algunos de ellos a hacer la obra misionera... la iglesia, llamada por el Espíritu Santo, reconoció y endosó el llamado previo de Dios a Bernabé y Saulo" (Wenham, Motey, Carson, & France, 2003, pág. 1121). Posiblemente la razón que Lucas tuvo para mencionar el origen y nacionalidad de los cinco líderes sobresalientes se basa en el hecho de probar el carácter internacional y urbano de esta iglesia, y recalcar la obra del Espíritu Santo en llevar a cabo la gran comisión a otras urbes. Esta iglesia fue el punto donde se lanzó la Misión a las ciudades influyentes y estratégicas del imperio.

Ministerios urbanos

Lucas relata que el liderazgo está enfocado a la ciudad. Al principio el galeno hace énfasis en dos ministerios: profetas y maestros (Hch. 13:1), aunque la existencia de pastores, evangelistas y apóstoles en su seno no se debe descartar.

Es la enseñanza uniforme del NT que la labor de los ministros es "perfeccionar a los santos. . . para la edificación del cuerpo de Cristo" (Ef.

4:12). El ministro es llamado por Dios a una posición de responsabilidad más que de privilegio, tal como lo muestran las palabras que se usan para "ministro" (diakonos, "servidor de mesas" hiperetes, "remero" en un barco; leitourgos, "siervo" usualmente del estado o un templo) (Harrison, Bromiley, & Henry, 1993, pág. 346).

Por ejemplo, Bernabé ejerció el ministerio de pastor, maestro y profeta como lo demuestra su tarea en esta congregación local; el testimonio ministerial de Saulo manifiesta que ejerció los cinco ministerios. El trabajo que los cinco realizaron generó el desarrollo de los ministerios mencionados en Efesios 4:11.

Apóstoles

Jesús seleccionó a un grupo de discípulos y los llamó apóstoles (Mt. 10:1-4; Lc. 6:13): "Apóstol significa tanto la misión como sus cometidos y su realización" (Ancilli, 1983, pág. 155). La palabra apóstol significa literalmente un delegado, uno que es enviado con órdenes que cumplir, o un mensajero: "Ni el mundo lingüístico griego ni arámico de los tiempos del cristianismo naciente conocían la noción de apóstol en el sentido del Nuevo Testamento" (Bauren, 1985, pág. 98). Pablo es considerado o clasificado como un apóstol (1Co. 15:8, 9) y es presentado como el gran apóstol de los gentiles quien dejó al judaísmo para llevar el evangelio a otros grupos culturales. En el Nuevo Testamento se encuentran un buen número de apóstoles, además de los doce. Entre ellos está Bernabé (Hch. 14:4-14), Silas y Timoteo (1Ti. 2:6, 7), Epafrodito (1Ts. 2:6), y otros. Algunos de ellos fueron parte del equipo de Pablo, que recibieron el mismo llamado, como Lucas lo refiere en su bitácora de viaje (Hch. 16:10). Los apóstoles eran mensajeros y delegados enviados por Jesucristo como cualquier misionero actual que se dedica a proclamar el evangelio de Cristo.

Lucas confirma este ministerio particular en el libro de los Hechos cuando describe sus actividades. Ellos exhortan y testifican (Hch. 2:40), enseñan (Hch. 2:42), hacen señales (Hch. 2:43), dan testimonio de la resurrección de Jesús (Hch. 4:33), ayudan en la organización y desarrollo de la iglesia (Hch. 6:1-7), se dedican a la oración y el ministerio de la Palabra (Hch. 6:1-7), en la persecución que se efectuó contra la iglesia de Jerusalén, ellos prefirieron quedarse (Hch. 8:1). Hechos relata que resolvieron los problemas entre los judíos y gentiles con respecto al legalismo y la gracia (Hch. 15:7). El trabajo del apóstol básicamente es anunciar el Reino de Dios y continuar la Misión de Cristo en calidad de su enviado (Mt. 28:18; Mr. 16:15). Esta actividad perdura hasta el fin de los siglos (Mt. 28:20), y debe ser continuada por cada uno de los llamados a esta área del ministerio. Todo apóstol es designado como servidor de Cristo, dispensador de los ministerios de Dios (1Co. 4:1) y embajador suyo (2Co. 5:20).

La autoridad del apóstol proviene de Jesús y sobre la base de ello, dicho ministerio es estable, sin limitación de tiempo ni de lugar, cuya autenticidad y actuación le compete juzgar, según se deduce en el comportamiento de Pablo (1Co.14:37). Es una incorrecta hermenéutica bíblica circunscribir al apóstol como una figura sólo de autoridad sobre otros líderes y la Iglesia. La visión de apóstol es esencialmente el oficio de embajador y resulta claramente observada en las epístolas paulinas y no se limita como embajador a anunciar en el nombre de Cristo. El ejercicio de este ministerio continúa vigente hasta nuestros tiempos en los que asistimos a la explosión de la conciencia apostólica y misionera.

Es decir que los apóstoles modernos son los misioneros que están en servicio activo: "Misionero y misión indican etimológicamente la misma cosa, pero derivan del latín" (de Fiores & Goffi, 1983, pág. 71). La conciencia de la iglesia se ha despertado en el sentido de su responsabilidad misionera y está enviando a estos modernos apóstoles. Así como la iglesia de Antioquía se ha involucrado solidaria y activamente en este ministerio, hoy cada creyente activo en la propagación del evangelio tiene el carácter de un apóstol o misionero porque ha sido enviado a proclamar el Evangelio de Jesucristo.

Profetas

La palabra profeta literalmente quiere decir uno que proclama o anuncia la Palabra de Dios. Por medio de la inspiración divina el profeta es capaz de comunicar la voluntad divina; particularmente en el pasado, cuando tenía relación con eventos futuros. Esto se ilustra en el Nuevo Testamento pero más específicamente en todo el Antiguo Testamento.

En el caso de los profetas del AT sus mensajes eran mayormente la proclamación de los propósitos divinos de salvación gloriosa dispuestos para el futuro; la profecía de los profetas del NT era a la vez predicación de los consejos de la gracia de Dios ya cumplidos y el anuncio anticipado de los propósitos de Dios para el futuro (Vine, 1984, pág. 249).

El profeta, más que anunciar eventos futuros, su tarea principal era y es denunciar el pecado del pueblo y mostrar la única vía de perdón existente en Dios. El profeta denunciaba la injusticia social existente en las ciudades. En el Nuevo Testamento el mensaje del profeta está más encausado directamente al interés de la Iglesia que l mundo. Su mensaje y personalidad no lisonjera a las pasiones y tampoco sirve al gusto y la curiosidad de ningún individuo o sociedad.

Por boca de los profetas quien habla es Dios como Señor y Árbitro de la suerte presente y futura del individuo. El profeta anuncia los destinos de la Iglesia y su principal objeto es anunciar la llegada del Reino. Su vocación es para todos los pueblos, para que lleguen al conocimiento de Dios y alcancen salvación. El profeta no habla en secreto, no es para un grupo pequeño de iniciados. El profeta es oído por todos y sin cortapisas da el mensaje divino es simple y franco.

> Pero hacer ver que en muchos pasajes del Nuevo Testamento en el que se habla de "profetas" y profecías, no solo se trata de hombres que habían recibido de Dios el don de anunciar el futuro, sino de hombres suscitados ó inspirados por Dios para explicar con perfección la doctrina de Jesucristo, anunciar a los fieles la voluntad de Dios, descubrir hasta los más secretos pensamientos de los corazones, y en una palabra para instruir, reprender y corregir con una sabiduría sobrenatural (Bergier, 1887, pág. 1024).

En el Nuevo Testamento Juan el Bautista es considerado un profeta que prepara el camino (Mt. 11:9; Lc. 1:17, 76; 7:26), Agabo es el profeta que anuncia la inminente llegada de una hambruna (Hch. 11:28) y como resultado de este anuncio la iglesia se prepara para confrontar esta crisis (Hch. 11:29, 30). Algunos apóstoles son profetas; Judas y Silas son considerados así, pues ellos confirmaron a los hermanos con abundancia de palabras (15:22, 32), y uno de los diáconos llamado Felipe tiene cuatro hijas que ejercían este ministerio (Hch. 21:9).

Bernabé como profeta buscó e introdujo en la iglesia de Antioquía al desacreditado y temido joven Saulo, es el primero en reconocer y aceptar el ministerio especial del futuro apóstol. El ministerio profético de Bernabé es encausado en cierta medida hacia las aparentes causas perdidas, ya que en su momento también se abocó a apoyar y a fortalecer a un desacreditado joven misionero y futuro escritor llamado Juan Marcos.

El ministerio de profeta en el Nuevo Testamento desarrollado entre los misioneros ambulantes, quienes eran puntos de unidad de las iglesias locales. La Didaché lo mantiene vigente y expresa:

> Los profetas son los que reciben un tratamiento más amplio por parte del didachista. Lo característico del profeta es el "hablar en el espíritu". No hay razón alguna para considerar esta actividad como extática; por lo contrario, "el hablar en el espíritu" es perfectamente inteligible por la comunidad (Ayana Calvo, 1992, págs. 59, 60).

La palabra profética, es decir la, predicación, de estos ministros fue exclusivamente dirigida a la Iglesia para edificar, exhortar y consolar (1Co. 14:3). Los profetas son enviados por el Espíritu Santo para fortalecer la iglesia y están comprometidos por la justicia y por la paz en una evangelización que promueve el crecimiento de las personas y la unidad entre creyentes. Se espera que la Iglesia viva la unidad, que escuche a los profetas y acepte sus directrices, que tenga la capacidad de progresar en el discernimiento, y de respuesta valerosa y convincente de los tiempos en que vive.

Por la intervención de profetas, Bernabé y Saulo fueron separado para ser enviados; es decir, para ser apóstoles o misioneros (Hch. 13:2; 1Ti. 4:14). El profeta siempre empleará un discurso tangible y directo para fortalecer y provocar el desarrollo de la Iglesia. Habla bajo la influencia e impulso del Espíritu Santo para persuadir. No es extático, es libre y claro en la comunicación de su iluminación y sabe lo que está diciendo. "Cuando la Biblia habla de profetas y maestros, es como si hablase de predicadores y maestros" (Gutzke, 1979). Este ministerio es fundamental para ayudar al desarrollo de la iglesia. Se considera un ministerio de fundamento, pues la Biblia señala que la Iglesia es edificada sobre el fundamento de apóstoles y profetas (Ef. 2:20).

Evangelistas

La palabra evangelista significa literalmente un portador de las buenas nuevas: "Es un mensajero de lo bueno (eu, bien, angelous, un mensajero), denota un predicador del Evangelio, Hch. 21:8; Ef. 4:11, que pone en claro lo distintivo de esta función en las iglesias; 2Ti. 4:5" (Vine, Diccionario Expositivo V. 2 , 1984, pág. 94). Aquellos que ejercen este ministerio llevan las buenas nuevas a todos los confines de la tierra. Las buenas noticias del evangelio anuncian la muerte expiatoria de Jesús, la victoria de su resurrección sobre el imperio del diablo y el pecado. En todo el Nuevo Testamento existe sólo una referencia a un evangelista, Felipe, aunque el título aparece tres veces (Hch. 21:8; Ef. 4:11; 2Ti. 4:5). Su ministerio se demuestra en el resultado del trabajo que realizó en Samaria y particularmente en su encuentro con el eunuco etíope (Hch. 8:5-13; 26-30).

El evangelista Felipe era uno de los siete diáconos de la iglesia de Jerusalén. Predicó, reprendió y echó fuera a los espíritus inmundos, y sanó los enfermos (Hch. 8:5-13). Recibió la revelación directa del Señor acerca de la necesidad del tesorero de la nación etíope y fue llevado hasta él para predicar la Palabra (Hch. 8:26-40). La frase constante en el Nuevo

Testamento anunciando el evangelio implica este ministerio o trabajo evangelístico. Esta acción fue realizada por todos y cada uno de los creyentes que huyeron de Jerusalén por causa de la persecución (Hch. 8:4; 10:36; 16:17). La tarea básica del evangelista es proclamar las buenas nuevas de salvación, pues está equipado por el Espíritu Santo para ganar a toda persona para Cristo. Los que ejercen el ministerio de evangelista saben alentar a sus oyentes a tomar una decisión por Cristo y guían al no convertido a encontrar ayuda por medio de la Palabra de Dios.

La iglesia de Antioquía fue fundada por evangelistas (Hch. 11:20). Estos anunciaban las buenas nuevas de la salvación a través de la fe en Jesucristo, sobre la base de su muerte expiatoria. Un evangelista ha tenido una experiencia personal con Cristo y se torna en el sujeto qué anuncia el evangelio. Los evangelistas invierten su vida en compartir el evangelio con los no creyentes, pero también tienen la facultad y responsabilidad de enseñar el evangelio a la iglesia misma para que sepan cómo compartir el mensaje. El evangelista sabe que el autor del evangelio es Dios. Los creyentes de Antioquía son parte de una iglesia evangelística porque es portadora del mismo, se dedica a anunciar las buenas nuevas y proclama abiertamente el mensaje de Jesucristo. Fue la primera comunidad de fe local en llevar el mensaje sistemáticamente a diferentes ciudades del mundo. Los creyentes de Antioquía no tenían una fórmula teológica u ortodoxa, sólo poseían el mensaje del evangelio y lo compartieron.

Pastores y Maestros

El pastor es quien cuida un rebaño de ovejas y es: "hombre que ha recibido de Dios misión y carácter para enseñar a los fieles" (de Fiores & Goffi, 1983, pág. 841). Por otra parte, el término maestro describe a una persona que enseña acerca de los aspectos del carácter de Dios.

En algunos lugares del NT se cita a los maestros (gr. didaskalos) como personas dirigentes en la primitiva comunidad cristiana (Act. 13:1 junto con profetas; 1Co. 12:28s junto con apóstoles y profetas; Ef. 4:11 junto con profetas, evangelistas y pastores). Se trata de carismáticos que podían instruir a la comunidad de la fe; mas no "pneumáticamente" - como profetas -, sino mediante una clara inteligencia personal (Haag, van de Born, & de Ausejo, 1975, pág. 1141).

El pastor-maestro desempeña un doble rol, enseñar la Palabra de Dios al rebaño que apacienta o pastorea. En el Nuevo Testamento existe una infinidad de maestros y pastores que aportaron significativamente para el desarrollo de la Iglesia. El trabajo pastor-maestro ayuda a formar y edificar un carácter de Cristo en los miembros de las iglesias locales.

Timoteo es un ejemplo claro de un pastor-maestro. Regularmente Pablo lo enviaba a las diferentes congregaciones con el propósito de confirmar la fe de los creyentes, es decir enseñar y pastorear (1Co. 4:17; 1Ts. 3:2; 1Ti. 1:3; 2Ti. 2:2). Tito es otro ejemplo de un pastor-maestro. Pablo, al igual que a Timoteo le encomienda enseñar y pastorear a la iglesia (Tit. 1:5; 2:1,15); Apolos era un maestro (1Co. 3:5, 6), creyentes como Gayo y Erasto (3Jn. 1; Hch.19:22) entre otros, parece ser que también realizaban este doble ministerio en la iglesia. Los individuos de los cuales Lucas habla como líderes de la iglesia de Antioquía no eran ajenos a este trabajo ministerial, estaban dedicados a la enseñanza, pues eran maestros (Hch. 13:1). Lucas explica que Bernabé y Saulo estuvieron congregados en la iglesia de Antioquía enseñando a muchos (Hch. 11:20).

No todos tenían esta combinación de ministerios y dones pero quienes lo ejercían daban un cuidado particular a las nuevas iglesias como pastores. Como maestros ayudaron a la organización de la Iglesia y a su crecimiento a través del proceso de la instrucción bíblica, doctrinal y teológica que demandaba cada comunidad de fe local. Estos creyentes con doble ministerio fueron fundamentales para mantener la estabilidad, sensibilidad y dirección que cada iglesia local tenía que adquirir.

Eran ministros que iban a cada iglesia local para ayudar en el liderazgo local y asegurar que las comunidades de fe aprendieran la doctrina básica, y saber repeler la herejía que pudiese entrar sutilmente entre sus miembros. En esta iglesia las manifestaciones ministeriales se desarrollan con libertad sin dar mayor prominencia a un ministerio determinado. No tuvo la mentalidad de que un sólo individuo ejerciera el poder y la autoridad eclesiástica.

El poder emanó de un grupo de creyentes probados, tanto por su carácter, como por su experiencia de la salvación, además por su testimonio ante los de dentro como los de fuera. Su liderazgo es calificado por el testimonio de creyentes y no creyentes. Este grupo de ministros supervisaba, manejaba y dirigía la iglesia local; desarrolló, multiplicó el liderazgo y su influencia se expandió. Con esta mentalidad la iglesia de Antioquía no tuvo problemas en tener en su seno ministerios de diversos estratos sociales. Cada uno desarrollaba una función determinante y única para el crecimiento y fortalecimiento de la congregación.

Iglesia local urbana que envía

Esta iglesia proyecta un trabajo de Misión hacia la ciudad (Hch.11:19, 20). No fue únicamente recibir la Palabra de Dios, establecerse como congregación local y quedarse en la comunidad urbana, fue discipulada para cumplir fielmente el plan de las edades. Los nuevos creyentes recibieron la Palabra (Hch. 11:20): "creció porque tenía una visión misionera" (Queiros, 1990, pág. 60). Aprendió y aplicó el plan de Dios y el testimonio bíblico es elocuente pues: "varios años más tarde, algunos hombres de Chipre en el Mediterráneo y de Cirene en el norte de África, que habían sido influidos por Esteban un poco antes, viajaron hasta Antioquía de Siria" (Viertel, 1988, pág. 80). Es posible que muchas iglesias no hayan sido fundadas con una visión como la iglesia de Antioquía, pero: "una iglesia que no da importancia a misiones mundiales esta fuera de las normas dadas por el Señor" (Queiros, 1990, pág. 58).

Los que llegaron de Jerusalén predicando el Evangelio entendieron que la ciudad de Antioquía: "era un punto estratégico de una ruta comercial por donde pasaban personas de todas las nacionalidades" (Queiros, 1990, pág. 58). Una gran mayoría de las iglesias locales carecen de una clara y auténtica visión misionera hacia su propia ciudad. No ven más allá de su propio edificio, de sus cuatro paredes y de aquellos que se congregan.

Esto debe replantear un nuevo paradigma pues al fundarse una iglesia se hace necesario y pertinente que se tome en cuenta el seguimiento apropiado para que se conduzca a los creyentes a un verdadero compromiso con su ciudad: "Necesitamos personas equilibradas desde el punto de vista social, que tengan madurez personal y buena preparación profesional" (Grigg, 1994, pág. 234). Por ello se demanda que los recién convertidos sean canalizados, educados y guiados al desarrollo y funcionamiento de la misión y la visión urbana que emana de la Biblia.

Sólo con la dirección del Espíritu Santo se conduce al éxito en la ciudad. En Antioquia la iglesia recibió una orden: apártenme (Hch. 13:2), fue el Santo Espíritu quien tomó la iniciativa y llamó al trabajo, no a lucir personalidades, no a presentar títulos honoríficos: "No importa qué medios se usen o que reglas se observen, sólo el Espíritu Santo puede equipar a los ministros para su importante obra y llamarlos a ella" (Henry, 1999, pág. 854). En este principio caminó la congregación y ministros, entienden y aceptan la soberana voluntad del Espíritu Santo, y en un culto público imponen las manos y los despiden: "El reconocimiento de la unidad y comunión cristiana, así como el propósito del Espíritu Santo, fueron expresados aquí por la congregación cuando "impusieron las manos" a los apóstoles" (Wenham, Motey, Carson, & France, 2003, pág. 1122). La iglesia se desprende de ellos, los deja libres, renuncian a sus recursos humanos más destacados. Sin ellos la iglesia local sigue funcionando, pues los enviados no son el motor, es el Espíritu Santo.

Estos ministros sirven en beneficio de la iglesia local, pero son más útiles donde del Espíritu Santo los lleva. Los enviados no van solos, no se perfilan para competir, no llevan la encomienda para juzgar, se concretan a servir donde el Espíritu Santo quiere: "el llamamiento misionero les vino a través de la iglesia" (González J. L., 1992, pág. 200). Los creyentes y líderes de la iglesia de Antioquía están llenos del Espíritu Santo (Hch. 9:17; 11:24; 13:9), entienden la directriz del Espíritu, saben quiénes han sido escogidos para una tarea específica y con pasión y amor los despiden (Hch. 13:2, 4). La selección para el servicio divino está condicionada a la relación con Dios y al carácter moral que guardan los creyentes. Este acto fue un evento público de consagración (Hch.13:2).

El acto de imponer las manos es el reconocimiento que la iglesia hace al llamamiento que el Espíritu Santo realizó. Es una demostración de la participación de todos los miembros en un evento misionero pues: "en el llamado al servicio misionero, no sólo el individuo, sino toda la iglesia debe sentir la convicción de la dirección de Dios" (Viertel, 1988, pág. 86). El acto es la autorización oficial acompañada con la bendición de toda la iglesia (Hch. 6:6, 7).

El Espíritu expresó su voluntad (Hch. 13:1), y al recibir este mensaje para Bernabé y Saulo sólo se confirmó que eran: *instrumento escogido* (Hch. 9:15). Dejar a estos hombres ir fue: "un caso difícil para la iglesia de Antioquía porque esto significaba perder a sus mejores hombres" (Earle, 1985, pág. 11). Todos buscaron la confirmación de Dios; oraron, ayunaron y luego de imponer las manos, los enviaron. Toda la iglesia participó en el llamado y con decisión apoyó a sus líderes para la tarea a la que fueron enviados.

Hoy la Iglesia se caracteriza por la planeación excesiva, programación de los calendarios y actividades abarrotan el tiempo, erróneamente se ha enfatizado que el Espíritu Santo ya no tiene nada qué decir en el servició normal de una comunidad de fe local. Los creyentes de Antioquía enseñan que todo plan sin la intervención directa del Espíritu Santo es irrelevante e ineficaz; lo más importante es escuchar la voz del Espíritu en el entorno de la reunión eclesiástica. Los fracasos de las misiones, plantación de iglesias y propagación del evangelio es no permitir que el Espíritu dirija. Indiscutiblemente cuando una iglesia local entra en crisis y no asume la responsabilidad de cumplir con la Gran Comisión, debe volver al principio.

En todo este acto se ve la dirección del Espíritu instituyendo ritos y formas que usaron en la iglesia de Hechos. Es un evento sin precedente en la historia de la iglesia, el principio del grandioso programa de expansión dirigido a las ciudades. El Espíritu elige y la iglesia se somete, esto se aprende de la iglesia de Antioquía. Después de haberse formado e instalado profetas y maestros en la congregación, Bernabé y Saulo son remitidos a las ciudades como los primeros plantadores enviados por una iglesia local. El mejor manual para la obra misionera se halla en el libro de los Hechos: "en él encontramos el motivo para las misiones" (Mears, 1979, pág. 401).

La Misión se desarrolló en las ciudades importantes del imperio romano, ciudades que política, comercial, y socialmente eran estratégicas, ubicadas en lugares precisos para la proclamación. No despreciaron los poblados de menor envergadura o de difícil acceso, pero es claro que plantar iglesias en estos lugares pequeños hubiera retrasado la propagación del evangelio. La táctica estaba dada, mediante el trabajo misionero en lugares estratégicos la Palabra corrió con mayor eficacia a las regiones suburbanas y rurales que las rodean. Hoy la Iglesia debe replantear sus movimientos estratégicos para realizar su tarea misionera como lo hizo la iglesia local de Antioquía.

8

GUERRA URBANA

El concepto militar de guerra urbana es un tipo de ofensiva que se lleva a cabo en áreas geográficas de cualquier ciudad. Los combates urbanos son muy diferentes de los realizados en campo abierto en niveles tácticos y operacionales.

Factores que complican la guerra en entornos urbanos incluyen la presencia de población civil y edificaciones de todo tipo. Algunos civiles difícilmente pueden diferenciar a los combatientes, particularmente si aquellos individuos simplemente tratan de proteger sus hogares de los atacantes. Las tácticas se complican en un ambiente tridimensional, con limitados campos de visión y fuego, debido a los edificios, los escondites y los puntos a cubierto para los defensores, la infraestructura subterránea, y la facilidad de posicionamiento de explosivos y francotiradores (Wales J. , 2011).

En el terreno eclesiástico, guerra urbana tiene que ver con los combates, desafíos y luchas que la iglesia confronta y se ve inmersa día a día en la ciudad. Ésta se da en cada uno de los avances y expansión que genera en su área geográfica con la predicación del evangelio, y con los grupos sociales que son alcanzados. La serie de barreras que la congregación confronta en el terreno espiritual, social y económico son parte de esta guerra espiritual urbana.

Cientos de libros se han escrito sobre el tema de la guerra espiritual. El terreno en que se mueve este tema es resbaladizo para los que no tienen bases bíblicas sólidas, pues sin pretenderlo pueden introducir elementos o prácticas propiamente usadas en las culturas primitivas por magos, brujas y chamanes o simplemente verdades llevadas al extremo. La cartografía espiritual (supuestas áreas geográficas urbanas gobernadas por entidades diabólicas), la creencia de la posesión demoniaca de cristianos, el ungimiento de las ciudades con especial atención en los centros de perversión, los pecados generacionales, el hacer guerra a través de la alabanza, una larga lista de armas de guerra espiritual, banderas de adoración y cantos usados en la liturgia, ángeles ganando la guerra espiritual por causa de nuestras oraciones, y otros tantos temas con poco sustento bíblicos se desprenden de este rubro.

Los proponentes de esta enseñanza no pocas ocasiones designan los pecados del hombre como demonios, generando con ello una neo-demonología pervertida que atenta contra la sana doctrina; pues las obras de la carne y los problemas emocionales se le asignan como manifestaciones demoniacas. Sin tapujos señalan que existe un demonio de adulterio, uno de alcoholismo, uno de come uñas, otro de bostezos o uno de celos, entre otros. Es claro, por el testimonio bíblico, que estas entidades tienen su participación en hechos pecaminosos, pero la Biblia señala claramente aquello que es demoniaco, lo que es emocional y la actividad carnal.

Dar a toda situación pecaminosa o emocional una manifestación demoniaca es carecer de una hermenéutica bíblica y exégesis auténtica, además contribuye a no discernir realmente la situación bélica real que se gesta en la ciudad. La guerra espiritual que se enseña en la actualidad es una cosmología que busca recuperar el orden en medio de una sociedad caótica y desordenada a través de elementos carentes de sustento bíblico.

La Iglesia debe estar capacitada para descubrir y entender cuando la guerra espiritual es inobjetable y consciente de que en la ciudad la influencia del diablo y los efectos del pecado son reales. El mensaje del evangelio y el poder de la cruz son la única fuerza para liberarla. El reino de Satanás es un reino espiritual que busca mantener el control de los habitantes de la ciudad y combate férreamente a la Iglesia (Ef. 6:12). La guerra espiritual no es en contra de personas, grupos sociales o gobiernos; es un conflicto invisible que se da en el mundo espiritual.

Esta guerra es multidimensional, ya sea en lo social, personal, familiar, financiero o espiritual. Se den cuenta o no, todos los seres humanos estamos en esta conflagración y no existe un lugar neutro. Aquellos que no han abierto su vida al evangelio son esclavos del pecado y se encuentran cautivos por las fuerzas demoniacas, y la influencia satánica. La liberación del pecado sólo se adquiere mediante la obra de Jesucristo en el Calvario.

Al ser liberado del imperio del diablo la persona se convierte en discípulo de Jesús y es responsable de combatir contra fuerzas espirituales malignas que antes lo tenían cautivo. Se combate con la predicación y propagación del evangelio para que otros conozcan y reciban el mensaje de Salvación, orando por enfermos, liberando a poseídos por el diablo, enseñando los principios bíblicos, e invitando a ser miembros activos de una iglesia local. De esta manera todo creyente es partícipe de esta lucha espiritual en forma directa.

El objetivo y la estrategia de la guerra espiritual urbana no es destruir a Satanás, a sus principados y potestades como muchos lo enseñan. El propósito es rescatar a toda persona, sin importar su edad, estrato social e intelectual, del poder del pecado. La motivación es el amor por las personas, no un odio por Satanás. La Iglesia rechaza el pecado, es llamada a liberar a todos aquellos que están bajo el dominio satánico y son esclavos del pecado. Esto implica que la atención de cada iglesia local se centra en las personas y no en el diablo y su imperio.

La guerra espiritual urbana no es un fin en sí misma, sino un medio por el cual la iglesia local prepara el terreno para presentar el evangelio a las personas y que entiendan que Satanás: *ha cegado el entendimiento* (2 Co. 4:3, 4) con el fin de mantenerlos ignorantes de su condición. Ante el desafío de compartir el evangelio, las fuerzas demoniacas se levantan para impedir que la iglesia lleve a cabo su tarea y es esta actividad de la congregación que genera una guerra espiritual.

La iglesia un ejército en constante combate

El Nuevo Testamento usa términos militares respecto a la acción de la Iglesia en la proclamación. Presenta a los cristianos no en tiempo de paz, de excursión o de ayuda social, sino en un combate constante. La Biblia describe las armas de la Iglesia y señala que son armas de luz (Ro. 13:12), de justicia (2 Co. 6:7), y que son espirituales (2 Co. 10:4). Enfatiza que cada comunidad de fe local tiene una profesión militar al señalar cuál: *es nuestra milicia* (2 Co. 10:4), da testimonio de Epafrodito, Timoteo, Apia y Arquipo como compañeros de este ejército (Fil. 2:25; 1 Tim. 1:18; Flm. 1:2) y que los cristianos y ministros son miembros de las fuerzas armadas espirituales (2 Ti. 2:3, 4). Reitera que cada cristiano debe estar siempre listo para confrontar toda ofensiva, vestidos como militares que son (Ef. 6:11, 13).

Todo el Nuevo Testamento es apologético, es decir, presenta una defensa sistemática de su posición: "La palabra apologética proviene del griego απολογία (apología), que designa la posición de defensa militar contra un ataque" (Wales J., 2011). Con énfasis Mateo señala del nacimiento de Jesús que *fue así* (1:18). Marcos es concreto y dice *el evangelio de Jesucristo* (1:1) además, en todo su evangelio presenta a Jesús persiguiendo y deshaciendo las obras del diablo, extendiendo el

Reino de Dios en las vidas de los que creen; está en constante acción sanando, liberando y restaurando a hombres y mujeres. Lucas le expone a Teófilo con respeto a su investigación exhaustiva: *me pareció también a mi* (1:1-4) y Juan señala sin temor a equivocarse que: *el verbo fue hecho carne* (1:14). Sin miramiento el autor de la carta a los Romanos dice que la salvación es únicamente por fe (Ro. 4). En la epístola a los Gálatas se contrarresta a los judaizantes que intentaban mezclar prácticas judías con el evangelio y Colosenses es una carta dirigida a una iglesia local para refutar a los gnósticos que demeritaban la naturaleza divina de Jesús. Cual resumen del Nuevo Testamento, el apóstol Judas alerta a la Iglesia sobre cómo el error doctrinal se infiltra para debilitar la vida de la Iglesia y el cuidado que se debe tener (Jud. 4).

En el Nuevo Testamento la iglesia rescata personas agobiadas por el pecado, influenciadas por el demonio, poseídas por espíritus malignos, enajenadas en sus pecados, ciegos a su realidad y ajenos de la vida de Dios. Jesús presenta el alcance de esta guerra cuando aparece en la sinagoga de Nazaret y lee al profeta Isaías (Lc. 4:18, 19). En su momento Isaías dirigió su poema a los desanimados habitantes de Jerusalén (61:1-3), anuncia con claridad la misión del ungido de Dios y lo identifica como el Siervo de Jehová (42:1; 49:1; 50:4-9; 52:13-53:12). Ahora Jesús ha llegado a la ciudad y da a conocer la esencia de su tarea ministerial, tarea que será encomendada a la Iglesia (Mt. 10:1), delega a los discípulos el poder que posee y da la autoridad de llevar adelante el ministerio.

La situación social, financiera, política y religiosa no son elementos que impidan cumplirla pues Jesucristo manifiesta que en la ciudad existen miles de abatidos, quebrantados, cautivos, presos en sus cárceles personales, enlutados, afligidos y angustiados; que todo esto es el resultado de la bancarrota moral, de los fracasos y decepciones en los líderes, de la corrupción social, de la lapidación financiera, de la irracional administración de los recursos naturales, la pobreza, el desempleo y la religiosidad castrante.

Jesús muestra que la decadencia espiritual es la causa de la descomposición social. Por ello la violencia, secuestros, asesinatos, las violaciones, el abandono, la opresión, los sobornos y la corrupción que vive la ciudad urgente que se predique el mensaje de Isaías 61: 1-3. Jesús da a la Iglesia la responsabilidad de llevar a cabo la acción liberadora del evangelio, pues es Dios quien toma la iniciativa a favor de la ciudad. La Iglesia está en la ciudad para anunciar el carácter de un Dios amoroso, compasivo, misericordioso, consolador y sanador, con ello pretende bendecir a la ciudad. El Dios de la Biblia no se esconde en templos ni oculta su Palabra sólo para aquellos que asisten a las reuniones dominicales. El Todopoderoso toma la iniciativa de ir por las calles y presentar su amor, y otorga su misericordia; establece un plan para rescatar al hombre de su estado de miseria y Jesús lo declara ese día en la sinagoga de la ciudad de Nazaret (Lc. 4:18, 19).

Ahora envía a la Iglesia como un ejército avasallador para sanar las heridas emocionales de los quebrantados de corazón. Los cautivos deben saber que ahora pueden ser libres de sus opresiones, que toda cadena emocional, espiritual y sicológica que los ata puede ser abolida en Jesucristo. El mensaje del evangelio tiene el poder de liberar a todo esclavo, si éste cree. La apertura de la cárcel que señala el profeta Isaías no se concreta únicamente a presos de una cárcel física, implica abrir los ojos a la realidad de las prisiones emocionales, de los vicios y las ataduras demoniacas. Es interesante observar que Lucas no presenta el concepto de Isaías de: *apertura de la cárcel*, sino que expresa: *vista a los ciegos*, y se aplica en el mismo tenor.

El evangelio extrae a las personas de la oscuridad y las tinieblas, a la luz del entendimiento (Jn. 1:5). El pecado ha cegado a la humanidad y sólo el evangelio tiene el poder de dar vista. Por ello la Iglesia es responsable de proclamar el año agradable del Señor en toda la ciudad. Este mensaje proclamado desata la confrontación espiritual urbana porque el carácter de la ciudad tiene la tendencia de no aceptar el mensaje del Señor y en algunos sectores se le combate; a pesar de ello cada congregación es llamada a propagar las buenas noticias del evangelio en su área de influencia.

Toda persona que ha rendido su vida a Jesucristo pasa a formar parte de su ejército y necesita conocer sus responsabilidades y deberes. En el entorno de la comunidad de fe local cada cristiano es enseñado, entrenado y preparado, no para alcanzar la victoria, sino para mantener esta victoria que Jesús adquirió en la cruz del Calvario y corresponde a cada uno permanecer en ella. Si la iglesia se atreve a enfrentar esta batalla con su propia astucia o con sus fuerzas será derrotada estrepitosamente, debe hacerlo con la armadura que el Señor le da.

No es declarar la guerra al diablo, que no es ir al campo de batalla enemigo para quitarle lo que te ha robado, que no es amenazar, hablar o maldecir al diablo, que no es creer que al orar en voz alta el enemigo entenderá y destruirá lo que decimos, y que tampoco es creer que los cristianos tienen que aprender hebreo para reprender al diablo (Canto, 2010).

Satanás es un ser organizado, de allí su capacidad de control y dominio en el mundo. Tiene huestes espirituales (Ef. 6:12), ángeles (Mt. 25:41), personas bajo su influencia (Jn. 8:44; 1 Jn. 3:10), ministros que hacen su voluntad (2 Cor. 2:15-17), e influye en la gente (Jn. 13:27; Hch. 5:3; Mt. 6:21-23). Su principal arma es el engaño, Jesús le llamó: *padre de mentira* (Jn. 8:44), nubla el entendimiento (2 Cor. 4:4), endurece el corazón (Ef. 4:18) y hace que pierdan toda sensibilidad (Ef. 4:19). Es en este entorno que la Iglesia confronta la guerra espiritual para que la gente de la ciudad pueda llegar al conocimiento del evangelio.

Cada iglesia local está peleando en la urbe una guerra oscura y diabólica. Es una guerrilla con sabotajes, subversiones, secuestros y francotiradores. Es una pelea entre la luz y las tinieblas, entre lo bueno y lo malo, entre el cielo y el infierno, entre Cristo y Satanás. Se acepte o se rechace, se crea o se niegue la Iglesia está involucrada en esta guerra. No debe ignorar este asunto y mucho menos asumir una posición neutral, pues esto implica encontrarse bajo fuego cruzado y es el estado más peligroso de todos, porque la apatía asumirá el control de los que decidan estar en terreno neutral.

La Iglesia no es un crucero de placer, es un barco de guerra, no es una reunión de soldados en tareas de beneficencia, es un grupo unido en guerra sin cuartel. Pablo advierte y hace un llamado al usos de las armas espirituales, y manifiesta una declaración de victoria en Efesios 6:10-19. Este pasaje no hace referencia a la vida pastoril de la iglesia ni a la vida fraternal de los cristianos, habla de los cristianos como militares y de la iglesia como un ejército, y describe los implementos que Jesús ha dado para enfrentar la guerra espiritual urbana con efectividad.

Firmes con la armadura de Dios

Es importante diferenciar entre la lucha personal que el cristiano experimenta al confrontarse con el mal; y las luchas que la iglesia vive en su crecimiento y expansión dentro de la ciudad. Aunque ambas están relacionadas, en el desafío que la Iglesia tiene ante sí, se demanda usar la armadura que el Señor le ha proporcionado (Ef. 6:10-20). Esta armadura no es un implemento que se usa para confrontar a un demonio. Es la forma de vida que caracteriza a quienes viven vidas sometidas a Dios, quienes dependen del Señor y no de sus capacidades. La lucha del cristiano contra las fuerzas de maldad no ocurre en un exorcismo o en una confrontación con algún ocultista, ésta se da cada día de su vida. El Nuevo Testamento refiere a la guerra espiritual y no hace énfasis en la parte ofensiva de la guerra, sino en la parte defensiva. Aunque el rol principal es defender su posición, no implica una posición pasiva.

La acción de los creyentes es activa; nunca en la búsqueda de Satanás para pelear con él, ni en la identificación continua de demonios. El llamado es permanecer firmes en el poder del Señor. Él ha vestido a la Iglesia con una armadura y aunque enfrenta los poderes de las tinieblas, confronta a un enemigo vencido porque ya fue derrotado en la Cruz. La descripción de Pablo sobre la armadura espiritual de los creyentes la toma del modelo de los soldados del ejército romano de su época. Roma dominaba el mundo de entonces y fue sencillo para los creyentes de Éfeso, receptores de la carta, identificar el significado de la enseñanza a través de estos simbolismos.

La característica básica de los militares es el garbo con el que se presentan ante la sociedad. El militar romano es educado para mantener una postura erguida y una actitud de firmeza ante cualquier circunstancia bélica. No se arredra ante el combate más fiero. Sin importar el tamaño del ejército enemigo no se intimida. Su firmeza se manifiesta, es de carácter firme como la roca, ha preparado su cuerpo para tener la capacidad de soportar las mayores fatigas, tiene el ánimo templado para resistir todos los sinsabores, vive con la conciencia tranquila por el deber cumplido, ha aprendido a conocer al enemigo, procede con dignidad aún en la pobreza y desafía el peligro para cumplir las responsabilidades que le han asignado.

Pablo sabía que en el ejército romano los lazos de fidelidad religiosa e interés práctico que unían los soldados a su general. Este líder militar tenía la tarea de convertir a las legiones en el más poderoso instrumento político de Roma. Sustentado en este conocimiento, Pablo compara a la Iglesia con un ejército que tiene lazos de fidelidad que los une a su Señor y Dios Jesucristo. Esta unidad los hace mantenerse firmes en la guerra. La característica principal de la vida en la ciudad es la inestabilidad. La gente es vacilante en sus acciones y en base a ello toma decisiones y asume actitudes que reflejan su insatisfacción y soledad. En contraparte, la Iglesia muestra un carácter firme sin importar qué fuerzas traten de desestabilizarla. El adversario que la Iglesia confronta es destructivo y Pablo espera que cada iglesia local este firme: *contra las asechanzas del diablo* (Ef. 6:11).

La palabra asechanza viene del griego *metodia* de la que se derivan las palabras método, metódico y metodología. Esto implica que el enemigo de la Iglesia es muy metódico y estratégico en la guerra, puede retroceder, pero tiene el propósito de avanzar más de lo que ha retrocedido, tiene la capacidad de engañar haciendo creer a la Iglesia que no sufrirá consecuencias de su abandono a la dependencia del Señor. Satanás tiene un plan, un método para destruir la ciudad y a todos sus integrantes y en ello está incluido cada cristiano. Es astuto y sutil, y está maquinando cómo evitar que la Iglesia avance y estropee sus planes. Todo aquel que se interponga en su camino confrontara sus despiadados embates. Por ello se requiere que cada iglesia local conozca los elementos que componen la armadura que el Señor le ha entregado para salir avante en la guerra urbana que enfrenta diariamente.

Cinturón de la Verdad

La primera pieza señalada de la armadura de un soldado romano era un cinto de cuero o faja que se ceñía alrededor de la cintura. Comúnmente la gente usaba ropa larga y suelta para desplazase con absoluta comodidad pero con los militares no era así. Antes de ceñirse su cinturón, el soldado se vestía con una túnica llamada *subligar*, prenda de color rojo que se ubicaba desde el cuello hasta la mitad del muslo y se utilizaba sobre la ropa interior. La función de éste cinturón era apretar el cuerpo, esto le daba la capacidad de pelear cuerpo a cuerpo con eficacia, además le ayudaba a mantener unidas todas las partes de la armadura y con ello podía organizar las piezas de su equipo.

Sin el cinturón todos sus utensilios caían. El cinturón mantiene la coraza en su lugar, tiene un gancho para descansar el escudo, sostiene la espada, tiene un anillo en la parte trasera para colgar una lanza y protege los órganos reproductores. Éste permitía que el soldado se moviera con libertad al no enredarse en su túnica haciendo de él un soldado eficiente. El cinturón ajustado describe la realidad del combate, pues el soldado romano sabía que estaba por entrar en acción.

La verdad bíblica sostiene toda la estructura de la Iglesia y la mantiene incólume. Quien determine sustentarse realmente de la Palabra adquiere un carácter íntegro y manifiesta un estilo de vida de acuerdo a las Escrituras. La Verdad es una herramienta fundamental que la Iglesia usa porque confronta al padre de mentira (Jn. 8:44). La gente de la ciudad es amante de la mentira (Sal. 62:4), está imbuida en ella (Miq. 6:12), sus habitantes son de lengua mentirosa (Pr. 6:16, 17), los juzgados están llenos de ello (Pr. 6:19), la mentira es tan apetecible que todos la comen (Pr. 20:17), unos a otros sostienen sus conversaciones en ella (Jer. 9:5) y sus ministros son mentirosos (Jer. 23:25).

Individuos, dependencias gubernamentales, asociaciones civiles, partidos políticos, grupos religiosos y otros están permeados por la mentira. Esta particularidad del carácter de la ciudad requiere de una iglesia local que se levante como faro de la Verdad. Sólo la Verdad dará a la Iglesia el avance que necesita para no tropezar o enredarse paralizando la expansión del evangelio. Sin la Verdad bien ajustada en su interior, la congregación es inefectiva, y para muestra de ello, cientos de comunidades de fe locales en ciudades son meros grupo sociales.

Sólo aquellas que se ajustan a los mandamientos de Dios han trascendido y han cumplido su cometido. La Verdad no es únicamente tener la revelación de Dios en su Palabra, es vivirla en toda circunstancia y delante de todo individuo. No es solamente saber Biblia y enseñarla desde el púlpito, es dar evidencia con acciones específicas. De qué sirve defender la Palabra de Dios, si la comunidad de fe no crece en ella. Debe regresar a ella sin importar que pierda amigos y reconocimiento en la sociedad. La evidencia de que una iglesia se sostiene en el fundamento Escritural será eficiente en su influencia a la ciudad y tendrá la fuerza para enfrentar cualquier embate que se levante en su contra.

Coraza de Justicia

La coraza o cota es una pieza de la armadura que da protección. Tiene la forma de un chaleco a prueba de balas. Los griegos le llamaban *thorax* y en la edad media se le llamó *corsolete*. Esta coraza era hecha de pequeñas piezas de bronce entretejidas de modo que da protección a los órganos vitales en una lucha mortal. Si el militar pertenecía a una clase social próspera podía utilizar material mucho más resistente. Una coraza hecha de materiales endebles sería fácilmente perforada. Sí un implemento del uniforme militar debía ser hecho con material resistente, éste tenía que ser la coraza.

El militar podía tener las mejores armas pero si carecía de una coraza efectiva, se encontraba indefenso. Algunas corazas cubrían desde el cuello hasta los muslos, con ello el pecho, la espalda, las caderas y el cuello estaban protegidos. Por lo tanto, los órganos vitales como el hígado, el estómago, los pulmones y el corazón estaban defendidos. Se le llamaba el protector del corazón por razones obvias.

Cuando Dios creó el mundo estableció leyes que deben respetarse para guardar el buen orden del universo y no caer en el caos y la anarquía. El siglo XXI en Latinoamérica es una época de terrible injusticia en todos sus rubros y en especial la ciudad experimenta una terrible falta de equidad. La injusticia es el común denominador en la sociedad, las instituciones que deben proveer justicia son acéfalas, miopes y carentes de capacidad para proveerla, por ello el grito de angustia del ciudadano es, ¡Justicia! Marchas, plantones, denuncias, testimonios desgarradores, lágrimas de impotencia, protestas que expresan dolor agudo, odio surgido de la ineficacia de las autoridades, violencia germinada por la poca importancia de los que procuran justica, y cientos de miles de casos que no han sido resueltos en los juzgados, son síntomas del resultado de la inope justicia. Ante la falta de ella, la gente provee su propia justica que casi siempre termina en violencia.

La Iglesia vive en medio de una sociedad que demanda justica. En muchas ocasiones esta nula acción llega a manifestarse al interior de la Iglesia y de organizaciones cristianas, esto genera impotencia que dan como resultado en creyentes y ministro sentimientos terribles de odio y amargura. Familias enteras sufren y no saben a quién acudir, ¿qué debe hacer la Iglesia ante esta falta de justica? Debe proteger su corazón. Es verdad que es atacada en sus pensamientos y emociones pero si permite que Satanás toque su corazón será destruida. La congregación se vuelve ineficaz y vulnerable cuando su corazón adquiere emociones y sentimientos de condena y venganza, urge que sus miembros usen la coraza de justica.

La definición de justicia del jurista romano Domicio Ulpiano es darle a cada uno lo que le corresponde. En tiempos de violencia, la Iglesia es llamada a ser un garante de paz. La ciudad necesita hombres y mujeres con un excelente testimonio, una vida devota, santa, recta, pura y limpia de todo pecado, esto implica el uso de la coraza de justicia. Este tipo de vida en la ciudad atraerá a los demás porque en Jesucristo se tiene el respaldo de su amparo y protección. La acción justa entre los hombres es promover el bienestar y la paz con su semejante. Una iglesia local con la coraza de justicia tiene la capacidad de proveer estas manifestaciones en su entorno urbano, por ello debemos recordar que es Jesús en los individuos y no el gobierno quien produce paz y bienestar en la sociedad.

Zapatos del Evangelio

Las *catigas* son las botas militares romanas que tenían la intención de cuidar los pies de los soldados. Como el soldado moderno presta particular atención a sus pies, así lo hizo el soldado romano de la antigüedad, pues sus enemigos ponían peligrosos obstáculos en el camino, muy parecidos a las minas terrestres actuales. Ciertas enfermedades puede dañar sus pies por carecer de calzado apropiado y un soldado responsable debía asegurarse de que sus pies estén adecuadamente protegidos. Sus pies son su mejor medio de transporte y son la base de mantenerse firme en una pelea cuerpo a cuerpo. Son los miembros del cuerpo que promueven el progreso y el avance en la vida y en el servicio del militar.

El soldado romano usaba un zapato que le permitía firmeza en suelo resbaladizo mientras se debatía en lucha mano a mano con el enemigo. En la suela tenía clavos que se adherían para no resbalar fácilmente dando un fundamento sólido. Con ellos podían transitar por los diversos caminos que tenían que recorrer. Un calzado adecuado, cómodo, y fuerte, era vital para alcanzar sus triunfos dando paz a las naciones que Roma conquistó a través de su poderoso ejército. Roma construyó un largo período de paz impuesto a los pueblos sometidos conocida como Pax Romana. "La expresión proviene del hecho de que la administración y el sistema legal romanos pacificaron las regiones que anteriormente habían sufrido disputas entre jefes, tribus, reyes o ciudades rivales" (Martínez Domínguez, 2013). Periodo de relativa calma que no experimentó guerras civiles ni conflictos con naciones extranjeras.

La ciudad está sumergida en el desaliento, el temor y la opresión que han robado la paz de su corazón. Desde los hogares miles de familias viven sin paz. Las diversidades culturales, religiosas, intelectuales y financieras que generan conflictos día a día; latinos, anglosajones, indígenas, intelectuales, indoctos, judíos, musulmanes, chinos, europeos, jóvenes, ancianos, ricos, pobres y otros tantos engrosan la lista de aquellos que marcan diferencias abismales separando a los habitantes de la urbe. Para cada congregación estas situaciones son oportunidades de proclamar la paz en la ciudad.

Es con los zapatos del evangelio de la paz que la Iglesia llega y camina en las calles. El evangelio es la única fuente de paz para la ciudad, y sólo en Jesucristo puede dar autentica paz (Ro. 5:1), Es responsabilidad de la comunidad de fe local llevar el mensaje de paz a la urbe. Cada iglesia local debe implementar un plan de avanzada para proclamar la auténtica paz. Sin importar los obstáculos en su camino cada cristiano necesita entender su responsabilidad de avanzar llevando el mensaje de la paz a su ciudad.

Escudo de la Fe

Un soldado romano no podía concebirse sin su escudo, manejaba dos tipos de escudos. Uno era pequeño y redondo que se ajustaba a la mano del militar, este era ligero y le permitía cierta flexibilidad en el combate; era para la ofensiva. El segundo escudo era más grande, sus medidas eran de más de un metro de alto por ochenta centímetros de ancho, la intención era cubrir todo el cuerpo mientras avanzaba en la lucha. Este era para la defensiva y se llamaba *thureos*, los había en forma ovalada y rectangular. Tenían dos capas de madera forradas de piel pegadas entre sí con chapas de bronce unidas con cuero era la terminación del escudo. Servía para proteger al soldado del ataque de flechas y espadas, pues el bronce repelía a las flechas y difícilmente la espada enemiga lo penetraba.

Algunos soldados ponían aceite e incrustaban discos de metal para que la flecha no se calvar y al contacto cayera. En algunos casos el escudo contaba con ciertos ganchos a los lados para que los escudos de sus compañeros pudieran unirse y de esa manera hacer una pared protectora mientras avanzaban en el campo de batalla. Los generales romanos habían descubierto que este tipo de escudos era especial para detener las lluvias de flechas que causaban gran daño a las tropas. En la guerra, aquellos que estaban defendiendo una posición, a menudo untaban las flechas con brea y les prendían fuego para dispararlas. El ser alcanzado por una de estas flechas encendidas significaba gran daño que casi siempre era mortal, pero sobrevivir a un ataque de esta naturaleza dependía del uso de un escudo adecuado. Y éste protegía considerablemente a las tropas romanas.

La predicación del evangelio causa molestia en muchos sectores de la ciudad. El enemigo de la Iglesia, a pesar de su estatus de vencido, está determinado a impedir que avance con su mensaje en la ciudad e influye en personas, situaciones y circunstancias para que la Iglesia no cumpla su cometido evangelístico. Por ello no es raro encontrar en un programa de evangelismo masivo, campañas evangelísticas y plantación de iglesias locales, a creyentes desanimados, aletargados, desmoralizados, temerosos y llenos de duda con respecto a estas actividades. El enemigo envía flechas en contra de la Iglesia para que su proyecto de avanzada sea detenido, y sin percibirlo la congregación llega a caer en la incredulidad de su posición y poder en el uso de la Palabra de Dios. La orden para la Iglesia que implementa y desarrolla un programa de evangelismo es hacer uso del escudo de la fe, esta es una orden imperativa, no es discrecional ni opcional.

Satanás usará todo lo que tenga para debilitar a la Iglesia pues su propósito es detener su avance. Flechas de fuego incendiarias de Satanás como el miedo, desaliento, temor, crisis financiera, deserciones, frustraciones personales y colectivas, enfermedad e incapacidad física, injurias y pérdidas importantes son usadas sin piedad en contra de la Iglesia. Una congregación local que no use este escudo será presa fácil de las llamas que acompañan a las flechas encendidas y lanzadas en su contra.

La historia de la Iglesia describe iglesias locales que por temor e inseguridad han terminado enclaustradas en sus edificios, suspirando al recordar su pasado y contando su historia de hace 100 años. Aquella iglesia local que pretende expandir el evangelio requiere usar el escudo de la fe para rechazar todo ataque demoníaco en la ciudad. La historia da testimonio de soldados romanos que podían regresar vivos a su lugar hasta con 200 flechas humeantes clavadas en su escudo. La Iglesia debe apagar con la fe todas las flechas que son lanzadas de manera continua sobre ella y avanzar en la propagación del evangelio.

Casco de la Salvación

El casco o yelmo tiene la finalidad de proteger la cabeza. El nombre para yelmo era *perkephalaia* que significa literalmente casco que cubre toda la cabeza. Centuriones y otros funcionarios llevaron crestas en sus cascos, para que sus hombres pudieran verlos y seguirlos en la batalla. Este aditamento era hecho de bronce y cuero de caballo o elefante, de un peso de casi siete kilos (6.803). El interior del casco tenía un relleno de esponja para ablandar su peso en la cabeza del militar. Estaba diseñado para proteger la cabeza, la cara y el cuello sin bloquear la visión. También protegía las mejillas y las mandíbulas. Era tan fuerte y macizo que nada podía traspasarlo; testimonios del siglo I describen que golpes del hacha en batalla eran incapaces de romperlo.

Miembros de ejércitos enemigos eran especialistas en cortar cabezas en batalla con sus hachas o espadas y este casco estaba diseñado para que los golpes mortales no causaran heridas. En batalla un soldado sin casco se encontraba en una posición desfavorable, perdería fácilmente la cabeza. Además de proteger de las flechas, el casco protegía al soldado de un instrumento de guerra llamado martillo que era parecido a un bate de béisbol con puntas, cuya finalidad era derribar al contrario con un golpe demoledor dirigido al cráneo. Un soldado herido en cualquier otra parte del cuerpo podía seguir luchando, pero si se lograba asestar un golpe en la cabeza era imposible continuar. El soldado tenía que extremar su cuidado en el uso del casco, de allí la importancia de proteger su cabeza lo mejor que pudiera.

Los miembros de la Iglesia deben estar seguros de su experiencia personal de salvación. Cuando una persona vive confiada en la realidad de su salvación será visible a los ojos de los demás porque la salvación de los pecados ha transformado su mente. Una mala teología genera un equivocado estilo de vida. Es común observar religiosos que manifiestan un estilo de vida mediocre y presentan un evangelio miserable que esclaviza al no entender el concepto correcto de la Salvación. Darle poca importancia a la redención y a la confrontación del pecado entre los miembros de una congregación, genera una comunidad de fe anómala. Muchos grupos cristianos se ufanan de su liturgia, de su teología, del número de integrantes, de su edificio, de sus relaciones en la ciudad, pero difícilmente se encuentra en su interior gente realmente salva de sus pecados.

Sí los miembros de la comunidad de fe no son salvos de sus pecados, su mensaje será infructuoso. Muchas congregaciones intentan hacer el trabajo de Dios en la ciudad basados en su conocimiento y su teología; enfrentan las demandas de la sociedad exponiendo sus mentes indefensas a las insinuaciones diabólicas y mundanas. La Iglesia debe tener el casco de la salvación sí quiere ser útil, exitosa y efectiva en su ciudad, los miembros de cada congregación necesitan estar seguros de su salvación por fe y no una comprensión intelectual, sino una convicción espiritual. Son importantes los temas de adoración, liderazgo, educación, historia y otras que se generan desde el púlpito, pero el tema primario del púlpito cristiano debe ser la salvación por la fe confrontando a los oyentes con el pecado.

Cuando la iglesia local está convencida de esta realidad, pensará y por consiguiente actuará correctamente en la ciudad. Este sólido conocimiento y experiencia de salvación es el casco que protege la vida de toda congregación. Una iglesia local que goza de la salvación por fe en Jesucristo puede manifestar esta seguridad a la ciudad con un mensaje bíblico auténtico.

La renovación es el tema común del siglo XXI en el terreno de la tecnología. La carrera que se da en la renovación tecnológica es inalcanzable, los aditamentos que el hombre urbano usa se renuevan constantemente: celulares, computadoras, pantallas de plasma y tabletas son sólo algunos de los cientos de aparatos que son renovados por las compañías trasnacionales. Aun no se termina de aprender a manejar lo que ha salido como novedoso y ya se están exponiendo productos en el mercado con nuevos elementos.

En el terreno bélico quienes están detrás del negocio de la guerra compiten por la renovación de sus armas y mientras más eficaces sean, más rápido se ganará. La Iglesia debe entender la importancia de renovarse en el combate espiritual. Pablo refiere a la iglesia local de Roma sobre la importancia de renovar el entendimiento (Ro. 12:1, 2). Es un hecho que la mente de una iglesia local renovada rechazará las flechas mal intencionado del maligno pues la renovación del entendimiento es una prioridad para adquirir la mente de Cristo (1 Cor. 2:16); y esto implica mantener el casco de la salvación en constante uso.

Espada del Espíritu

La espada es llamada *makhaira* y se refiere genéricamente a la espada de batalla o de lucha. Los militares romanos hacían uso de flechas, arcos, dagas y lanzas como armas de ataque, junto con ellas la espada era su arma predilecta. Tenía cinco series de espadas que usaban para diferentes combates. Esta variedad permitió tener un arma diferente para cada estrategia de guerra. La espada corta, la *gladius hispaniensis* originaria de España, fue adoptada por las legiones romanas, llamada *Gladius*. Media cincuenta centímetros de largo por seis centímetros de ancho y tenía una gran punta que la convertía en un arma excepcional.

Manejada por un diestro militar, cubierto por un buen escudo, lo único que tenía que hacer era dar el tajo apropiado para clavarla y hacer daño. Los historiadores señalan de esta espada que ninguna otra arma ha matado a más hombres en los campos de batalla hasta la llegada de las armas de fuego. Causó más muertes en sus 400 años de historia que todas las armas juntas en todas las guerras durante la Edad Media.

La espada más grande tenía una dimensión de un metro veinticinco centímetros de largo y un ancho de dos centímetros y medio. Sus hojas eran de dos filos, de hierro de altísima calidad y las mejores eran hechas con la tecnología de los griegos, celtas y españoles. Los combates en regiones montañosas requerían de una espada corta, mientras que la caballería usaba una más larga y delgada para un alcance extra. La espada romana fue conocida como la espada que conquistó al mundo.

Todos los aditamentos de la armadura tienen el propósito de defender, pero la espada se usa para atacar. La iglesia del primer siglo usó eficazmente la espada del Espíritu en las ciudades. Los argumentos y la reputación de la Iglesia, los dones, los ministerios, y las comunidades de fe han sido pasto de las llamas del infierno por haber hecho a un lado la responsabilidad de esgrimir la espada del Espíritu. Sólo cuando la Iglesia la usa podrá lograr con efectividad tocar el corazón de la ciudad; sin ella, no podrá transformar la sociedad.

Nada fuera de ella tiene la capacidad de cortar y desnudar las intenciones del corazón de la ciudad (He. 4:12, 13). Es con ella que Jesús confrontó las ciudades. Fue así que inició su ministerio público en aquella sinagoga de Nazaret cuando expresó enfático: ***Hoy se cumple esta***

Escritura en presencia de ustedes (Lc. 4:21 NVI). Los evangelios dan testimonio de la forma como Jesús empuña la espada del Espíritu en las ciudades. Siempre está predicando y enseñando el evangelio del Reino (Mt. 4:23; 9:35; Mr. 1:14; 6:6; Lc. 8:1; 13:22; Jn. 6:59). Y Pablo la usa también (Hch. 18:11; 20:25; 28:31).

Si la iglesia local no utiliza la Palabra de Dios nunca será efectiva en la ciudad, necesita tomar en serio este hecho pues la falta del conocimiento de ella trae su ruina absoluta (Os. 4:6). Congregaciones han determinado no darle prioridad a la Biblia y sin percibirlo han sido invadidas trayendo como resultado su dolorosa muerte. Muchos de los grandes movimientos que transformaron naciones enteras hoy son sólo recuerdos por desechar paulatinamente el uso de la espada del Espíritu.

Muchas congregaciones han guardado su espada para firmar tratados de paz con el enemigo, prefiriendo recibir el aplauso y el reconocimiento de la sociedad. No han escatimado esfuerzo alguno por lograr buenas relaciones con quienes en el pasado fueron sus enemigos, es entonces que su mensaje se convierte en una sarta de sandeces. Hacer uso de la espada del Espíritu es predicar y enseñar la Palabra para confrontar el pecado y esto no agrada a la ciudad porque la Palabra de Dios siempre desnuda las intenciones. La exposición del mensaje bíblico pone en evidencia el verdadero carácter, confronta todo error, filosofía mundana, seducción, sugerencias desviadas y vidas torcidas. Periódicos, radio, prensa, televisión y redes sociales dan evidencia del carácter bélico en contra de aquella iglesia local que usa bien la Palabra de Dios (2 Tim. 2:15).

Oración en el Espíritu

La iglesia requiere ser una comunidad de oración. Sin importar sus diversas formas, la oración es elemento importante en la guerra urbana. Se aderoza con adoración, acción de gracias, meditación, confesión y petición. Ya sea arrodillado, sentado, de pie, levantando las manos, con los ojos abiertos o cerrados, en murmullo o a grito abierto, corta o larga, espontanea, de forma individual o colectiva, por celular, a través de las redes sociales, formal, informal, antifonal, interactiva o litúrgica, la oración debe ser parte esencial de quién se precie amar su urbe.

El lugar y la hora donde se lleve a cabo no es importante, se debe orar en todo tiempo y en todo lugar. Es tan variada como las necesidades de los habitantes de la ciudad. Esta acción es un reflejo del corazón del soldado urbano en acción (Stg. 5:16). El mejor tiempo de la iglesia es enfrascarse en la comunión espiritual que sólo se logra en la oración. Es orar en todo tiempo (Ef. 6:18), y no se realiza con temor o duda, sino en fe. La oración eficaz requiere sensibilidad al Espíritu pues orar así implica hacerlo bajo su influencia y es el Espíritu de Dios quien impulsa e incita a orar. Cientos de miles de ocasiones el Espíritu Santo conmina a las iglesias orar pero en la mayoría de las veces se encuentran ensimismadas en sus actividades y no atienden estos llamados del Espíritu.

Si el Espíritu impulsa a orar se tiene que atender prontamente el llamado. Si se encuentra en su trabajo no debe hincarse, levantar las manos y hacerlo ruidosamente, puede orar sin hablar una palabra y el Señor atenderá. Desde el interior del que ora, el Espíritu Santo lo acompañará con gemidos indecibles (Ro. 8:26, 27), ya sea para confesar pecados, pedir restauración, dar sanidad, por necesidades financieras, crecimiento espiritual, por amigos, enemigos, familia, salvación de los pecados de alguien o una necesidad determinada, se debe tomar acciones para orar.

En el pasaje de Efesios se usa un término militar cuando dice: *velando* (Ef. 6:18). Cada iglesia local es un centinela que está al cuidado de una posición importante en la ciudad, es una trinchera en la guerra urbana. Algunas congregaciones locales no ven esto y cometen la equivocación de atacar y denigrar a las demás comunidades cristianas y ministros de la ciudad. Toda iglesia debe estar alerta para no desviarse; tiene el llamado para ser un centinela que está velando a favor de todos en la ciudad; siempre en alerta porque cientos de vidas dependen de ella, por lo que ha de tomarse con la seriedad debida esta actividad.

Cuando se le dé la importancia requerida a la oración la iglesia local notará una serie de distracciones que surgirán para que no lo lleve a cabo; contra ello debe pelear y saber que Satanás usará todas sus estrategias para distraer a la Iglesia y deje de orar. La oración es el combustible de la Iglesia para que avance. El escritor y fundador de Hervest Evangelism y de International Transformation Network, Edgardo Silvoso (2000) hace una pregunta interesante: "¿es posible echar al diablo de la ciudad?" (pág. 22). Su respuesta es afirmativa y da una serie de parámetros que se sustentan en el ejercicio de la oración. Testifica que en el momento que todas las congregaciones y creyentes de la ciudad de San Nicolás, Argentina determinaron iniciar un programa de oración en 1997, literalmente Satanás salió huyendo de su ciudad. Congregaciones en oración hacen a Satanás temblar y huir despavorido de terror, testifican.

La oración en la iglesia local produce claridad en la Palabra y en la exposición del mensaje acertado (Ef. 6:19). La habilidad de comunicar correctamente el mensaje del evangelio es un don de Dios producto de la oración. La congregación que no expone con claridad el mensaje es probable que sea porque no tiene este hábito. La oración es el elemento que cambia el clima espiritual de la ciudad.

La carta a los creyentes de Éfeso fue escrita desde la prisión donde Pablo escribió estando encadenado a un guardia las veinticuatro horas del día. Su crimen, predicar el evangelio y en esa condición pide que se interceda para que los que escuchan el evangelio (seguramente algunos de estos guardias encadenados a él), se convirtieran. Pide que incluyan en las oraciones a las demás iglesias y por aquellos que llevaban la Palabra a otras ciudades. En su petición espera que se ore por él para dar un mensaje claro y que tenga el valor de hacerlo mientras está en prisión. No ora para que Dios lo saque de la prisión, no pide un milagro, sólo pide que cuando abra su boca, Dios le dé el valor y la capacidad de predicar a Jesucristo, y posea el carácter de servir.

En la actualidad, en algunos círculos cristianos el pedir oración por uno mismo parece ser señal de debilidad, y aunque en cierta medida lo es, se ha caído en el error de preocuparse más por mantener una imagen. El orgullo conlleva a mostrar que no se necesita nada, que todo se tiene y presenta la apariencia de que se está al mando, se cree que es autosuficiente, pero la realidad es que la Iglesia necesita orar por ella misma. La Iglesia no es fuerte pues no puede hacer nada por sí misma, no es capaz, no es inteligente, no es diestra, no es valiente, no es sabia, no es nada, por ello requiere de un programa de oración permanente.

Cada parte de la armadura describe la calidad de vida y el compromiso que tiene la Iglesia ante la ciudad. Toda comunidad de fe es invitada a vivir en medio de la ciudad con verdad, honor, en dependencia del Espíritu Santo y confiada en las Escrituras porque la armadura no es de ella, es la armadura de Dios (Ef. 6:11). Como un soldado, la iglesia local está sentada en espera de ser llamada a la batalla. Se ha puesto su cinturón, su coraza y sus botas, está uniformada con todos los aditamentos, de repente suena el clarín, se pone el casco, toma su escudo y lo coloca a su lado, y firmemente toma su espada, está lista para la batalla. Con todo su equipo y de pie blande su espada ¿para salir a pelear en contra del Satanás, el enemigo? No. Es para hincarse a orar y buscar la dirección del Señor, y cumplir con la gran comisión. Así es como se mueve la iglesia del Señor en la ciudad. El propósito es conquistar el corazón de los habitantes para que acepten y reciban el amor de Dios en sus vidas. La tarea es presentar el Evangelio para arrancar de las garras de Satán a los miles de seres humanos que carecen de la misericordia de Dios. Esto es hacer guerra espiritual en la ciudad.

9

TÁCTICO URBANO

La táctica en términos generales son los métodos empleados con el fin de alcanzar objetivos específicos. Pero el uso del concepto táctico se aplica en diferentes rubros; en lo deportivo este concepto se maneja dependiendo del deporte que se practique. En el futbol soccer el táctico es el gol, porque el gol cambia todo el sentido del juego y hace que métodos, estrategias, jugadores y entrenadores cambien sus acciones. En el ajedrez se esgrima el principio "pensamiento táctico" y éste se materializa en un grupo de argumentos de algoritmia definida por la clara debilidad de factores, cotejados por la ganancia concreta de material. De esta manera el ajedrez es un juego táctico que desarrolla la concentración; así la estrategia se convierte en un asunto de reflexión y el táctico es un asunto de percepción. En la práctica del judo la técnica es menos esencial y aunque se pudiera controlar objetivamente, no podría asegurarse que es proporcional al nivel táctico, pues este último expresa algo más que las relaciones funcionales de la acción.

En el área comercial el concepto que se usa es marketing táctico, está orientado al consumidor y no incluye herramientas técnicas con las que se hace un plan de verdad. Tiene poco de estratégico ya que se tenía en cuenta al competidor y de esta manera el táctico se lleva a cabo en base a las variables controlables con las que se formula un plan integral de marketing. Para ello se conjuga el producto, el territorio donde se presentará el producto, la promoción o publicidad del producto y el precio del mismo. El marketing táctico es la acción y aplicación de las ideas de la publicidad, la construcción de la comunidad y la promoción de ventas entre otros.

En el mundo corporativo los objetivos son necesarios en cualquier área donde el desempeño y los resultados afecten de modo directo y vital la supervivencia y prosperidad de la empresa. El planteamiento táctico encuentra su sostén en el establecimiento correcto de objetivos a corto y mediano plazo; implica un verdadero cambio cultural en las relaciones líder-colaborador.

Con estos breves ejemplos se infiere que el táctico es la acción que cambia la estrategia, el uso de las técnicas y el rumbo que se toma hacia el objetivo específico en cuestión. El táctico transforma y cambia las decisiones y el enfoque del proyecto. Es el elemento clave en todo proyecto, material humano y financiero, en objetivos, en métodos y técnicas, y en acciones que el individuo o la empresa asuman.

Para la Iglesia, el táctico es el Espíritu Santo, es la acción activa de la tercera persona de la Trinidad. Se constituye en el protagonista principal de la expansión de la Iglesia. Su acción poderosa en la Iglesia plasmada por Lucas en el libro de los Hechos es clave para la diseminación del evangelio en las ciudades. La acción del Espíritu fue tan notable que sorprendió al mundo entero.

Parece evidente cuando uno lee los relatos inspirados, en el libro de los Hechos y considera el testimonio de los padres apostólicos, que aquellos hombres y mujeres disponían y ejercitaban un poder sobrenatural que les venía del Espíritu Santo. Y esto explica la efectividad sorprendente de su testimonio cristiano (Deiros, 1998, pág. 11).

El Espíritu Santo es el Táctico que guía y dirige a la Iglesia a tomar las medidas necesarias para presentar el mensaje de Salvación en la ciudad. El profeta Isaías describe cómo es la transformación de la ciudad por medio del Táctico urbano (Is. 61). Señala que el cambio empieza con personas que están rendidas al Espíritu, y la subsecuente transformación de la urbe se da cuando las personas se entregan al Espíritu del Señor (v. 1), lo que a su vez se logra con la proclamación y demostración del poder del evangelio. El mensaje debe ser verbal y apoyado con un estilo de vida de amor y compasión por la urbe (vv. 1-3), entonces será transformada en la medida que las personas lo sean, y esto ocurre cuando rinden sus vidas a Jesucristo (v.3), porque están capacitados para actuar en beneficio real y profundo de su ciudad.

Así se comprometen realmente en reconstruirla, restaurarla y renovarla (v. 4). El liderazgo que se aplica en la ciudad para construirla es sustentable y se da cuando se trabaja en beneficio de ella (v. 5) y la urbe reconoce su transformación cuando identifica su papel. Aquello que inició con la visión de una persona culmina en una ciudad transformada, y el distintivo de este cambio es cuando líderes sirven en ella (v. 6).

Enviados a las ciudades

Jesús comisionó primero a los doce y después los setenta (Mt. 10:5-7; Lc. 10:1-24). La preocupación de Jesús para la misión urbana de manifiesta en Hechos 1:8 cuando señala la importancia de recibir la fuerza del Espíritu Santo que vendrá, y como resultado serán sus testigos de la ciudad de Jerusalén, en toda Judea y Samaria, y hasta los confines de la tierra. El alcance de la tarea de los discípulos es a todo el mundo y este movimiento se concentra en las ciudades a partir de la reunión del aposento alto, pues Jesús mostró su gran preocupación de difundir la Palabra en las zonas urbanas.

Es significativo que la iglesia haya comenzado en Jerusalén como un movimiento urbano. Desde el principio asumió el aspecto de una institución urbana pues la evangelización tuvo carácter en consonancia con la reunión pública típica de la primera ola urbana. Jerusalén fue la fuente del evangelio, no sólo se proclamó abiertamente allí, también produjo una respuesta significativa, y Lucas quería dejar constancia para la posteridad. El Espíritu accionó poderosamente en esta ciudad (Hch. caps. 2 al 7). Incluso si, posteriormente, la iglesia de Jerusalén se encontró en una situación difícil, Lucas retrata que los primeros días fueron brillantes (Hch. 2:41, 47; 4:4; 5:13-16; 6:7).

El evangelio a toda Judea fue llevado por algunos de los judíos helenistas que se convirtieron en Jerusalén. Se dispersaron y predicaron el evangelio fuera de Jerusalén durante la persecución resultado de la muerte de Esteban, así toda Palestina conoció el mensaje. La iglesia en Judea experimentó paz y se dio tiempo a construir los cimentos de su comunidad mientras caminaba en el temor del Señor y el consuelo del Espíritu Santo (Hch. 9:31).

El establecimiento de la Iglesia en Samaria se registra en Hechos 8. Los creyentes que habían huido de Jerusalén durante la persecución, iban por todas partes predicando la Buena Nueva de Jesús. Felipe fue a la ciudad de Samaria y predicó allí sobre el Mesías (Hch. 8:5). Una multitud escuchó con atención lo que tenía que decir, de los milagros que hizo muchos espíritus malignos fueron expulsados, gritando al salir de sus víctimas; paralíticos y cojos fueron sanados. Así que había gran gozo en aquellas ciudades por la llegada del Evangelio. Todas estas acciones fueron manifestaciones directas del Espíritu Santo en las ciudades.

El Táctico en la iglesia urbana

La Iglesia nace y se desarrolla en las urbes cosmopolitas del primer siglo en el poder del Espíritu Santo como lo testifica Lucas. Hechos 2 detalla que la Iglesia no reconoce limitantes en la diversidad de idiomas, fronteras y culturas. El motor de este movimiento es y será el Espíritu Santo. El doctor Lucas dice que la barrera de comunicación fue superada pues cada uno escuchaba en su propio idioma (Hch. 2:6), y a pesar de que los oyentes eran de la misma confesión de fe, representaban varias culturas e idiomas, de ahí el asombro de los testigos de cómo este evento superó obstáculos raciales y culturales. El Espíritu Santo crea unidad a pesar de la diversidad y a partir de aquí se genera la visión y perspectiva real de la comunidad. Es en la iglesia local donde todos tienen un lugar y nadie es desechado. El Espíritu derriba murallas separatistas; con el Pentecostés viene a constituir el inicio de un movimiento social que afectará a la humanidad en su totalidad.

Hoy la ciudad se encuentra expectante de la urgencia de estos cambios, y es el Espíritu Santo por medio de la iglesia local quien lo puede llevar a cabo. Como en el primer siglo, hoy la Iglesia es una minoría en la ciudad. Muchas comunidades de fe locales no saben qué rumbo seguir y qué acciones tomar; los ministros no saben a quién seguir y bajo qué condiciones deben conducir la Iglesia del Señor, actuando en el mejor de los casos de acuerdo al manual organizacional que se les ha entregado, son autómatas. En otros casos desarrollan actividades independientes para intentar reorganizarse ante la ausencia de una dirección segura.

Lucas señala que en medio de una fiesta religiosa y cultural, irrumpe el Espíritu Santo en la reunión de esta minoría (Hch. 2:1-12). Tal acción del Espíritu llena sus vidas creando una transformación única e indiscutible que los catapulta a anunciar la salvación de Dios. A partir de esta experiencia con y en el Espíritu Santo, la expansión del evangelio se da, pues señaló, y aún señala, el rumbo que la iglesia debe seguir en este siglo XXI. Sólo la iglesia local que tenga el poder y la autoridad del Espíritu Santo podrá reaccionar correctamente ante las demandas de la ciudad; sabrá cómo confrontar la lucha que la ciudad le presente, pero sin el mover del Espíritu Santo entre los miembros de la congregación, no habrá poder que los lleve a penetrar las densas tinieblas que se ciernen sobre la urbe.

La historia de la Iglesia señala que los grandes movimientos han perdido su efectividad al desechar el mover del Espíritu Santo. Esta determinación ha mermado considerablemente su influencia y efectividad en la sociedad. Su falta de crecimiento y la lucha por mantenerse viva deleitándose en el pasado, es el resultado de su negación a la dirección al Espíritu Santo.

Para cada ciudad Dios tiene un propósito, ya sea que ésta sea un centro de medios de comunicación como Bombay, un centro financiero como Nueva York, un centro cultural como la ciudad de México, un centro deportivo como Londres, industrial como Detroit o tecnológico como Tokio, cada urbe está en el corazón de Dios. Tiene una calidad indescriptible sobre sí misma, un sentimiento, un sistema de eficacia, una vida, un alma, una serie de experiencias múltiples que comparte, y que sus habitantes reconocen como propias y un sistema de valores.

El alma de la ciudad a menudo es conocida por el eslogan que la describe. Calcuta, la ciudad de Kali, Guiyu, la ciudad de la basura electrónica, Pachuca, la bella airosa, Karachi, la ciudad de las luces, Chicago, la ciudad de los vientos, Milán, la ciudad de la moda, Bombay, la ciudad del Mar, las Vegas, la ciudad del pecado, Cusco, la ciudad del sol o Paris, la ciudad luz. En el entorno de la ciudad, Dios se mueve y actúa aunque sus habitantes no lo perciban. Va más allá de los planes y proyectos de la ciudad, y se mueve con los hombres y las mujeres redimidos que viven en ella.

Cuando el crecimiento de la iglesia resulta de la obra sobrenatural del Espíritu Santo entonces la gloria siempre será para Cristo, y nunca para el líder o el método. Tenemos que ejercer cuidado en el campo del crecimiento de la iglesia para no llegar a creer que podemos lograr que la iglesia crezca por medio de métodos que carecen de poder sobrenatural. Por tanto el crecimiento de la iglesia no es el fin mismo. Es el resultado de la investidura sobrenatural del poder divino (Hemphill, 1996, pág. 22).

La experiencia personal con el Espíritu Santo en Jerusalén es el inicio de la tarea de expansión y la Iglesia ve este evento como factor clave para definir su misión en la ciudad. En Hechos, Lucas presenta a los discípulos como instrumentos en manos de Dios en beneficio de la urbe, pues sólo el Espíritu Santo puede equipar y dirigir a la Iglesia para cumplir su misión.

El mismo Espíritu Santo que obró poderosamente a lo largo del ministerio de Jesús (Lc. 3:16 – 22; 4:1 – 14), es el que opera en la iglesia y la llena de poder para ir al mundo con el testimonio del evangelio del reino (Hch. 1:8), para los Hechos de los apóstoles el Espíritu Santo es esencialmente el principio dinámico del testimonio que asegura la expansión de la iglesia (Deiros, 1998, pág. 5).

La llegada del Espíritu Santo empujó a hombres y mujeres a presentar el mensaje de Salvación en sus respectivas ciudades. La ciudad es el contexto donde se expande el evangelio en la dirección que da el Espíritu Santo. La primera comunidad cristiana se desarrolló en Jerusalén que era la ciudad más grande de Palestina. A pesar de tener problemas hidráulicos y pocos recursos naturales, la ciudad prosperó por ser un centro religioso y comercial que atrajo durante centurias un gran número de familias que llegaban a las fiestas. Según el informe de Lucas, la Palabra llega a Antioquia de Siria a través de los helenistas convertidos (Hch. 11:19-30). Llenos del Espíritu Santo este grupo de judíos helenistas (judíos que vivían de acuerdo a la cultura y la lengua griega), llegan abriendo camino a la misión urbana. En poco tiempo la iglesia de esta ciudad prepara y envía misioneros al este y al oeste.

Toda la exposición de Lucas presenta al Espíritu Santo como el director de la obra, aunque los personajes señalados desarrollan una aserie de tácticas, es el Espíritu quien tiene el control de todas las actividades. La expansión del evangelio se describe en las páginas del libro de los Hechos, de las epístolas paulinas y las generales, siendo el Espíritu de Dios el elemento que central. Es el Táctico en la penetración del evangelio en la ciudad quien usa a hombres y a mujeres no a los métodos, las técnicas o las estrategias, y aunque necesarias no son determinantes. La iglesia que se subyugan a la voluntad soberana del Espíritu podrá ser instrumento útil en la propagación y proclamación.

Después de la llegada del Espíritu Santo al Aposento Alto, las manifestaciones en la historia de la Iglesia son diversas. En los veintiún siglos del cristianismo la historia describe cientos de testimonios donde el autor principal es el Espíritu Santo. Los cinco continentes testifican cómo el Espíritu de Dios está en operación y como en estos siglos la historia de la Iglesia es la historia el movimiento del Espíritu Santo muy a pesar de la opinión de los cesacionistas. Las manifestaciones del Espíritu se han desarrollado en las comunidades cristianas del mundo, ejemplo de ello fue lo sucedido en el siglo II con los montanistas que dieron énfasis a la presencia activa del Espíritu y sus manifestaciones carismáticas confrontaron la laxitud y el formalismo de su época. Montano, su fundador: "habló en lenguas y empezó a profetizar, declarando que el Paracleto, el Espíritu Santo prometido en "El Evangelio según Juan", estaba hallando expresión por medio de él" (Latourette, 1988, pág. 173).

El siglo V se caracteriza por divisiones de Oriente y Occidente, invasiones de las tribus barbarás y las turbulencias políticas. Es en oriente que el cristianismo da más apertura a las manifestaciones del Espíritu, y como resultado el evangelio llega a China por medio de los nestorianos persas. En cambio, el cristianismo occidental da más prioridad al pensamiento teológico, ejemplo de ello es Agustín de Hipona. Para el siglo X el caos religioso fue peor que el político en Roma pues en trece años, nueve personas se sentaron en la silla papal. Durante más de medio siglo tres mujeres manejaron la silla papal desde Roma, Teodora madre, Marozia, y Teodora hija de ella. La superstición y el terror se apoderaron de las comunidades trayendo como resultado la decadencia.

A pesar del oscurantismo el Espíritu comenzó a trabajar en el corazón de Vladimiro rey de Rusia, abriendo las puertas de su imperio para la predicación del evangelio, ya convertido a su regreso a Kiev, derribó todos los monumentos paganos: "fundó varias escuelas para enseñar a los niños de su reino a leer las Sagradas Escrituras traduciéndolas a la lengua popular… Edificó muchas iglesias" (Burguess, 1989, pág. 94). Que el evangelio llegara por la vía de Constantinopla en vez de Roma fue lo que marcó la diferencia en civilizar y cristianizar a Rusia, pues la historia señala que la conversión provocó grandes cambios en el carácter de este monarca.

En el Siglo XII, el Espíritu Santo despierta el corazón de un próspero comerciante francés quien quiso entender, comprender y saber de las Escrituras. Entonces Pedro Waldo consiguió una copia de la Vulgata Latina y la traduce a su propio lenguaje provincial francés, con ello inicia reuniones de oración y lectura de la Biblia en su casa, y se da a la tarea de predicar en su propio idioma. La gente se reúne y el Espíritu Santo comienza a tratar con ellos en convicción de pecados, pronto se genera un tremendo movimiento de renovación espiritual que enciende a sus seguidores y Pedro Waldo vende todos sus bienes, y comienza a predicar en las calles. Durante los siguientes siglos, sus seguidores, los waldenses predican en las ciudades de Europa con la fe personal en Jesucristo. Otro hecho suscitado en el Siglo XIV cuando el Espíritu Santo comienza a inquietar el corazón de un hombre amante de las Escrituras, que traduce del griego al inglés, Juan Wycliffe. Se ocupa en entrenar un ejército de predicadores con el distintivo de que fueran llenos del Espíritu Santo, los llamados lolardos, precursores de la Reforma.

En cada siglo de la historia de la Iglesia, el Espíritu Santo siempre encontró hombres y mujeres dispuestos a ser conducidos por Él. La iglesia de Jesucristo nunca estuvo acéfala en este rubro, los testimonios de las manifestaciones y acciones del Espíritu son cuantiosos en los siglos de la vida de la Iglesia y este capítulo tiene el propósito de presentar tres ejemplos de ciudades donde el Espíritu Santo es el Táctico urbano haciendo uso de centros de educación.

No se puede entender la historia del cristianismo y la supervivencia y trasmisión de la fe cristiana sin tomar en cuenta la operación sobrenatural del Espíritu Santo en la Iglesia y a lo largo de la historia. Si se deja de lado tal operación y no se evalúa convenientemente sus múltiples manifestaciones,… la Iglesia como expresión poderosa de la acción del Espíritu termina siendo impotente, débil o muerta" (Deiros, 1998, págs. 12, 13).

La dirección sabia del Señor los llevó a proclamar en el poder del Espíritu Santo y a ministrar las necesidades en la ciudad donde difundieron el evangelio y son un testimonial para nuestros días.

La ciudad de Wittenberg

Ciudad alemana, fundada por Alberto el Oso (1100 - 1170), quien establece la dinastía sajona. Como ciudad sajona es llamada al principio Wittenborg que significa la montaña blanca. La primera mención de Wittenberg data de 1180 y se le describe como una aldea pequeña fundada por colonos flamencos, en 1238 se funda un monasterio franciscano y en 1293 recibe la concesión de ciudad. Pronto se convierte en un centro comercial importante debido a su posición geográfica, en 1356 es declarada ducado y es llamada Sajonia–Wittenberg, y en 1365 se erige un monasterio de ermitaños dedicado a San Agustín. Para 1422 la línea familiar de Alberto queda extinta y Federico el Sabio toma el control convirtiendo la ciudad en una capital representativa gracias a la construcción del palacio y su iglesia, y asienta en ella su residencia.

En el reino de Federico y sus dos sucesores, la ciudad se convierte en la capital del país. Federico el Sabio funda la Universidad y el 18 de octubre de 1502 abres sus puertas. El primer rector es Martín Polich de Leipzig, filósofo, doctor, astrónomo y teólogo. En la Universidad, la Facultad de Teología fue la más distinguida de las demás, de la región norteña de Alemania esta Universidad se enriqueció con estudiantes, siendo Felipe Melanchton su profesor de Teología. Otros humanistas de Wittenberg en esa época fueron Lucas Cranachel, pintor de la corte, Juan Bugenhagen, mentor de Martín Lutero y Jorge Espalatino, profesor del príncipe Juan Federico.

En 1547 la ciudad capitula y en 1760 la ciudad es bombardeada por los austríacos, para 1806 es ocupada por los franceses y re-fortificada en 1813 por orden de Napoleón. En 1815 la ciudad nuevamente es ocupada por Prusia y al final de la Segunda Guerra Mundial, en 1945, la es ocupada por las fuerzas rusas. Se vuelve parte de la República Democrática Alemana en 1949, en 1989 el régimen comunista se derrumba y la ciudad es gobernada democráticamente desde 1990, en 1996 es declarada por la UNESCO como patrimonio de la humanidad.

En el tiempo de Federico el Sabio, esta ciudad como Europa, experimenta dos movimientos culturales transformadores. Uno de ellos es el Humanismo que alcanza su pleno desarrollo en el siglo XV y el XVI. Esta corriente se caracteriza por su rechazo de los principios del conocimiento medieval, coloca al ser humano como centro del universo, como un ser libre y racional. Sus exponentes se inspiraron en la Antigüedad clásica, (Grecia y Roma) y en los autores clásicos, como Aristóteles o Platón. Se genera una búsqueda de la verdad a través de la investigación, surge la imprenta que permite la publicación de un gran número de obras estando al alcance de la mayoría y cada vez más gente empieza a tener su propia biblioteca. Se diseminan las academias donde se desarrollan y difunden los estudios humanistas. El monopolio eclesiástico sobre ellas se rompe y las Rectorías son dirigidas por seglares.

Se desarrolla la teoría heliocéntrica por Nicolás Copérnico y se impulsan las ciencias como la geografía, la zoología, la cartografía y la botánica; se dan avances en el conocimiento del cuerpo humano por los estudios de anatomía de Andrés Vesalio y los de la circulación sanguínea de Miguel Servet. Erasmo de Rotterdam es el humanista de mayor prestigio de su tiempo; su pensamiento giraba en torno a la necesidad de una reforma moral. En su obra más importante, Elogio de la locura (1511), realiza una crítica de los males de la sociedad de su tiempo, la guerra, la codicia, la intolerancia y la incultura, advierte de las deficiencias de la Iglesia Católica y propone una reforma paulatina y pacífica de la misma, aunque sin atreverse a romper con Roma.

El Renacimiento es el otro movimiento, artistas buscan inspiración en la Antigüedad clásica. Los arquitectos usan elementos utilizados en la arquitectura griega y romana, y los escultores utilizan los patrones de belleza de los artistas clásicos, logrando con ello el dominio de la perspectiva y la profundidad en las pinturas. El ser humano se convierte en el centro de las representaciones y los temas dejan de centralizarse en la Iglesia. Se construyen palacios, ayuntamientos, universidades, plazas públicas y hospitales. Los pintores y escultores no se concentran en obras religiosas, ahora pintan retratos y composiciones mitológicas. La burguesía, la nobleza y las cortes principescas son quienes requieren de los servicios de los artistas, los cuales aumentan en número y cuentan con el apoyo de los mecenas, individuos e instituciones que financian las obras y protegen a sus autores.

En este entorno social el Espíritu Santo inicia una revolución espiritual en el corazón de Martín Lutero que afecta a toda Europa. A los diecisiete años, en 1501 ingresa a la Universidad de Erfurt donde recibe el apodo de: *el filósofo*. Obtiene el grado de bachiller en 1502 y una maestría en 1505, para 1507 es ordenado sacerdote, y en 1508 comienza a enseñar teología en la Universidad de Wittenberg. Ese mismo año, el 9 de marzo de 1508 recibe el grado de bachiller en Estudios Bíblicos y dos años después realizó una visita a Roma que le causa gran decepción. Recibe el grado de Doctor en Teología el 19 de octubre de 1512 y es admitido en el Senado de Facultad de Teología el 21 de octubre de ese mismo año dándole el título de Doctor en Biblia: "y en 1515 es nombrado vicario de su orden, quedando bajo su cargo once monasterios" (Vidal, 2002, pág. 108).

Los títulos obtenidos reflejan el hambre de Dios que Martín Lutero tenía. Se dedica a estudiar griego y hebreo para entender las Escrituras y en esta investigación el Espíritu Santo lo guía a un entendimiento claro de la Palabra. "Lutero empezó a enseñar que la salvación es un regalo exclusivamente de Dios, dado por la gracia a través de Cristo y recibido solamente por la fe" (McKim, 2003, pág. 94). Por ello confronta la enseñanza de las indulgencias. Es en este tema que se desata un movimiento de transformación cultural, social, económica, político, religioso y espiritual llamado Reforma, del cual hasta nuestros días seguimos recibiendo sus beneficios. De él se puede señalar que no hubo más grande legado que ser el padre de la Reforma. Ninguna otra persona hizo más en la proclamación de la necesidad de la salvación de los pecados por la fe en Jesucristo sin necesidad de ninguna obra como Martín Lutero.

La ciudad de Oxford

Ciudad británica que se ubica en el condado de Oxfordshire. Es conocida como la ciudad de las Agujas de Ensueño porque describe la armonía en la arquitectura de los edificios universitarios. A pesar de las diversas Universidades existentes en la ciudad, Oxford es una urbe industrial en automotores. Es mencionada por primera vez en las crónicas anglosajonas del año 911, fundada en el siglo IX por Alfred el Grande que creó una red de pueblos fortificados para su reino llamadas las villas y una de éstas es Oxford. En el siglo X la ciudad tenía cuatro fábricas de monedas.

En 1009 los daneses queman Oxford pero fue reconstruida rápidamente y en 1013 el rey de Dinamarca exige el trono de Inglaterra invadiéndola. Oxford le entrega rehenes y en 1018 se determina quién será rey de Inglaterra. Para 1072 los normandos construyen un castillo en la ciudad y la Universidad en Oxford se funda en 1167 siendo la más antigua de Inglaterra. Ésta centra sus cátedras en la jurisprudencia y la teología. Por la necesidad inmediata de controlar y proteger a los eruditos y alumnos surgieron las contrataciones, por lo general a través de un maestro de artes que actúa como Director. Los recintos académicos en los cuales podían residir bajo una supervisión adecuada también son controlados por el Director en turno.

Las crónicas señalan que entre los estudiantes y la población surgen una serie de tensiones. El siglo XI y XII la ciudad se industrializa con el cuero, la tela y en especial con la lana. Para el siglo XIV y XV se convirtió de industrial en comercial y cerveceros, carniceros, panaderos, sastres, carpinteros, zapateros, herreros y toneleros pululaban en los establecimientos. La ciudad depende de manera directa de la economía de los estudiantes que llenan las Universidades. Éstos mantienen el gran mercado en comida, ropa, zapatos y cerveza. La abundancia en la venta de cerveza fue la causa de gran tensión ge generando escándalos y pleitos. Las crónicas relatan en diversas épocas muertes por estas causas.

En 1651 la primera casa de café en Inglaterra se abre en Oxford; es una nueva bebida muy popular. Se abrieron muchas casas donde la clase media y hombres de la clase alta se encontraban bebiendo café. En estas cafeterías llegaban a leer el periódico y charlar de tal forma que a finales del siglo XVII Cecilia Fiennes, escritora, describe a Oxford como una ciudad agradable y compacta; relata que el teatro es el edificio más alto de todos, sobresale de Universidades e Iglesias y edificios gubernamentales. Las calles son limpias, pavimentadas y bastante anchas. En el siglo XVIII aún seguía dependiendo de los estudiantes universitarios, para ese momento ya era una ciudad grande, fuerte, muy poblada y rica. En 1771 las calles contaban con alumbrado público, con lámparas de aceite y comenzaron a congestionarse impidiendo fluidez en el tráfico, por lo que en 1774 se construye un mercado. A mediados del siglo XVIII la población de la ciudad era de 8,000 habitantes y a finales del mismo la ciudad ya contaba con 12,000.

Durante el siglo XVIII, Inglaterra tuvo una estabilidad mayor que el siglo anterior. Aunque la sociedad inglesa se hallaba polarizada en términos económicos, los conflictos políticos entre los dos partidos más importantes, los Toris y los Whigs, continuaron. Casi el 10% de la población inglesa vivía en Londres, y la mayoría vivía en severas condiciones de pobreza, las jornadas de trabajo alcanzaban las catorce horas y los salarios eran muy bajos, niños de cuatro y cinco años trabajaban como deshollinadores en minas o fábricas. Ninguna otra ciudad llegó a ser tan grande como Londres, aunque a fines del siglo ciudades y aldeas de zonas industriales como Manchester, Birmingham y Leeds habían alcanzado un desarrollo asombroso; aun así la vida era precaria, especialmente para los más pobres que eran los sectores más numerosos. No existía mucha seguridad en el mercado laboral y la vivienda era inadecuada y costosa.

Los sectores pobres de las ciudades albergaban multitudes que vivían hacinados en barrios limítrofes y sucios. Los servicios sanitarios eran primitivos, además la costumbre era arrojar los desperdicios en las calles y los ríos lo cual hacía que el olor en el medio ambiente fuera insoportablemente nauseabundo. El agua potable era escasa, el precio de los alimentos costosos y la vida en general se halla marcada por la inseguridad. El alcohol, la violencia, la prostitución y la difusión de los juegos de azar eran los medios que la gente buscaba como escape de la desesperación y el abandono.

Es en este siglo que Juan Wesley ve la luz primera el diecisiete de junio de 1703, en Epworth, Inglaterra. Es el decimoquinto de diecinueve hijos del matrimonio de Samuel y Susana Wesley. Samuel era predicador anglicano, como lo fue su padre y abuelo y Susana era mujer entregada a su familia. El matrimonio enseñó a sus hijos materias escolares, a la vez que les impartía una educación cristiana excelente. Cada una de las hijas del matrimonio aprendió el griego, el latín y el francés, así como lo necesario para los quehaceres domésticos. A pesar de que Susana fue una madre muy ocupada, tuvo el tiempo para dedicar un espacio propio para cada hijo, cuando Juan cumplió cinco años aprendió el alfabeto. En 1713 ingresa al colegio de Charterhouse, en Londres, donde recibe la más excelente educación que se podía obtener en aquellos días. Estudia lenguas clásicas, matemáticas y ciencias.

En 1719 entra a la Universidad de Oxford y es ordenado ministro anglicano, contaba con veintitrés años. En 1726 es electo profesor adjunto de Lincoln College y obtiene licencia para ayudar a su padre enfermo. A pesar de ello, el Espíritu Santo trata en su vida y entra en honda crisis que lo lleva a iniciar una búsqueda espiritual. Como estudiante en la Universidad de Oxford, uno de los deseos supremos era el ser santo y en el Campus funda junto con su hermano Carlos el Club Santo o el Club de la Santidad. Los miembros ayunaban los miércoles y viernes, participaban en la Mesa del Señor una vez por semana, estudiaban y discutían el Nuevo Testamento y los clásicos griegos, dedicaban tiempo a la oración, y hacían exámenes personales sobre su situación espiritual. El grupo nunca excedía de los veinticinco miembros y poseía de una intensa pasión por la experiencia religiosa personal.

Es en estas reuniones de estudiantes universitarios que inicia un movimiento del Espíritu Santo que transformó Inglaterra y Norteamérica. Juan inicia un viaje espiritual que dura toda su vida, plantando las semillas de un movimiento nuevo y vigorizante en la vida cristiana. La Universidad comenzó a llamar a este grupo de creyentes polillas bíblicas, fanáticos y metodistas; y sus acciones generaron un cisma en la Iglesia Anglicana que prohibió a los miembros de este club su participación en los púlpitos. Por ello, el grupo determinó predicar en las calles, es entonces que acuña la frase: la iglesia no tiene otra misión que la de salvar almas, por tanto, gasta y gástate en este trabajo. Este gran movimiento del Espíritu afectó profundamente ciudades inglesas y norteamericanas que fueron testigos del avivamiento que trajo la salvación de cientos de miles de personas.

El avivamiento de la Iglesia de Inglaterra transformó la sociedad. La predicación de la redención, la justificación y el perdón de pecados por medio de la fe en Jesucristo levantó a muchos de las clases más pobres de la nación inglesa desde su enorme ignorancia y malos hábitos, transformándolos en cristianos fervorosos y fieles. Juan Wesley describe las manifestaciones de las reuniones de los hogares y congregaciones, y señala que entre los asistentes hay trances, gritos, temblores, y exclamaciones de alabanza al Señor; niños y adultos caen al piso bajo el poder del Espíritu Santo. El infatigable esfuerzo en la predicación del evangelio produjo cambios en la sociedad europea y en las nuevas colonias norteamericanas. Impulsados por el Espíritu Santo, estos creyentes manifestaron un celo por Dios y su Palabra, y la verdad, la santidad, el amor por el prójimo y vida cristiana se proyectó a todas las ciudades donde llegó su mensaje. De él se puede señalar que no hubo más grande legado que ser el padre del metodismo. Ninguna otra persona hizo más en la proclamación de la necesidad de la santidad en la vida cristiana auténtica, como Juan Wesley.

La ciudad de Topeka

Ciudad estadounidense, capital del estado de Kansas, también es la capital del Condado de Shawnee, llamado así por el territorio que originalmente fue ocupado por los indios Shawnee; situada a lo largo de río de Kansas en la parte central del Condado de Shawnee. Las principales tribus indias que habitaron Kansas, antes de la llegada de los europeos, fueron los Wichita, Kansa, Pawnee y los Kiowa Apache.

Topeka es una palabra utilizada por los nativos americanos que significa buen lugar para cultivar patatas (papas). El conquistador español Francisco Vázquez de Coronado penetró en la actual Kansas en 1541 en busca del legendario reino de Quivira. Si bien retornó a México sin encontrar el oro que buscaba, durante los siglos XVII y XVIII exploradores y tratantes de pieles franceses viajaron por la zona.

En 1803, durante la presidencia de Thomas Jefferson, el territorio de Kansas fue comprado por los EE.UU. incluido Lousiana Purchase. La histórica expedición de Lewis y Clark, que remontó el río Missouri explorando territorios hasta entonces desconocidos, comenzó en la desembocadura del Kansas, afluente del Missouri. Durante el siglo XIX Kansas fue zona de paso de las migraciones hacia el oeste, el Oregon Trail, y hacia el suroeste, el Santa Fe Trail. En 1854 Kansas es declarado un estado libre y Topeka es reconocida como ciudad en 1857.

En 1840 el tren ayudó a que el oeste se independizara y esta ciudad fue clave para ello; entre 1840 y 1850 las personas podían viajar confiadamente a través del río. En 1850 la ruta comercial fue cambiada por un camino militar que atravesaba Topeka y en 1860 la ciudad se había convertido en un área comercial que proporcionaba acceso a muchas de las comodidades de la era Victoriana; esto fue por el llamado efecto tren. En el preámbulo de la guerra civil, Kansas fue escenario de sangrientas luchas entre abolicionistas y esclavistas pero tras la guerra civil se produjo la expansión hacia el oeste con el ferrocarril, con el desalojo de las tribus nativas, la caza indiscriminada de millones de búfalos y el traslado masivo de ganado vacuno desde Texas a través del *Chisholm Trail* a sus legendarias *Cow Towns* del *Wild, Wild West* como Abilene o Dodge City. A pesar de que la sequía y la guerra civil retardaron el crecimiento de la ciudad, la Universidad de Washburn fue establecida allí en 1865 y en 1880 Topeka pasó de ser una ciudad en auge a experimentar decadencia, cayendo en crisis total en 1889 cuando los inversionistas quebraron. A pesar de ello resistió la depresión económica y a principios del siglo XX vuelve a experimentar un incremento, esta vez sustentado en la industria automotriz, en ella se funda la Smith Automobile Company en 1902 que duró hasta 1912.

Después de la guerra de Secesión (1861-1865), las iglesias enfrentaron divisiones por el tema de la esclavitud. Algunos ministros vieron la necesidad de realizar campañas de avivamiento que pretendían hacer volver a la Iglesia a una vida de santidad y comunión. Como respuesta surge el movimiento de Santidad que asume la teología de que la naturaleza carnal puede ser limpiada por medio de la fe y el poder del

Espíritu, siempre y cuando los pecados hayan sido perdonados por medio de la fe en Jesucristo. Estos predicadores enseñan que los beneficios que adquieren son poder espiritual y habilidad para conservarse a sí mismos puros. Desde carpas ambulantes y algunos templos, el mensaje enfatiza la regeneración por la gracia, por medio de la fe, la santificación cristiana, y la certeza de la salvación por el testimonio del Espíritu Santo.

En 1836, Sarah Worral Lankford y Phoebe Palmer, mujeres metodistas, realizan reuniones los martes para promover la santidad en la ciudad de Nueva York. Un año después Timothy Merrit, metodista, funda el seminario *Guía hacia la Perfección Cristiana*, en él se promueve la doctrina de que el cristiano puede vivir sin cometer ningún pecado serio; ambas acciones, la de las mujeres metodistas y la fundación del seminario, produce un movimiento que atrae a cristianos de otras denominaciones. Este fue un tiempo de abundante predicación en toda la nación americana y un buen número de congregaciones, y predicadores independientes e itinerantes se dieron a la tarea de exponer el mensaje del evangelio en todos los rincones de la nación. Campañas evangelísticas con el tema de la sanidad divina atrajeron multitudes y el Espíritu Santo comenzó a trabajar en USA a través de estas actividades espirituales.

Charles Fox Parham es uno de los tantos predicadores que surgieron en ese tiempo. Nacido en Muscatine, Iowa el 4 de junio de 1873, coordina reuniones cristianas a la edad de quince años. En 1890 estudia en la Universidad Sudoeste de Kansas y se constituye en ministro metodista asociado con el movimiento de santidad. En 1893 deja la escuela y se hace pastor interino de una iglesia metodista cerca de Lawrence, Kansas, pero su estilo de ministrar y enseñar causa ciertos desacuerdos con la jerarquía metodista, por lo que en 1895 entrega sus credenciales y renuncia al pastorado de la organización. En 1886 se casa con Sarah Thistlewite de confesión cuáquera y establece su propio ministerio; el 29 de noviembre de 1898 se mueve a la ciudad de Topeka porque es invitado a predicar sobre la sanidad.

Junto con su esposa abren un lugar como casa de sanidad para aquellos que la buscan y es llamada Betel. La planta baja tiene una oficina, una habitación de lectura bíblica y una capilla; el segundo piso cuenta con catorce habitaciones de grandes ventanas y flores frescas que emitían un aroma agradable, según testimonios de la época. El tercer piso era ocupado como alcoba de los Parham cuando las demás habitaciones estaban llenas.

Diariamente se predicaba y enseñaba la Biblia, se ofrecen oraciones a favor de quien la solicita. Crearon casas de asistencia para huérfanos y desempleados, y pronto los testimonios de conversiones y sanidades atrajeron un buen número de personas que los anima a abrir una escuela. Después de orar y ayunar los Parham inician una escuela bíblica a la que llaman *Universidad Bíblica Betel de Topeka*. Buscan un edificio donde estará la escuela y ya establecidos ofrecen estudios especiales para aquellos que querían servir en las iglesias locales y ser evangelistas.

Los alumnos son preparados y entrenados en el trabajo evangelístico, enseñando las verdades esenciales de Dios para que puedan localizar al pecador, al que descuidó su vida cristiana y ayudar al reincidente. Todos aquellos que querían estudiar eran bienvenidos, si eran pobres los alimentaban y si estaban enfermos eran alojados y curados. Ningún matricula fue cobrada y se enseñó que cada estudiante, alrededor de cuarenta, que debían ejercer la fe para su sostenimiento y apoyo propio.

En diciembre de 1889 se aplicaron exámenes sobre las materias. Estas fueron sobre el arrepentimiento, la conversión, la consagración, la santificación, la sanidad y la pronta venida del Señor. En un espacio, Carlos Parham presenta al grupo de alumnos un tema que para él es un problema en el libro de los Hechos. Tiene que salir a predicar a una ciudad y pide que en su ausencia los cuarenta alumnos investiguen sobre el tema de la manifestación del Espíritu Santo y a su regreso entreguen un informe del resultado de su investigación. Tres días después Carlos Parham se reúne con el grupo en el salón para escuchar el resultado de la investigación. Con sorpresa escucha el informe de resultados que es concluyente, en cada manifestación del Espíritu Santo en los miembros de las iglesias de Hechos, el hablar en lenguas es el común denominador.

En base al informe reúne a los cuarenta alumnos y pide a los que estaban en el edificio pide tener un tiempo de oración. Un total de setenta y cinco personas se reúnen en el servicio de la noche. Dentro del programa de la escuela bíblica tenían reuniones de oración y en una velada del 31 de diciembre de 1900 al inició de 1 de enero de 1901 el Espíritu Santo se manifiesta sobre Agnes Ozman, de 18 años, quien habló en un lenguaje indescriptivo. Carlos sólo había expresado unas breves frases en su oración cuando la manifestación se produce en ella. Los testimonios señalan que un halo parecía rodear su cabeza; empezó a hablar chino, y fue incapaz de hablar inglés durante tres días; cuando intentó escribir en inglés, escribió en chino. Copias que después se imprimieron en los periódicos de la ciudad señalaban que días después ella seguía totalmente agobiada con el poder sobrenatural del Espíritu Santo.

A partir de este hecho se realizaron un gran número de reuniones en todo el país y cientos de miles de personas de diversas denominaciones recibieron el bautismo del Espíritu Santo con la evidencia de hablar en otras lenguas, aunado a muchas sanidades. Una estudiante que llegó a la escuela con la convicción de que era llamada al campo misionero pidió al director que orara por ella para que fuera bautizada en el Espíritu Santo y aunque al principio la reacción de Parham fue no hacerlo, puso sus manos en su cabeza y se dio la misma manifestación. Cientos de testimonios comenzaron a escucharse por todas partes y el mensaje del pentecostés produjo una ola de fe, milagros y sanidades donde se predicaba, y los convertidos al evangelio eran bautizados en agua. El mensaje incendio ciudad tras ciudad hasta salir de las fronteras de Norteamérica. Las congregaciones comenzaron a crecer más allá de lo imaginable. Este mover del Espíritu Santo contribuyó a generar más de dos millones de conversiones en tres décadas. En este mismo período, congregaciones pentecostales excedieron los siete mil asistentes.

Este movimiento del Espíritu produjo pasión para la gente, celo para las misiones y esperanzas de la pronta llegada de Jesús a la tierra. La doctrina del bautismo en el Espíritu Santo permeó la Teología y produjo ministerios y congregaciones frescas y dinámicas donde se manifestaba la sanidad divina y los dones del Espíritu Santo. Las congregaciones pentecostales se caracterizaron por tener una determinación obstinada en la Palabra de Dios y una búsqueda implacable de Dios. A pesar de las barreras físicas, sociales, económicas, culturales e intelectuales y las persecuciones a las que se ven sometidas, estas congregaciones determinaron servir al Señor en el poder del Espíritu Santo. De Carlos Parham y su amada esposa se puede señalar que no hubo más grande legado que ser el padre del pentecostalismo. Ninguna otra persona hizo más en la proclamación de la necesidad de hablar en las lenguas como evidencia del bautismo del Espíritu Santo, como Carlos Parham.

Elementos comunes

En los tres ejemplos señalados existen una serie de elementos comunes que da a entender cómo el Táctico urbano se manifestó en las tres ciudades que transformaron al mundo. En el siglo XXI no existe un país donde la Reforma, el Metodismo y el Pentecostalismo no haya dejados su huella, la historia de cada región, nación y ciudad fue tocada por estos tres movimientos en un grado mayor o menor.

El primer elemento es la manifestación del Táctico urbano en centro de educación. Es en el entorno de los campus universitarios que se manifiesta para la expansión del evangelio y el despertar espiritual que transforma a los participantes. Lutero, Wesley y Parham son tocados y revolucionados por el Espíritu Santo en centros educativos donde se habla con libertad sobre teología. Es afectado el carácter, la predicación y la enseñanza bíblica desde la Rectoría Universitaria.

La Universidad entonces es el terreno donde se manifiesta el Espíritu de Dios con el fin de influenciar en la sociedad y las urbes correspondientes. Esta estrategia del Espíritu hizo que la gente se abriera a la predicación de la Palabra; al principio los exponentes no eran alumnos, eran los líderes de la escuela, y ser líderes de opinión desde las aulas como profesores es un elemento a considerar en estos tres eventos.

El Táctico urbano entonces se manifiesta y toca la vida de personas con educación teológica específica cuando proyecta llevar a cabo un cambio sustancial en la sociedad. Lutero es el Rector de la Universidad y doctor en teología, Wesley es profesor de teología y Parham es director y maestro de Biblia. Los tres desarrollan sus actividades magisteriales en las aulas de la escuela; son figuras públicas y respetadas en los centros educativos. Escuelas de formación y educación teológica, y profesores con un alto compromiso en la educación son elementos de transformación que usa el Espíritu Santo. Es en este entorno que se puede discutir con libertad una serie de temas sin temor a ser calificado de extremista, dogmático, hereje, liberal, enemigo de la fe, orgulloso o rebelde. El terreno educativo y escolar crea el ambiente para la discusión abierta, franca, objetiva y libre. Es el lugar donde se exponen sin prejuicio opiniones personales.

Jesús no rechazó la enseñanza superior. A la edad de doce años estuvo entre los maestros en el templo, aprendiendo por el método de preguntas y respuestas y sí, criticó a ciertos líderes porque quitaron la llave de la ciencia (Lc. 11:52). Jesús tenía un gran respeto por la educación. A través de los relatos y parábolas aplicó el evangelio a los problemas de su tiempo.

El testimonio de estos tres centros escolares muestra cómo cada uno de los actores discutieron sus ideas y postulados con la intención de aprender y descubrir la verdad, con mente abierta y sin ideas abstractas. Las escuelas tienen el propósito no sólo de educar, también de descubrir la verdad por medio de la investigación, la disertación, el análisis y la imparcialidad. Así que el Espíritu Santo parte de estos bastiones de la educación y pedagogos prolíficos para iniciar un proyecto de expansión mundial que la historia da evidencia de ello tanto en Alemania con la Reforma, en Inglaterra con el Metodismo y en los Estados Unidos de

América con el Pentecostalismo. Dios bendiga las escuelas que enseñan libremente la exposición de las ideas y donde los postulados teológicos se pueden debatir sin restricción.

El segundo elemento es que fueron movimientos populares, es decir, se dieron en torno al pueblo, fueron del pueblo y para el pueblo. El centro de la Reforma no es una protesta contra los abusos de la Iglesia, es la enseñanza de la justificación por la fe en beneficio del pueblo. Esta doctrina es la base de una reconsideración total del entendimiento de cómo Dios obra la salvación y cómo llega a la persona. Uno de los mitos de la guerra publicitaria que aún sobrevive es que la Reforma surge con el fin de saquear los bienes de la Iglesia. Es razonable saber que sólo una porción de la población entiende realmente la raíz teológica del pensamiento de Lutero, no se puede negar que el movimiento fue una respuesta satisfactoria a la sed espiritual y social de la muchedumbre. Alemania y Europa entienden que este fenómeno espiritual y social causó un gran impacto popular.

El éxito del movimiento metodista rompe con el sistema parroquial de la Iglesia establecida. Se proclama un evangelio de gracia que salva a las masas sumidas en la miseria. Rompe el monopolio político religioso y coloca la fe al alcance de todos, dignifica a las personas, las convierte en protagonistas de su futuro y da alternativas a los sinsabores de la vida. El entusiasmo metodista otorga al mensaje del evangelio el gusto de una fe profundamente personal y experimental haciendo de este un movimiento popular.

Para el Pentecostalismo sus iglesias se constituyen en verdaderas reuniones populares. Esto es porque su base social eclesiástica descansa en el pueblo, pues el pentecostalismo mezcla al proletariado urbano, la cultura popular, el movimiento de masas, y los concentra en una reunión espiritual. De esta forma se da el fenómeno llamado por los sociólogos como realidad popular.

El carácter popular de las congregaciones de los tres movimientos descansa en una vivencia comunitaria que facilita la socialización, personalización y la participación de los practicantes. La profunda transformación social se da en la solidaridad orgánica con los sectores menos favorecidos de la sociedad donde estos movimientos se desplazaron.

Un tercer elemento es la incorporación del ministerio femenino. La mujer es un elemento decisivo en la expansión del evangelio. La Reforma aportó aspectos importantes para la emancipación de la mujer. Antes de la Reforma, las mujeres tenían dos alternativas para su vida: casarse o ingresar en el convento. La igualdad de género, como el sacerdocio universal y la libertad cristiana son un gran potencial para el desarrollo de la emancipación de la mujer que la Reforma desarrolló. La misma Catalina de Bora, esposa de Lutero fue monja. La Reforma concreta lo que el movimiento renacentista y humanista había proyectado en la sociedad y difícilmente pudo llevarlo a la realidad. Ayudó a demoler el modelo medieval eclesiástico, cuyo modelo de la mujer era la virgen María intocable, pura, obediente y santa ante una Eva pecadora, seductora y culpable, imagen que aun hoy sigue arraigada en la Iglesia Católica Romana.

La Reforma emancipa a través de la educación femenina que más tarde dio paso a la educación superior. En el ámbito eclesial, fue el rescate del sacerdocio universal de todos los creyentes, que implicó la igualdad de derecho frente al conocimiento y discernimiento bíblico. Todos los creyentes son predicadores, esto incluye a las mujeres. El sacerdocio universal de todos los creyentes no excluye a ninguna persona, y la mujer asumió su responsabilidad en este tiempo con grandes resultados.

El movimiento de Wesley enriquece su actividad ministerial y se expande gracias al liderazgo y ministerio de las mujeres. Ellas contribuyen enseñando cómo vivir la vida cristiana, la adoración en fidelidad, el estudio bíblico, la disciplina cristiana, el cuidado de los pobres, los enfermos, los agonizantes y los desposeídos, así como el ejercicio en el ministerio. El metodismo fue el vehículo para que las mujeres hicieran públicas sus opiniones. Wesley vio apropiado: "Recomendaba el testimonio a Sarah Crosby cuando ella recibió ataques por hablar en público en Leeds" (Telford, 1931, pág. 133). Frecuentemente las mujeres desempeñaron roles pastorales aun cuando no estaban oficialmente ordenadas. Muchas de ellas en el círculo de Wesley estaban deseosas de llevar a cabo exégesis bíblica y la aplicación en una predicación pública. Sarah Mallet escribía: "Mi forma de predicar desde el comienzo es tomar el texto y dividirlo y, hablar a partir de los diferentes encabezamientos" (Taft, 2825, pág. 84).

Parham da libertad al ministerio de la mujer en la predicación y enseñanza bíblica. Desde el génesis del pentecostalismo la mujer está incluida, Agnes Ozman es la primera mujer que recibe el bautismo del Espíritu con la evidencia de hablar en lenguas. Cientos de predicadoras, evangelistas, maestras, pastoras y misioneras con la misma experiencia de Agnes diseminaron el mensaje de Salvación en los cinco continentes. Las predicadoras pentecostales son aguerridas y el resultado de su trabajo produjo innumerables plantaciones de congregaciones locales. Así la mujer se convierte en el elemento vital en la expansión del mensaje de los tres movimientos y es un distintivo de los mismos. En estos tres testimonios del Táctico ellas alcanzan la plenitud y realización personal.

Un cuarto elemento son los cambios sociales que generaron estos tres movimientos. Con Lutero en Europa, con Wesley en Inglaterra y América y con Parham en todo mundo, la transformación social fue evidente. En cada una de estas tres épocas se observan cambios en la política, la economía, las sociedades y el futuro de las mismas. En la época de Lutero disminuye la autoridad del emperador y aumenta el poderío de los gobernados, en lo religioso la Iglesia nominal pierde influencia porque es confrontada su actitud hacia la venta de indulgencias a expensas del hambre del pueblo; en lo cultural se incrementa la educación popular, en lo económico las propiedades eclesiásticas pasan al control del estado y después a particulares. Socialmente hablando, la gente adquiere absoluta certeza de libertad de expresión y decisión.

En la época de Wesley las condiciones nacionales también cambiaron. Se instituyen leyes acerca del trabajo infantil, se logra la prohibición de la esclavitud y se enseña y aplica los principios del matrimonio y la familia, con ello las estadísticas del divorcio de la nación disminuyen y la venta de ginebra se desploma. En la época de Parham la ingesta alcohólica baja notablemente, la responsabilidad en áreas laborales se dispara, y la corrupción y la violencia bajan: "El pentecostalismo asocia, pervive y canaliza modos de ser de movimientos indigenistas y contingentes de inmigrantes en búsqueda de construir identidad" (Lalive D'Epinay, 1968, pág. 276). De esta manera las ciudades donde se asentaron los luteranos, los wesleyanos y los pentecostales certifican cambios sociales considerables.

En estos movimientos su capacidad transformadora no sólo reside en su coherencia doctrinal, sino en su apertura a nuevas prácticas sociales en momentos decisivos y definitorios de una sociedad en transición. Nacidos de luchas históricas así como enfrentamientos dogmáticos, políticos y partidarios, estos movimientos han mostrado condiciones de mediación simbólica para lo que podría ser la afirmación de la esperanza proletaria. A pesar de diseminarse en áreas sociales precarias, los tres movimientos generaron reformas socioculturales como la estimulación en la educación y el resurgimiento ético y moralizador en la sociedad.

El quinto elemento es la participación de los laicos en el ejercicio del ministerio. La Reforma negó toda diferencia entre ministros y laicos. La Iglesia, señalaron, es la comunidad interior e invisible de los creyentes; en consecuencia rechaza su estructura visible y jerárquica. Todos son llamados a manifestar su responsabilidad del sacerdocio universal, es decir, todos son llamados al sacerdocio en la Iglesia. El laico, el no ministro es responsable de ejercer el ministerio en las capacidades que le han sido dadas por el Señor. El movimiento wesleyano fue un movimiento de laicos. Wesley comenzó a predicar al aire libre, en las fábricas y minas, encontró muchos laicos dispuestos a ayudarle; a esas personas les confiaba tareas de liderazgo y ministerio. Los predicadores laicos se hicieron presentes en los metodistas. Wesley organizaba a los laicos como los predicadores del movimiento. Con Carlos Fox Parham, el pentecostalismo dio libertad para predicar y enseñar a todo aquel que le era dado el ministerio de la Palabra; jóvenes, mujeres y hombres predicaban y enseñaban en púlpitos, salones, capillas y casas sin credenciales organizacionales.

La premisa de la Reforma protestante es aplicada en este mover del Espíritu Santo. Para la Iglesia oficial estos tres movimientos fueron un insulto en contra de su visión organizacional. Causó mucha controversia que personas no estudiadas enseñaran y predicaran las Escrituras, pues no se aceptaba que predicaran aquellos que no era ministros reconocidos, mujeres ni pensarlo. Sin embargo, a pesar de valorar el ministerio ordenado, Lutero, Wesley y Parham, dieron libertad a los laicos y el resultado de ello fue que la expansión del evangelio en las ciudades se dio sin precedentes en la historia de su tiempo.

El sexto elemento es la protesta que se da contra los abusos y el abandono de la Iglesia establecida. Las tres corrientes son movimientos de protesta. Es con Lutero que se acuña el mote despectivo de protestantes y en el fondo es correcto pues este movimiento protesta en contra de la desvergonzada acción de la venta de indulgencias explotando la ignorancia y superstición del pueblo. La ignominia es el título nobiliario del pobre, las naciones enteras empobrecen, las ciudades están sumidas en el oscurantismo y el individuo vive a expensas de un presente devastador; en cambio los clérigos y sus séquitos viven en la opulencia y extravagancia burda y malsana.

Juan Wesley confronta una Iglesia donde los candidatos al ministerio no saben los aspectos básicos del evangelio. Muchos conseguían nombramiento para un cargo pastoral importante por medio de un buen pago. Entre los ministros jóvenes se conocía su libertinaje, y la predicación era tan pobre, que la gente dormía en sus asientos o se ausentaba buscando algo que hacer de provecho. Para estos ministros Dios no tuvo interés en el mundo después de que lo hizo, el Nuevo

Testamento no tenía ningún valor espiritual. En protesta a ello, Wesley predica a favor de la santidad y la gracia de Dios en todos los lugares que puede. Según la ley canónica de la Iglesia de Inglaterra, nadie podía predicar dentro de los límites de una parroquia sin el consentimiento del pastor local. Esto hace que muchos se opongan a la predicación itinerante de los Wesley y sean vistos como provocadores. Por el tipo de mensaje, frecuentemente fueron víctimas de populachos violentos y burlas incontables pues las turbas llegaron a destruir hogares donde los metodistas se reunían para predicar.

El pentecostalismo se vuelve radicalmente un movimiento de protesta en contra del pecado y de la vida cristiana mediocre. Enseña que nadie puede ser lleno del Espíritu Santo sin antes confesar sus pecados y arrepentirse. Nadie puede ser dirigido por el Espíritu Santo si antes no existe un compromiso real con Jesucristo.

El mensaje de estos movimientos es radicalmente opuesto al ético y moral que se predicaba en iglesias populares de su tiempo. Rechazan abiertamente la vida del mundo y se practica una vida que demanda pureza absoluta. Los tres movimientos rompen con el concepto de Iglesia-Estado y declaran el principio de la separación de la Iglesia del Estado. Esgrimen argumentos en contra de la unificación y rechazan flagrantemente toda vinculación con la política de su tiempo. Lo político debe estar separado del evangelio. En el momento que se dé esta unión, la Iglesia pierde su efectividad, señalan efusivamente los predicadores de los tres movimientos.

El séptimo elemento es la transformación en la liturgia. Lutero ve necesario encontrar una fórmula que no confunda a los fieles, habituados al canto gregoriano y a la lengua latina, a la monodia. Pondera la participación de todos los fieles y fomenta el uso de alabanzas en el idioma común para que todos participen. Toma las canciones populares de la época, les da contenido bíblico y las canta con la música del entorno de la congregación. El pueblo es llamado a dorar a Dios y congregarse alrededor de la Palabra. Para Lutero el canto es la parte central de la adoración y así promueve el canto congregacional. Convoca a todos a ensayar durante la semana para que aprenda himnos nuevos y sean cantados el siguiente domingo.

Para los luteranos la prioridad la tiene la Palabra, no la música, pero la música es, según Lutero, la sierva de la teología, y el instrumento de la propagación de la Reforma. El metodismo se convierte en un movimiento que canta. Carlos Wesley se consagra a la tarea de componer himnos, describe cómo es que se sustentan en la fe y vida cristiana. Compone aproximadamente 9,000 himnos y poemas. Tienen el común denominador del uso de tres palabras centrales: sentir, conocer y amar. Los Wesley creían que cada persona debía expresar a través de la vida y el canto su conocimiento y experiencia de Dios.

Para el movimiento pentecostal la música es fundamental en el desarrollo de toda reunión congregacional. La manifestación de los mismos es excesivamente expresiva pues son la preparación de la congregación para recibir la Palabra que será entregada por el predicador en turno. Toma de la música común y desarrolla composiciones para la reunión; el estilo de alabanza es extremadamente atractivo para todos, en especial para los desheredados y menos agraciados, pues usa elementos comunes del momento.

Para los tres movimientos la adoración y la alabanza acompañada de la oración se convierte en un factor determinante en su estilo de vida. La intensidad en la oración es un mensaje constante en estos movimientos que son acompañados de cantos donde los instrumentos musicales de la época van a la vanguardia, y son un factor común en sus reuniones.

El octavo elemento es la predicación de la Palabra en el idioma común que atrae las masas. Lutero comienza a predicar en el idioma del pueblo y les entrega la traducción de la Biblia en su idioma, con ello gana profunda influencia en la clase pobre de su nación y de Europa. Tanto la Palabra escrita como la expresada, son herramientas en la propagación del evangelio que Lutero usa con atingencia. Hasta 1534 sólo circulaban traducciones al latín de la Biblia y se predicaba en este mismo tenor, la lectura y el estudio de la Biblia estaban vedados para el pueblo, no así a sacerdotes y eruditos; sin embargo, la predicación y la traducción que Lutero realiza de la Palabra, los ponen al alcance de toda la población. Es el primero en entender el potencial de la tecnología; es así que hace uso del invento de Johannes Gutemberg, la imprenta.

Para Lutero cada lector y oyente, y no clérigos, son responsables de la interpretación de la Biblia. Cientos de miles de familias adquieren el conocimiento del evangelio y determinan seguir sus enseñanzas, Biblia en mano. Por su parte, el impacto de la predicación de Wesley valida las clases socioeconómicas más bajas, aunque muchos ricos escuchan el mensaje, la mayoría de los convertidos son pobres. La Palabra da un sentido de esperanza y valor en una época sumamente difícil, el evangelio en sus vidas les da oportunidades de desarrollarse de formas que en su tiempo no les permitía. Wesley dijo que la autentica santidad es una santidad social, queriendo decir que la santidad de un creyente se extiende en cada una de sus actividades sociales y culturales. La presentación poderosa del evangelio que presentó Wesley captó el corazón de las clases bajas y resultó en una transformación completa de su nación y de otras más.

La predicación de Carlos Fox Parham también atrae grandes cantidades de grupos sociales marginales, atrapa la atención de gente y de comunidades con su mensaje, y pronto iglesias de diferentes grupos marginales comenzaron a fundarse en las áreas más paupérrimas de las ciudades del mundo. Blancos, negros, latinos y asiáticos pueden sentarse juntos en los lugares de reunión pentecostal sin recelo, la predicación del evangelio rompe barreras raciales.

La predicación poderosa de la Palabra es característica de los tres movimientos. La exposición de la Palabra en forma sencilla es la que atrae a las multitudes, las personas escuchan la predicación del evangelio en su contexto, no es matizada; por el contrario, es directa y apela a la acción, por lo que el mensaje bíblico se convierte en el elemento central de estos movimientos. Es la Biblia, el estudio y la predicación de ella que produce cambios, en expositores primero y luego en los oyentes.

Quitar este elemento es quitar la espina dorsal en el desarrollo de los movimientos históricos, pues el resultado de la exposición bíblica es la conversión de la gente, el mensaje centralizado en la salvación por fe, el involucramiento de los creyentes en el ministerio y la contextualización de las Escrituras en el idioma del pueblo. Con ello, la Biblia y no la Iglesia se convierte en la autoridad del individuo, así la Biblia es guía de fe y conducta de todo creyente.

¿Qué de nosotros?

Los tres movimientos surgen como respuesta a la realidad social de su tiempo. Los participantes manifiestan una seria preocupación por la condición humana de su entorno social, ministran directamente entre los más pobres, llega a las víctimas del sistema económico, como los niños obreros, los huérfanos, los mineros, los alcohólicos, los esclavos, los hambrientos y los desposeídos. Luteranos, Metodistas y Pentecostales experimentaron la carga de una sociedad explotada que había perdido valores fundamentales por causa de las cambiantes situaciones económicas. Los tres movimientos tuvieron la convicción de responder a sus situaciones sociales, tanto Lutero como Wesley y Parham, creían que la Iglesia no podía mantenerse separada de su realidad social, más bien pensaban que la Iglesia debía comprometerse con ella sin participar como movimiento político. Las tres corrientes nacen como respuesta a la necesidad humana, comprendieron la situación y las ansiedades más agudas de la gente, ofreciendo orientación y dirección que dio sentido a la vida.

Estos movimientos desarrollaron una renovación eclesiástica y social; confrontaron el estancamiento de la Iglesia donde militaron, y aunque pertenecieron a organizaciones eclesiásticas sin profunda influencia social, organizacionalmente corrompidas y encerradas en sí mismas, creyeron que podían generar una renovación. Lutero, Wesley y Parham encontraron un terreno preparado para tocar el corazón de gran cantidad de familias deseosas de una transformación espiritual y una vida cristiana auténtica. Miles de familias aceptaron el nuevo mensaje y no dudaron en adoptarlo sin importar vituperios y persecuciones con tal de vivir una experiencia transformadora que enarbola la nueva bandera de libertad espiritual y social.

La historia señala que estos tres movimientos del Espíritu continuaron predicando y organizándose para llevar la Palabra a todos los rincones. Los involucrados debían comprometerse uno con otro y con los más necesitados, y aunque nunca estuvo en su mente iniciar un movimiento que fracturara su cuna eclesiástica, decidieron aportar su esfuerzo en beneficio de la iglesia, pero las circunstancias y los radicales líderes eclesiásticos generaron una profunda crisis que al final los separó de su propósito primario: cumplir con la gran comisión. Lutero, Wesley y Parham presentaron un mensaje novedoso, transformador, renovado y emocionante tanto para la sociedad como para la Iglesia, el compromiso fue crear un nuevo y mejor futuro.

Los tres líderes de los respectivos movimientos tuvieron la prudencia de integrar teológicamente la unidad de su predicación. Ellos no se concretaron sólo en hablar desde la tribuna. Por ejemplo, Lutero presentó sus noventa y cinco tesis, Wesley predicó incansablemente santidad en toda Inglaterra y Parham con su mensaje neumatológico llegó al mundo. Los tres incendiaron al mundo, insistieron en que la demostración de la fe verdadera son acciones de amor practicadas entre los más necesitados y para ellos, las obras de amor son práctica de la fe. El culto y el servicio fueron unidos como la base de la vida cristiana y no sólo fue su predicación lo que produjo impacto en el mundo, también sus acciones y vida en el quehacer ministerial. Su mensaje manifestó apertura de mente y corazón permitiéndoles compartir la diversidad en la unidad de la fe y el consiguiente compromiso.

La situación cambiante que actualmente experimentan las ciudades necesita la acción inmediata del Espíritu Santo como el Táctico. El futuro para muchos es desconocido y crea incertidumbre, y esta realidad exige la renovación y compromiso de toda congregación urbana. Si el Táctico se desplegó en estos movimientos, hoy puede manifestarse en nuestras respectivas congregaciones; pero si el Espíritu Santo no opera abiertamente en nuestras comunidades de fe locales, éstas enfermarán y terminarán muertas.

La historia muestra que el luteranismo, el metodismo y el pentecostalismo paulatinamente, sin percibirlo, desecharon al Táctico y adoptaron elementos secundarios que frenaron su avance. Con profundo dolor se observa cómo estos movimientos entraron en decadencia y han terminado con templos cerrados, manifestaciones exorbitantes que enaltecen su pasado histórico, mantener estricto apego a sus estatutos primarios, enajenación en su historia, crecimiento numérico raquítico, liderazgo cupular alejado del ministerio pastoral, institucionalismo radical, negación a reestructurarse y renovarse, y un insistente actitud de liderazgo que ataca en ocasiones y desacredita a otros grupos cristianos en renovación y crecimiento, son sólo algunos de los síntomas que estos tres movimientos reflejan un lamentable ocaso.

El Luteranismo surge como respuesta a un Catolicismo muerto, el Metodismo nace como respuesta a un Luteranismo y Anglicanismo casi extinto, el Pentecostalismo aparece ante un ineficaz Metodismo, el Neopentecostalismo está en ebullición ante el declive pentecostal. En su momento cada movimiento que surge nuevo es atacado brutalmente por el ya existente. Atacar es fácil, aportar es lo urgente para generar una autentica renovación en estos movimientos del Espíritu. La historia revela que cada grupo naciente que es atacado se fortalece, influye y se expande con fuerza realizando el trabajo que se dejó de hacer.

Cada ministro y congregación necesitan entender que la salud de su entorno está en el plan de Dios para alcanzar realmente la ciudad. Pero requiere apertura a la intervención directa del Espíritu Santo. Si la Iglesia del Señor no permite que el Espíritu Santo desarrolle su proyecto en ella, la urbe sufrirá consecuencias sustanciales. Todavía el gran plan de Dios para preservar y salvar a la ciudad estriba en la dependencia que cada iglesia local determine asumir a la dirección de su Espíritu. La Iglesia es el elemento en el plan de Dios para salvación por ello hoy más que nunca requerimos del Espíritu Santo como el Táctico urbano para tocar al hombre y la mujer de la ciudad.

10

ESTRATEGIA URBANA

La estrategia es una herramienta que se utiliza en todos los rubros del quehacer humano desde el principio de la humanidad. Gobierno, ejército, deportes, industrias, empresas y familias hacen uso de este recurso con el fin de alcanzar sus objetivos. La Biblia describe que el Señor aplica estrategias desde la creación hasta la consumación de los siglos. Patriarcas, profetas, reyes, sacerdotes, discípulos, apóstoles e iglesias, en su tiempo y en sus circunstancias, aplican estrategias con el fin de llegar a cumplir el propósito de Dios. Sin mecanismos como estos el plan de Dios no se llevaría a cabo.

En nuestros días la Iglesia es llamada a tomar estrategias correctas para cumplir la gran comisión como se ha hecho desde el primer siglo de la era cristiana. El Espíritu Santo usa hombres y mujeres y los unge; no métodos, técnicas o estrategias porque son herramientas para cumplir los propósitos definidos. Todas son necesarias pero no determinantes; deben ser flexibles, de acuerdo al avance de la Iglesia en su respectiva ciudad.

Entre más cristianos comprometidos vivan en la ciudad, más se diseminará el evangelio. Historiadores señalan que en el 300 d. C. las poblaciones urbanas del imperio romano eran principalmente cristianas, mientras que las áreas rurales eran paganas. De hecho, la palabra pagano originalmente significa *del campo* y se usó como sinónimo para una persona no cristiana. Basado en esta premisa el concepto fue que durante el primer milenio de nuestra era las ciudades de Europa eran cristianas y la gran población rural era pagana.

Actualmente los que viven en centros urbanos, mientras desarrollan sus tareas laborales en las artes, el negocio, lo académico, en lo empresarial, en la publicidad, en los medios de comunicación, en los diferentes campos de la industria y el comercio, tienden a causar y generar un impacto en la cultura porque expresan y reflejan sus valores.

Por ello se requiere de cristianos en todos los campos que la urbe proporciona. Se necesitan cristianos e iglesias locales en los mayores puntos de las ciudades. Si no se hace así, no debemos esperar mucha influencia evangélica en la sociedad y sí, una gran manifestación de la maldad.

El contexto urbano del primer siglo es un contexto imperial donde Roma gobernaba y dominaba en todos los campos y quehaceres sociales, religiosos, políticos, económicos y militares. Las naciones conquistadas habían sido constituidas en provincias y no escapó de ello Palestina, por lo tanto la naciente iglesia de Jerusalén también era parte del Imperio. La pluralidad de cultos era impresionante, pero frente a estos desafíos emerge el movimiento cristiano tocando todas las ciudades. La preocupación de la iglesia no era adquisición de lotes para construcción de templos, tampoco era adquirir permisos imperiales para realizar campañas masivas de evangelización, mucho menos la demanda era obtener una cantidad impresionante de dinero para inundar al territorio con propaganda evangelística.

Los cristianos primitivos no estaban interesados en dar a conocer sus ministerios de apóstoles y profetas, nunca les preocupó la abundancia de religiones místicas y ocultistas que había y mucho menos relacionarse con las personas más influyentes del senado o del gobierno imperial. A la iglesia le eran indiferentes todas estas actitudes y acciones, su inquietud, su razón de ser, su propósito primario, para lo único que ellos vivían era predicar al Cristo crucificado (1Cor. 1:23). Su preocupación era presentar el evangelio de Jesucristo con denuedo (Hch. 4:13, 29, 31; 13:46; 14:3; 18:26; 19:8; Ef. 6:19; 1 Tes. 2:2).

Esta actitud producida en cada nuevo creyente condujo a la Iglesia a conquistar todo el imperio y más allá de sus fronteras, pues cada creyente se constituyó en un misionero. Así la Iglesia del primer siglo se organizó como una iglesia misionera apasionada con estrategias sencillas, no había un ingrediente secreto, nada especial, sólo una respuesta contextual a los desafíos de su realidad pero con una gran disposición y con la fuerza del Espíritu Santo en ellos. La conquista del mundo fue una realidad contundente. Hoy toda iglesia local necesita tener conciencia de su situación urbana y debe entender su responsabilidad de cautivar el corazón de su ciudad para que el evangelio realmente pueda tocar el sistema social en que se sustenta la sociedad.

Los cristianos deben continuar construyendo una comunidad dinámica. No es vivir en la ciudad por vivir, sino crear y presentar en la ciudad un tipo de comunidad como la que Jesús señaló: ***una ciudad*** *asentada en un monte* (Mt. 5:14-16), y desde esa posición puede mostrar la gloria de Dios a su urbe. Los cristianos tienen que ser una ciudad que alterne dentro de la ciudad terrenal, una cultura humana evangélica a la cultura urbana para mostrar cómo se usa correctamente el poder, el dinero, el sexo, la influencia, el trabajo, la familia y las relaciones humanas de forma no destructiva. Pero no basta formar una cultura opuesta a los valores de la ciudad, también hay que crear una comunidad comprometida en beneficio de la ciudad; tener el propósito de servir a los más necesitados.

Los últimos dos capítulos de Apocalipsis manifiestan claramente que el propósito final de la redención no es escapar del mundo material, sino renovarlo. El propósito de Dios no es sólo salvar al hombre de su pecado y la condenación eterna, también es inaugurar una nueva sociedad basada en la justicia, la paz y el amor, y no en el poder, el escándalo y el egoísmo. Así que los cristianos son responsables de trabajar por la paz, la seguridad, la justicia y la prosperidad de su ciudad.

El profeta Jeremías señala que los exiliados no sólo son llamados a vivir en la ciudad, sino también a amarla y trabajar por la paz, por el florecimiento económico, social y espiritual de ella (Jer. 29:7). La palabra exilio en el idioma original también significa *enviado*. Muchos cristianos y aún aquellos que participan en el ministerio urbano son exiliados, es decir, han sido enviados por Dios para dar su testimonio en la ciudad donde se encuentran. Jeremías está interesado en que los creyentes sean elementos de paz en la ciudad, aún en el exilio; y en este contexto las palabras paz, prosperidad y prosperar que usa el profeta son traducidas de la misma palabra hebrea *shalom*.

Esta palabra no es fácil de traducir porque la paz es insuficiente en su significado y traducción. La idea de esta palabra abarca múltiples relaciones de la vida diaria que simboliza la calidad ideal de Israel al vivir bajo la Ley de Dios. *Shalom* es un estado de totalidad e integridad que posee una persona o un grupo que incluye buena salud, prosperidad, seguridad, justicia y profunda alegría espiritual, y es este ambiente el que la comunidad de fe es llamada a generar, sólo así influirá decisivamente en la sociedad y marcará el rumbo a seguir. Este es el único compromiso cultural que cada iglesia local adquiere para su ciudad.

Sí los cristianos simplemente van a los centros urbanos para adquirir conocimiento y poder, nunca lograrán influenciar culturalmente y mucho menos producirán cambios profundos y duraderos en ella. Aquellos cristianos que habitan en la ciudad deben vivir para servir a todos, no sólo a su grupo de amistades. El cristianismo del siglo XXI no será atractivo ni influyente en la urbe si no está dispuesto a servir sacrificialmente a todos; sean creyentes o no.

La conducta de servicio cristiano para algunos puede ser ofensiva porque su conciencia los acusa. En la ciudad enseñar el perdón y la reconciliación puede ser bienvenido, pero la ética sexual bíblica puede resultar agresiva. No se debe atacar la cultura pero sí ministrarla, esperando que en ocasiones sean atacados y servir aun a los antagonistas. La iglesia local requiere un corazón para el ministerio urbano, dejando de mostrar lo que por momentos ha parecido incapacidad para hacer frente a los problemas urbanos.

La Iglesia latinoamericana es responsable de enfrentar a la ciudad equipada con toda clase de herramientas urbanas y sociales para generar un mejor ministerio. Renunciar a su teología anglosajona, diseñada en y para la Europa rural de hace dos siglos, que lleva a despreciar la ciudad y amar el campo; llevar a cabo un serio estudio de nuestra respectiva cultura urbana y cuál es la teología correcta y necesaria que realmente satisface el clima espiritual de nuestras ciudades latinas.

La sociedad judía buscó el poder espiritual, la sociedad romana magnificó su poder militar expansionista, mientras la sociedad griega valoró en grado superlativo el conocimiento (1 Co. 1:22-25). Cada una de estas culturas fue confrontada con la realidad de sus crisis y errores. Las tres escucharon el mensaje del evangelio y fueron dominadas por la esperanza que sólo la Palabra de Dios tiene como respuesta a sus grandes interrogantes. Jesucristo es el único que puede resolver los problemas existentes en las sociedades y dar esperanza a la cultura. El evangelio permeó las estructuras sociales y culturales e influenció decisivamente en ellas, por lo cual, hoy debemos llevar a cabo la misma tarea en nuestro respectivo contexto urbano.

Indicadores de la transformación urbana

Se debe obedecer las Escrituras y desplegar acciones bíblicas hacia la ciudad. Aprender a oír no es sólo una actividad espiritual, es una lectura de las acciones de Dios que muestra cómo la iglesia local tiene que involucrarse en los problemas que ésta confronta, y entender la revelación espiritual directa de Dios. Necesita escuchar el corazón de Dios para la urbe. Nehemías oró, ayunó, lloró y tomó acciones por su ciudad cuando recibió los informes de la condición en la que se encontraba. Sus oídos fueron abiertos para escuchar la voz de Dios y con ello nace la visión; viaja hasta ella, inspecciona las ruinas y desarrolla la visión. Se necesita saber cuáles son y dónde se encuentran las ruinas de nuestra ciudad y antes de tomar cualquier acción, entender los propósitos del Señor.

Escuchar los lamentos de la ciudad es la manera de involucrarse en la agonía y el dolor de sus habitantes. Dar oídos sordos a los lamentos de la urbe evitará que la Iglesia se involucre en las necesidades de ella. Jesús enseña a escuchar estos lamentos; lo hizo cuando predicó en ella y no le fue difícil encontrar a las ovejas perdidas: las prostitutas, los pecadores, los descarriados y los desechados de la sociedad.

Es necesario percibir los vientos del Espíritu en la ciudad. Saber qué es lo que Dios está haciendo en ella, comprender lo que está pasando en cada comunidad de fe local, en cada ministro y en cada plantador de iglesias. Discernir cómo el Espíritu Santo está escribiendo la historia de la Iglesia en la urbe. Es en este rubro que se necesita distinguir cómo la Iglesia crece, cuáles han sido los eventos importantes y los factores determinantes que han afectado la vida espiritual. Compilando esta información se alcanza a tener un claro panorama de cuáles son los indicadores importantes que transforman la ciudad. La equivocación se manifiesta cuando se ataca, juzga y vilipendia toda acción ministerial y eclesiástica que genera transformación social en ella. Comunidades de fe locales en todo el mundo están alcanzando un gran número de miembros que ha rebasado las expectativas y nadie se ha tomado la molestia de preguntar cómo lo hacen.

La Misión señala el elemento de reconciliación con Dios y la metrópoli. Para ello urge un número creciente de iglesias activamente involucradas en la transformación espiritual de su ciudad. Es imperativo que las iglesias existentes tengan un plan de plantación, entre más iglesias sean fundadas un número mayor de personas entrarán en contacto con el mensaje del evangelio y más oportunidad tiene la ciudad de reconciliarse con el Señor. La urbe tiene que ser confrontada con su necesidad de redención.

Las matemáticas son simples; a menor número de iglesias locales, menor oportunidad tendrán los habitantes de conocer el amor y la misericordia de Dios. A mayor número de congregaciones, mayor será la oportunidad de Salvación y por ende de una real transformación social. Las comunidades de fe locales deben ser animadas por una espiritualidad apasionada que involucre actos concretos de reconciliación y de justicia para el bienestar de su entorno. Conforme se va dando la penetración y expansión en las áreas citadinas, las iglesias locales se animan más y buscan del poder y la presencia del Señor para cumplir su cometido misionero.

La Iglesia es responsable de generar un evangelismo y servicio que toque y alcance su ciudad. Los ministros deben generar acciones para que las congregaciones hagan uso de los dones que el Señor les ha dado. Dones que utilizan para anunciar las Buenas Nuevas en todos los niveles sociales. De esta manera, entiende que sus dones no son únicamente para servir al interior de la comunidad de fe sino también en beneficio de la ciudad. Ministrando y sirviendo con sus capacidades espirituales la Iglesia producirá equidad financiera, política, social, posibilidades de adquisición de un lenguaje correcto, infraestructura, vivienda, transporte público y educación equilibrada, entre otros.

La Iglesia puede ayudar a proveer un desarrollo mejor a los niños y jóvenes para aprender a vivir en paz con Dios y entre ellos; guiados por valores espirituales que enriquezcan su vida y les permita alcanzar el tope de su potencial en bienestar de la ciudad. Con ello se da un declive en las estadísticas de suicidio de niños, adolescentes y jóvenes. Los adultos viven vidas saludables, los matrimonios son estables y las familias son equilibradas. De esta manera la Iglesia desarrolla una prevención social que a los gobiernos de la ciudad ha causado grandes dolores de cabeza.

La Iglesia se encuentra dentro de una sociedad que genera la ciudad. Esto da múltiples oportunidades a las congregaciones para ministrar en las instituciones que la sociedad misma ha creado de manera voluntaria o involuntaria. Ya sean niños de la calle, indigentes, ciudades perdidas, vecindarios olvidados, prostitutas, madres solteras, viudas, clase política, divorciados, grupos lésbico gay (lgbt), huérfanos, grupos empresariales, y otros. Algunos de estos son vulnerables y desconectados de la ciudad; sólo la iglesia local puede reconectarlos. De esta manera, cada congregación genera la impartición de justicia es efectiva.

Así la violencia juntamente con el abuso sexual, la falta de justica, la violencia intrafamiliar y la vejación por citar algunos, irán en declive. Cada comunidad de fe se convierte en mayordomo de los elementos sociales y culturales, creando una ciudad atractiva; con áreas urbanas donde la expresión artística se dé sin restricciones y la herencia de estos lugares sea valorada con profunda estimación. La iglesia será creadora con la capacidad de reducir la contaminación pecaminosa y forjar un excelente y mejor ambiente moral, espiritual y social.

El mejor modelo de iglesia urbana

El testimonio del crecimiento y surgimiento de mega-iglesias en los últimos años ha causado revuelo en los círculos cristianos. Esto ha generado que tanto organizaciones cristianas como iglesias locales estén a la caza de métodos que les lleve a experimentar esta abundancia numérica en sus miembros. Algunos de estos métodos se presentan como revolucionarios donde se exponen los pasos, los niveles, los principios, las facetas y demás rubros que se adjudica a estas novedosas técnicas de crecimiento.

Cumplirlos, dicen sus exponentes, logrará que cualquier ministro o congregación local experimente un pronto crecimiento en el número de feligreses. Las estrategias para la expansión de la iglesia van desde afirmaciones básicas hasta teoremas complicados. Los cuadros comparativos de maestros, eclesiólogos, teólogos, pastores y escritores presentan acciones para la expansión de la iglesia. Cuando algunas de ellas se presentan, los oyentes beben todo e inician un sistemático reacomodo en sus congregaciones con el fin de observar prontamente resultados como se les indicó. No todo está fuera de lugar, por el contrario, su aporte es cabal, objetivo, sociológico y bíblico, y estos son unos de los tantos ejemplos existentes en el mercado eclesiástico.

El eminente autor David J. Rode (2002) cita a Wendell Belew (pág. 64) y señala que hacer demasiado énfasis en la koinonia dará muerte a la iglesia. Lo que se requiere hacer para que se expanda es acentuar un propósito definido como comunidad, un liderazgo con autoridad que dirija y sepa hacerlo, una estrategia de crecimiento desarrollada, una comprensión de la comunidad cercana, llevar a cabo actividades acordes a la comunidad en cuestión y hacer que la gente participe en las actividades.

El autor de la obra *Principios del Pescador* (Fickett, 1988) señala la necesidad de que la iglesia se centre en Cristo, la importancia de basarse bíblicamente en todas sus actividades, que la congregación sea una comunidad evangelística, que tenga una membrecía totalmente regenerada, que ésta a su vez posea absoluta confianza en sus líderes. Además de esto, Fickett fundamenta su propuesta de que la iglesia debe desarrollar una estrategia financiera de acuerdo a las Escrituras, que tenga el personal adecuado, que siempre se encuentre motivado por la fe, que exista diversificación en el servicio que ejerce y sea equilibrada en los énfasis.

Uno de los exponentes más reconocidos en el crecimiento de la iglesia, Schaller (1994), enseña que para que se dé el crecimiento de la iglesia se requiere desplegar una predicación bíblica, poner énfasis en el evangelismo, desarrollar círculos de compañerismo, crear oportunidades de dedicación, generar un liderazgo importado, es decir, de otras confesiones cristianas, acentuar especialidades en el ministerio y colocar un ministro que ame a la gente. El afamado escritor y el pastor Yamamori & Lawson (1975) señalan en su obra que la expansión de la iglesia se dará en el marco donde cristianos realmente tengan fe, que crean. Necesitan querer y esperar el crecimiento, dicen. Los cristianos que son dinámicos deben producir y esta producción será conquistando a sus propias familias, y a los de su propia cultura. Los nuevos convertidos, siguen explicando, deben ser enseñados para que inmediatamente a su nueva experiencia de salvación se pongan a trabajar aceptando el desafío del cambio. Y concluyen, las iglesias necesitan buscar sentirse parte de la comunidad porque los cristianos tienen la responsabilidad de pedir al Señor por su propia congregación y sociedad.

El matrimonio de escritores Alvin & Palmer (1984) que en su haber tienen 165 libros cristianos dirigidos a jóvenes y adultos, describen la importancia del crecimiento de la iglesia. Uno de estos libros *Mientras el sol está en alto: La historia de las misiones de la Iglesia Evangélica Libre en América del Sur* está dedicado al trabajo de las misiones y los misioneros de esta organización evangélica. El libro describe su historia, la espiritualidad, el trabajo y la religiosidad de este movimiento. En él, el matrimonio Palmer señala que para obtener un crecimiento sostenido en la iglesia se requiere darle importancia a un análisis y evaluación de la situación de la iglesia local y de su entorno, además de ello, debe llevarse a cabo un fuerte énfasis en las Escrituras. La expresión de mucho amor, un liderazgo dinámico, adaptabilidad y seguir un programa definido ayuda sustancialmente a iniciar el camino del crecimiento, señalan.

El prolífico escritor C. Bill Hogue (1977) define en su obra que el crecimiento de una congregación es como un sueño indomable. Tanto la congregación como líderes y ministros deben tener el propósito de extenderse o perecerán, determinar principios sustentados en una dinámica bíblica, prioridades en que lo imposible se puede hacer posible; el pastor es quien marca el paso y la gente son los que participan. Además, señala que el primer proceso es adaptar el sistema a la iglesia, el segundo es despertar, equipar y desarrollar, el peligro es tener cuidado con los pastores que se producen, el poder es el lado emocionante del pentecostalismo y el producto será el sueño vuelto realidad.

Los ilustres escritores Chaney & Lewis (1977) señalan en su investigación que toda congregación que se encuentre en desarrollo y crecimiento es porque realmente saben hacia dónde se dirigen. Estos autores manifiestan además que estas comunidades de fe se han centrado en unidades homogéneas como base de su crecimiento, que movilizan y entrenan a todos y cada uno de los miembros, y que tienen ministerios diversificados, y saben utilizar dinámicas en sus grupos pequeños. Son concluyentes al decir que estas iglesias se han centrado en un evangelismo directo y buscan progresar en la fe.

La experiencia de profesores de misionología del Seminario Teológico Nazareno de Kansas como Hurn & Orjala (1993) y otros suscriben que los dones espirituales tienen la función primaria de hacer discípulos. Dicen que las iglesias saben de dónde vienen sus convertidos, hacen planes para obtener resultados, preparan a la gente para el evangelismo, incorporan nuevos convertidos, utilizan los múltiples dones y ministerio para que se especialicen en los que les da mejor resultado. La experiencia de Paul Orjala como plantador de iglesias en Haití por catorce años sustenta su tesis.

El pastor de la iglesia *New Hope Christian Fellowship* en la ciudad de Honolulú, una de las iglesias de mayor crecimiento de la nación, Cordeiro (2004) señala en su obra *La iglesia como equipo* que el papel del pastor y los líderes es equipar a la iglesia, pues para la expansión de ella se requiere crear equipos específicos para formar líderes que se conviertan en plantadores de iglesias. Éstos se enfrentan al reto de buscar creyentes de los que ya asisten a la iglesia y producir líderes, y para ello deben invertir tiempo y esfuerzo en el desarrollo del carácter de líder. La iglesia, dice Cordeiro, debe tener la aceptación común de la visión y llevarla a la práctica, llevar a cabo la transición de la congregación hacia una mentalidad de equipo de liderazgo, y desarrollar una atmósfera propicia a fin de mantener los miembros del equipo.

El afamado investigador y escritor Shannon (1977) en su obra *La Crisis de Crecimiento en la Iglesia americana: Un Estudio del Caso Presbiteriano*, analiza las razones del declive en el número de miembros del movimiento presbiteriano. Señala que para lograr la expansión de la iglesia se requiere que la comunidad de fe posea el deseo de crecer, tenga un pastor dedicado de tiempo completo para generar el crecimiento y para ello requiere invariablemente que el pastorado sea prolongado, es decir, aquellas personas que asuman este ministerio deben hacerlo a largo plazo, de otra forma el crecimiento no se dará en esa congregación. Junto con ello, dice Shannon, se necesita desarrollar clases regulares dirigidas a la membresía con el fin de educarla y prepararla para la captación de nuevas personas; está totalmente prohibido hacer labor de proselitismo en otras iglesias, pues nunca se deben tocar miembros de otras congregaciones. Los programas que la iglesia genere deben estar designados a contactar a los que no están integrados a alguna iglesia, haciendo una labor de evangelismo constante, señala enfático.

El fundador del Ministerio Libertad en Cristo y presidente del Ministerio de Consejería para el Discipulado y ex presidente del Departamento de Teología Práctica de la Escuela de Teología de Talbot, junto con el director ejecutivo de la Misión Evangélica de los Amigos, Anderson & Mylander (2007) puntualizan en su trabajo de investigación la necesidad urgente de confrontar los pecados colectivos e individuales de la iglesia local. De no hacerlo reinará al interior de la comunidad de fe la desunión, se estancará el crecimiento y se multiplicarán los conflictos interpersonales, por lo que se precisa un plan bíblico de arrepentimiento colectivo.

Ambos autores señalan la problemática, la práctica y la confrontación bíblica del pecado colectivo, teniendo en cuenta la realidad del mundo espiritual, la necesidad de hacer correcciones dentro del liderazgo y los problemas administrativos que se presentan, así como la necesidad de identificar las fortalezas y debilidades actuales de las iglesias. Los investigadores concuerdan en señalan la necesidad de restaurar las relaciones quebrantadas y sanar los corazones rotos, pues se necesita urgentemente edificar la moral de la iglesia local, seguir las órdenes de ir hacia adelante, descubrir el papel que le corresponde a cada miembro en el crecimiento de la iglesia, determinar cerrar la puerta trasera y apuntar al blanco evangelístico, y sólo así se dará sustancialmente el crecimiento.

El pastor menonita del área del Medio Oeste, Bartel (1979) expresa que la iglesia requiere una dedicación clara y decidida de su gente. La congregación tiene que saber claramente por qué existe, proveer un clima a su interior en que se acepta y robustece a las personas y multiplicar el número de los grupos significativos. El pastor Bartel acepta que el evangelismo es una responsabilidad básica de la iglesia local y señala la importancia de un liderazgo que capacite y estimule al crecimiento. Afirma que la iglesia debe hacer frente y resolver todos los obstáculos del crecimiento; que es igualmente responsable de plantar nuevas iglesias intencionalmente y procurar entender, y analizar la situación en que Dios la ha colocado. La iglesia, dice el pastor Bartel, tiene que hacer planes con expectativas, usar los dones espirituales en el culto de adoración, generar el compañerismo entre los miembros, preparando así a los que son llamados a realizar la misión.

El profesor de Misión, Crecimiento de la iglesia, y Estudios de Asia del sur de la Escuela de Misión Mundial en el Seminario Teológico Fuller y el fundador del Instituto de Crecimiento de la Iglesia en América, McGravan & Arn (1977) señalan que las iglesias deben ir descubriendo los principios de su propio crecimiento. Para que esto se dé, explican, los miembros en conjunto necesitan respetar los principios bíblicos, entregarse al propósito de Dios y dar prioridad al evangelismo efectivo en su comunidad. La iglesia es responsable de discernir, dicen los autores, entender y conocer la comunidad, además se hace necesario que busque nuevos grupos y las formas de discipular conforme a estos grupos lo necesiten. La iglesia debe arriesgarse a reestructurarse las veces que sea necesario para generar el crecimiento, no hacerlo acarreará su muerte.

Los investigadores y promotores de cruzadas en campus universitarios Jenson & Stevens (1981) aplican una base bíblica que dicen, generará crecimiento continuo. Con ello este par incorpora principios de liderazgo bíblico al llevar su experiencia en las universidades a las iglesias locales y aplicarla en ellas. Señalan que el principio de la oración es imperativo para pedir que Dios haga milagros y exigen que la adoración experimentada en un servicio de celebración corporativo sea significativa para los asistentes. Para los autores el propósito de unirse alrededor de objetivos comunes es indispensable para el crecimiento, por lo que se tiene que realizar un diagnóstico que analice y evalúe tanto a la iglesia local como el entorno social donde se encuentra. Así se determinarán cuáles son las prioridades que necesitan poner mayor énfasis en actividades y valores importantes al medio ambiente social.

La iglesia, siguen explicando éstos autores, necesariamente tiene que hacer planes que proyecten las formas de conseguir objetivos y crear programas para producir ministerios que se muevan hacia ellos. La congregación asume la responsabilidad de crear un clima donde irradie amor, servicio, testimonio y expectativas, desarrollar un liderazgo que motive y guíe hacia metas. Los ministros han de usar los aspectos más fuertes de la membresía de forma individual, estableciendo un alto sentido de pertenencia, desarrollando relaciones interpersonales profundas a través de grupos pequeños, presentando un evangelismo explosivo y formando un discipulado que genere la multiplicación y dedicación espiritual. El reverendo coreano Kim (2000) en la Conferencia Mundial de Evangelismo, celebrada en Ámsterdam en el año 2000, señaló cuáles son los motivos de la evangelización. Describe la necesidad de que la iglesia entienda los presupuestos básicos para cumplir fielmente la Misión. En este conglomerado hizo hincapié en que la oración es la premisa, la predicación es el plan, el camino por el que debe transitar la iglesia es la pureza, la alabanza como prioridad y la persecución el requisito previo. Unidos estos factores, señaló el reverendo, el crecimiento se generará en la iglesia.

Por su parte el pastor y escritor Warren (1998) determina que el crecimiento de la iglesia se da en cinco vertientes en las que necesita trabajar con decisión y precisión; la adoración que fortalece, la evangelización que llega a la comunidad, el discipulado efectivo que es resultado de un núcleo de ministros para que desarrollen sus dones, la comunión de discípulos que genera un mayor compromiso y el servicio en las diversas áreas ministeriales.

En su particular visión el fructífero escritor Getz (1982) establece en su obra la importancia del uso del lente de las Escrituras, el lente de la historia, el lente del aspecto socio-cultural y el lente doctrinal para comprender y entender la realidad de la iglesia local. Getz pone énfasis en el encuentro personal con Cristo de una perspectiva ministerial, que la iglesia necesita establecer a su interior entre lo que es Cristo-céntrico y lo que es ecle-céntrica, entre la que es dinámica y estática, y entre la orto-praxis y la ortodoxia, con ello cada congregación se perfilará a realizar mucho mejor su responsabilidad eclesiástica.

El prolífico escritor e investigador Schwarz (1999) señala que cada iglesia es única y diferente de las demás. En su investigación estimula a todas las iglesias a descubrir y desarrollar su propia naturaleza individual; especial y dada por Dios. No pretende fabricar iglesias modelo, busca liberar el potencial con el que Jesucristo ha provisto a cada comunidad de fe local: Jesús es quien hace crecer la Iglesia, y no los esfuerzos humanos, dice Schwartz. Tiene como objetivo ayudar a las iglesias a determinar su propio plan de desarrollo, sostiene que se necesita un liderazgo capacitador, ministerio según los dones, estructuras funcionales, culto inspirador, células integrales, evangelismo según necesidades y relaciones afectivas.

En otro tenor el pastor colombiano Castellanos (2009) describe el crecimiento que se da cuando se ha alcanzado al perdido y sea consolidado, discipulado y enviado a través de un equipo de doce personas llamado G12. El diseño de su plan nace al ver la necesidad de miles de personas que en el proceso de ser ganadas no duraban mucho tiempo en su decisión por Cristo y daban marcha atrás. El trabajo demanda grupos pequeños llamados células que se reúnen una vez por semana. En esta reunión se tocan temas de la Biblia enfocados directamente a suplir la necesidad de cada asistente. Las células funcionan a través de grupo homogéneos y meses después todas las células se reúnen para realizar una concentración masiva donde la gente experimenta la Cruz y tiene un verdadero encuentro con Jesús.

El tiempo de la reunión masiva es de tres días, tiempo en que las vidas de los asistentes son completamente restauradas, allí aprenden a perdonar, recibir un mensaje de esperanza y un nuevo significado para vivir. Después los asistentes pasan un periodo de tiempo donde se prepararán para ser líderes. Esta actividad se llama Post-encuentro, tiempo en que los estudiantes repasan lo que aprendieron y afirman su relación con Dios. Esta actividad se compone de tres niveles: Nivel 1, restauración de la Familia. Nivel 2, el plan de Dios para tu vida y el desarrollo de la Visión y Nivel 3, Liderazgo. Este es el programa realmente la iglesia crecerá, afirma Castellanos.

La iglesia Elim de la República de San Salvador, CA., dice el pastor, productos y escritor Vega (2007) que maneja un modelo parecido al pastor Cesar Castellanos. Trabajar en base al modelo de células, pero con una modalidad diferente. Ellos sostienen que su iglesia establece ciclos. Éstos inician con el ciclo evangelístico, le sigue el de consolidación, a este el de discipulado y concluye con el ciclo de liderazgo. Cada uno de estos se va dando de acuerdo al desarrollo y avance de la célula y el asistente.

Así mismo el doctor y vice-presidente de la Junta de Misiones Norteamericanas Robinson (1977) señala que la situación de la iglesia organizada e institucional se encuentra hoy en peligro. Es posible, dice Robinson, que estemos perdiendo la batalla por la conquista de la mente de los hombres y mujeres a causa del materialismo, humanismo y el secularismo. Uno de los problemas sostiene, es que la persona promedio tiene poco conocimiento de lo que realmente es la verdadera Iglesia, por ello los principios bíblicos de la vida de una iglesia deben aplicarse con precisión. La estrategia es enseñar la función de la iglesia como el cuerpo de Cristo bajo su liderazgo para exaltar al Salvador, equipar a los santos y evangelizar al pecador. Robinson termina expresando que hoy la iglesia institucional puede evitar el decrecimiento utilizando una tecnología más efectiva, pero debe principalmente regresar a la visión del evangelismo del Nuevo Testamento.

El escritor y misiólogo Van Egen (2004) señala en su obra *El pueblo misionero de Dios*, que se debe centrar la atención en las señales, el dinamismo, el misionismo, la participación y la redención en la que participa la comunidad de fe. Carlos Van Engen desafía al lector con una eclesiología misionera que se adapta a los desafíos del siglo XXI. Presenta una eclesiología ecuménica que trasciende las barreras culturales y étnicas del cristianismo, despliega una perspectiva del Reino de Dios y del pacto con su pueblo, que transforma la forma de realizar la misión.

Una acotación que hace Van Engen es la transcripción que hace de Robert Linthicum fundador y presidente emérito de Partners in Urban Transformation, un ministerio dedicado al empoderamiento de iglesias y comunidades urbanas. Se desempeñó como director de trabajo urbano para World Vision International. Ha enseñado el ministerio urbano en numerosos seminarios y escuelas de postgrado en los Estados Unidos y en el mundo. Este prolífico autor menciona tres puntos de vista de una iglesia respecto a su ciudad. Señala que la iglesia se ve a sí misma en la ciudad, pero no se identifica con ella. Segundo, la iglesia se ve a sí misma como una iglesia a la comunidad, participa, pero decide lo que necesita la comunidad, y provee servicios sobre la base de su percepción. Tercero, la iglesia con la comunidad, este es el acercamiento de encarnación de la iglesia en la ciudad. La comunidad de fe llega a identificarse plenamente con las personas; escucha, aprende, se identifica y llega a ser socia de la comunidad dice Linthicum.

El pastor y prolífico misionero, fundador de la Iglesia entre los mexicanos a principios del siglo XX (Asambleas) Henry Clio Ball describe los aspectos que debilitan la expansión. Menciona que un pastor sin visión, que quiere mandar en todo, la falta de interés en los miembros , la crítica de ellos, oficiales negligentes y pesimistas, caer en una rutina y no salir de ella, miembros que no diezman, comenzar los cultos tarde, no dar la bienvenida a los visitantes, falta de interés en ganar a otros para Cristo, templos sucios cuyos jardines muestran indiferencia, el tiempo de liturgia prolongado más de lo razonado, pero sobre todo, una predicación con más énfasis en lo emocional, sin doctrina, ni base bíblica es el coctel que se necesita para que el Evangelio sea rechazado, y las iglesias no crezcan.

El distinguido profesor y escritor Green H. L. (1972) al realizar la pregunta ¿por qué mueren las iglesias? responde: problemas con el programa es el resultado de la indiferencia, problemas con personas involucradas es falta de entrenamiento, problemas orgánicos implica una reproducción deficiente, problema de koinonitis involucra un exceso de amor y problemas estructurales que radican en la funcionalidad.

Así la lista de exponentes y testimoniales sigue creciendo, llenando los estantes de las librerías día a día. ¿Qué debe hacer la iglesia local con toda esta cascada de información?, ¿aplica algunos, todos o ninguno de estos elementos presentados?, ¿funcionarán?, ¿le ayudarán? Lo que es claro es que las iglesias locales tienen la responsabilidad de propagar el evangelio en la ciudad. Cada congregación debe sustentar su proyecto personal en el trabajo evangelístico y en el discipulado (Mt. 28:16-20).

¿Cómo debe hacerlo? Esa es la pregunta a responder por cada iglesia local y sus pastores hoy.

¿Qué estrategia aplicar hoy?

Actualmente las o la estrategia para alcanzar la ciudad dependen de varios factores importantes que cada ministro e iglesia local deben analizar. Si no lleva a cabo este análisis, la visión del ministerio urbano será miope, el avance del evangelio no se dará y el esfuerzo realizado será infructuoso. Se necesita tener conciencia del tipo de ciudad en la que se encuentra, la idiosincrasia de sus habitantes, el medio ambiente social y urbano, el clima, el origen y la historia de la ciudad, los proyectos urbanos, sociales y políticos, la economía en la que se sustenta, el manejo político, la educación y tecnología que utiliza, la violencia y el crimen que permea, los diversos grupos sociales que influyen, los grupo sociales que son minoría, los grupos religiosos que se han asentado y la distribución de los recursos.

Es necesario conocer los diversos tipos de campos misioneros ya existen en ella. Desgraciadamente ministros e iglesias locales están ajenos a su realidad urbana y no es sorpresivo observar que son ineficaces y están aisladas de su propia ciudad. El ministerio urbano no debe perder la expectativa que la herramienta central es la predicación de la Palabra de Dios. Las acciones de ayuda social son el enlace que ayuda a establecer contacto con las personas. Estas acciones no están al mismo nivel que el evangelio. La iglesia forma y fomenta relaciones con propósitos redentores, las relaciones no son un fin, son un medio. Construir relaciones con el perdido es la forma de conducirlos a Dios para que ellos puedan entender y aceptar el evangelio.

El discipulado que se desarrolla y aplica en y por la Iglesia no es un programa de la iglesia local, es un estilo de vida cristiano. El discipulado se extiende en todas las áreas de la vida, toma tiempo y es un compromiso.

Es de suma importancia que la Iglesia realmente entienda la ciudad, que lleve a cabo una seria investigación para definir en qué tipo de urbe está asentada, pues es parte de ella, todo tiene que ver con la ciudad. Si la iglesia local y el pastor no entienden su urbe difícilmente podrán desarrollar un programa de expansión y asentamiento evangelístico. El pastor y profesor Castillo (2009) señala en clase que el pastor: "tiene que hacer un análisis del ambiente urbano desde la óptica de Dios, porque el ministro es un agente de cambio en la ciudad como en su momento lo fue Moisés, Josué, Nehemías, los profetas y el apóstol Pablo". La causa primaria de la ineficacia expansionista de la Iglesia es que se encuentra cerrada en su propio entorno, no se asoma a la calle, se le ha olvidado que la gente de la ciudad desconfía de todo, menos de aquellos con los que realmente tiene relaciones estrechas.

El ministerio de Jesús en la ciudad fue efectivo y lo caracterizó el desarrollo de amistades que llevó a cabo. En el momento que la iglesia local inicie esta actividad podrá descubrir la historia de vida de las personas, pero este proceso lleva tiempo y la comunidad de fe necesita desarrollar amistades aunque implique un proceso largo de tiempo y dinero. Es importante preguntarse ¿qué busca la gente al llegar a una reunión de iglesia? Según un estudio sociológico realizado en América Latina, la gente llega por primera vez a una iglesia cristiana con el fin primario de buscar amistades. Muchas congregaciones locales no saben hacer amistad, no saben cómo reaccionar con visitas, desde el púlpito se da un saludo no se busca a las personas que llegaron, craso error. Existe una urgente necesidad de reeducar a la congregación en este rubro, entonces podrá diseminar con efectividad el mensaje de Salvación.

Jesús inicia su acción evangelizadora de manera distinta a los maestros de la Ley, en lugar de hablar, realiza milagros asombrosos. Todo comenzó en el relato de Marcos en la sinagoga de Capernaum (1:23). Jesús entra en la congregación de esta comunidad, nadie reconoce al forastero que acaba de entrar pero un hombre poseído por un demonio sí lo ubica. Jesús hace frente a este espíritu religioso y le ordena salir de él. Este hecho provoca asombro en los presentes (1:21-27). En el Antiguo Testamento no relata sobre un liberador de las molestias satánicas. Se mencionan personas que oran o cantan y los demonios se alejaban por un tiempo. Pero nadie le había dado una orden a un demonio para que se fuera. Nunca antes de este día alguien había ordenado a un demonio y fue obedecido. Marcos describe a Jesús dando órdenes a los demonios. Es la primera vez que un hombre natural se conecta en el ámbito espiritual y da una orden, y ésta se obedece. Jesús que es Dios, al hacerse hombre, otorga esta autoridad a sus seguidores para que hagan lo mismo en los lugares donde prediquen el evangelio.

Toda iglesia local sana crece, se expande y planta nuevos centros de predicación en la ciudad, piensa cómo reproducirse saludablemente en las áreas urbanas de cada nación del mundo. Lucas dice en Hechos que la estrategia urbana de Pablo siempre fue la misma, formar, desarrollar y enviar equipos (Hch. 13:1, 14:21-22, 16:3, 20:4). El propósito es iniciar varias iglesias locales en áreas donde puede extenderse su influencia en una región determinada (Hch. 19:8-10; 20:20). Desarrollada la iglesia local, Pablo forma y crea discípulos que puedan reproducir a otros (Hch. 14:21-23; 2 Ti. 2:2). La Iglesia del primer siglo preparó equipos que iniciaron con un plan escalonado que produjo un grupo de iglesias locales que continuaron extendiéndose a otras áreas urbanas (Hch. 19:10; Col. 2:1; 4:12-13).

¿Iglesia saludable, ministros enfermos?

La iglesia debe ser agresiva en el discipulado por causa de la mundanalidad que se expande en la ciudad. El enemigo a vencer es la mundanalidad, pero la iglesia necesita conocer la ciudad entendiendo que la sociedad tiene estructuras sociales que se apropian del espacio, su demografía, las causas de la migración, el sector público, la marginalidad, la estructura interna de la economía urbana, sus recursos, la población económicamente activa, los efectos que genera la ciudad en los individuos como el dolor, la soledad, la angustia y la nostalgia.

Los personajes bíblicos entendieron su realidad urbana y se movieron en torno a ella. En el caso de los dos últimos, llegaron a las ciudades, hicieron milagros y edificaron una iglesia dentro de la ciudad. Jesús y Pablo realizan un evangelismo urbano, concentran su fuerza evangelística en ellas. La materia prima en la ciudad es el ser humano. Muchas iglesias dependen de sus recursos para actuar pero pocos tienen claro lo que deben hacer. El crecimiento de la iglesia no se da por una estrategia específica, es el Espíritu Santo quien genera este crecimiento pero la iglesia y sus pastores deben invariablemente tener la unción del Espíritu.

Dios llama a los cristianos a ser efectivos y lo que se demanda es la urgente necesidad de un ministerio saludable en su corazón y emociones. Sólo el poder del Espíritu Santo puede hacer. Quien esté enfermo del alma y del corazón, enfermará a los que lo escuchen. Jesús enfrentó ministros con corazones y emociones enfermas, y eso marcó la diferencia en su autoridad (Mt. 7:29; Mr. 1:22). En este siglo XXI el ministerio y la iglesia latinoamericana se encuentran ante oportunidades tecnológicas y recursos sin precedentes. Nunca antes ha estado la iglesia tan preparada para impactar globalmente. Por desgracia ante esta oportunidad existe una crisis de liderazgo eclesiástico. Los pastores están abandonando el ministerio en números record y esto es sólo la punta del iceberg. Un ministro enfermo en sus emociones es un amputado emocional y su alma está amputada también, y sólo tiene la capacidad de esparcir su enfermedad. Tienden a producen familias e iglesias enfermas.

Existen ministros y ministerios con emociones terriblemente deteriorada. Manifiestan situaciones graves en su alma. Es una condición de carácter patológico. Revelan síntomas de su condición y padecimientos específicos como enfermos financieros, su corazón está puesto en las posesiones y su razón de ser es engrosar su cartera, están ávidos de riquezas y esta anormalidad los mueve a desarrollar sus actividades ministeriales. También están los enfermos sexuales, aquellos que en su corazón y su mente son gobernados por la lujuria. Ministros que han sido atrapados por la pornografía y el adulterio no son pocos.

Están aquellos que persiguen desde la plataforma de su congregación una posición política en su organización. Sutilmente se deslizan por una vertiente donde su corazón comienza a llenarse de poder, influencia, estrategias y componendas políticas que tuercen el origen de su llamado; su amor por perpetuar su nombre, poder e influencia política eclesiástica trae como resultado enemistades, divisiones, celos y envidias para con sus consiervos. Esta hambre de poder los conduce a estorbar el desarrollo de otros porque son vistos como futuros enemigos políticos en potencia. El poder corrompe, pero el poder ministerial político puede dañar más.

Un líder e iglesia sanos son aquellos que desarrollan espiritualidad constantemente que en determinado momento tocará el corazón de la comunidad. El mensaje que Jesús dio en la comunidad de Nazaret (Lc. 4:18, 19), manifestó que había llegado a sanar las heridas del alma en un proceso de renovación diaria y continua. Con preocupación se observa que ministros no reconocen su enfermedad del alma y la esconden en el activismo o misticismo, y otros la reprimen. Requieren urgentemente un proceso de ministración pastoral para encontrar la libertad perdida y la paz a su espíritu. Mientras el ministro siga creyendo que su crisis es un estilo normal, seguirá afectando su vida y limitando su crecimiento espiritual; no podrá cumplir los propósitos de Dios, no tendrá la capacidad de llevar una vida plena en su hogar y en la iglesia donde ministra. El comportamiento, las actitudes y los hábitos ministeriales necesitan ser transformados plenamente y este proceso continuo muchos no están dispuestos a seguirlo, esta es la razón que tantos ministros viven solos, sin un sólo amigo. Esto es el resultado de una vida enferma.

Todo ministro necesita ser pastoreado. Urge un ministerio pastoral dirigido a los ministros que sufren y experimentan sustancialmente crisis en sus vidas. La falta de pastorado en ellos ha acarreado terribles consecuencias; sin apoyo emocional afectivo, sin la presencia de sus líderes organizacionales, sin la orientación y asesoramiento en diversas situaciones conflictivas, sin la formación en el cómo enfrentar conflictos interpersonales, familiares, matrimoniales, la toma de decisiones es bajo estrés y presión. Sin una mayor seguridad personal el ministro se ve envuelto en constante presión, y sin amigos reales y sinceros por las constantes traiciones ministeriales en las que se ha visto envuelto con otros colegas. Estas experiencias lo han conducido a cerrarse aún más y consumiéndose en su angustias, enfermando su alma, su vida y su ministerio. Ministros sanos generan iglesias sanas, ministro enfermos producen congregaciones crónicas, se requiere contar con un pastor que escuche, entienda y ayude a sanar la vida y familia del ministro.

Pablo en la ciudad de Éfeso

La llegada del apóstol Pablo a Éfeso (Hch. 19-20) generó una expansión evangelística tanto en la ciudad como en el área. Éfeso era la principal ciudad de la provincia de Asia Menor. A esta urbe portuaria llegaban caminos de toda Asia Menor para embarcar y recibir todo tipo de productos que eran trasportados por toda la región. La ciudad era un gran centro comercial y prominentemente eje de religiones y cultos paganos por ser cosmopolita. El culto imperial florecía con exacerbado auge, ya que contaba con tres templos dedicados a esta expresión religiosa.

En cada puerta de entrada a la ciudad había una casa con baños públicos, y a nadie se le permitía entrar sin haberse bañado completamente. Éfeso era centro de educación, con escuelas, bibliotecas y salones de conferencias. Los hogares de los ricos estaban acondicionados con tubería interior para que hubiera en ellos agua caliente y fría. Había un hospital en las cercanías del centro de la ciudad (Wagner & Torres, 2000, pág. 18).

El orgullo de la ciudad era el Templo dedicado a Artemisa o Diana, cuyo edificio era cuatro veces más grande que el Partenón de Atenas y es considerada una de las siete maravillas del mundo antiguo. Este templo atraía muchísima gente de todo el mundo y como resultado de ello, enormes recursos económicos se generaban para la ciudad. Enclavada a las orillas del mar Egeo contaba con 200, 000 mil habitantes donde reyes, científicos, mercaderes, filósofos y viajeros llegaron a ella.

El cronista Plinio el Viejo, el filósofo Heráclito, el viajero y escritor Pausanias, el historiador Herodoto, los emperadores Marco Antonio y Alejandro Magno, y la reina egipcia Cleopatra caminaron por sus calles. Éfeso era una ciudad de mercados, gimnasios, baños públicos a la usanza griega, edificios gubernamentales, un estadio con capacidad de 24, 000 mil espectadores, una importante institución bancaria y plazas. Fue una ciudad del primer mundo en su tiempo.

En ella, Lucas señala en su bitácora de viaje los diversos métodos que Pablo aplica para alcanzarla. Primero, fiel a su costumbre, Pablo se dirige como primer punto de encuentro a la sinagoga. En esta comunidad judía hace público el mensaje de Salvación durante tres meses (Hch. 19:8). Iniciaba en las sinagogas porque la estrategia era que los judíos debían conocer primero las Buenas Nuevas del evangelio. En ese lugar surge una segunda acción que se aplica en la escuela de Tirano (v. 9). La escuela como lugar público similar a lo sucedido en el Areópago de Atenas se convierte en una importantísima tribuna que Pablo no usó para predicar, sino para discutir.

Diariamente las discusiones o diálogos que se daban en la escuela se dejaban en las manos de los asistentes y no en Pablo. Alumnos y asistentes realizaban preguntas y Pablo respondía, generando con ello diálogos reflexivos a nivel universitario y filosófico. Esta presentación del evangelio era totalmente interactiva y dinámica, poco comunes en sinagogas. El evangelismo en esta estrategia no es abierto, no es un dialogo informal, no es de contacto, no es apologético, es en base a la fluidez de ideas.

El tercer método fue la flexibilidad que Pablo aplicó diferente a lo que hoy se observa. Cada congregación local u organización se apegan a un sólo método y son sumamente inflexibles. En este rubro, Pablo fue multifacético, no vio su método como único, no careció de creatividad. Centrarse en un método único hace que la comunidad de fe alcance un sólo tipo de individuos, Pablo alcanzó a diversos grupos sociales y como él, hoy se necesita ser mucho más creativos para alcanzar la ciudad.

Un cuarto método fue dedicado más tiempo a compartir su fe en círculos secular que en recintos religiosos. Pasó la mayor parte de su tiempo en hogares, mercados, plazas, escuelas, edificios públicos y otros puntos de reunión social. Siguió el mismo método de Jesús al centrar toda su fuerza y actividad ministerial en lugares de asentamientos sociales de cada ciudad. No centra su fuerza en edificios de corte religioso, en este caso las sinagogas. Constantemente busca oportunidades para hablar, dialogar, exponer, presentar y anunciar el evangelio. No manifiesta temor al responder los cuestionamientos que le hacen, los debates en los que es confrontado o ante argumentos filosóficos e intelectuales. Dos palabras griegas son constantes y repetitivas en los capitulo dieciocho y diecinueve de Hechos, *peitho* (persuadir) y *dialegomai* (argumentar o razonar), con ello Pablo manifiesta que el evangelio no siempre fue proclamado, también daban razones personales e intelectuales de por qué debían creer en él.

Un quinto distintivo en la estrategia paulina para exponer el evangelio es identificar a las personas de la ciudad entendiendo sus vidas y su cultura. Pablo pasó un año y medio en Corinto (18: 11), y en Éfeso trabajó dos años y tres meses (19:8, 10). Ambos ejemplos describen que Pablo determinó ser parte de la ciudad, trabajar en ella y conocer a las personas. "Las clases probablemente tomaron lugar en la escuela durante las mañanas, al mismo tiempo que Pablo desarrollaba su tarea de hacer tiendas. Luego iba a la escuela donde dialogaba por toda la tarde: ¡cinco horas por día!" (Bruce, Hechos de los apóstoles, 1998, págs. 388, 389).

Con estas acciones Pablo se identifica en la ciudad, no sólo es un predicador itinerante, su oficio le ayudó a percibir la situación económica y social de la ciudad. En su agenda los no cristianos tenían un espacio, y nunca asumió una actitud defensiva con los que buscaban entender sus enseñanzas. Una excelente plataforma para nuestros días es la participación activa de la comunidad de fe local en la vida social y económica de la urbe como Pablo lo desarrolla en la ciudad de Éfeso.

No existen fórmulas mágicas

Es necesario que cada iglesia y ministro analice lo que Lucas plasma en las páginas del libro de los Hechos para aplicar los principios sencillos que se encuentran puntualizados. Lucas enfático señala que el hogar o la casa como estrategia de expansión de la iglesia es el camino a seguir. Es donde parte la expansión de la iglesia al mundo y fue la estrategia por excelencia de los predicadores del primer siglo.

Oika; un vocablo que denota casa o morada, en la ley ática oikos denotaba toda una finca, en tanto que oikia sólo se refería a la morada; en el griego posterior esta distinción llegó casi a perderse. En el Nuevo Testamento denota casa, morada (Mt 2:11; 5:15; 7:24-27; 2 Ti 2:20; 2 Jn. 10) (Vine W. E., 1999, págs. 68, 69).

El adjetivo de oikos es oikeios significa primariamente personas de una familia (1Ti. 5:8; Ef. 2:19; Gá. 6:10). Así que las palabras griegas oikos y oikia significan casa en el sentido de lugar de habitación u hogar, en referencia a familia. El sentido de esta palabra indica que el hogar o la casa arropa, cobija, provee seguridad, y vida en compañerismo filial y fraternal. El hogar familiar viene a ser el núcleo del sistema social grecorromano y estaba conformado por una serie de lazos, y relaciones consanguíneas, laborales y geográficas. Por ello, los hogares de clase alta y media romana ofrecían espacio para grandes grupos de personas que podían llegar hasta cuarenta asistentes.

Lucas señala que una vez convertida una familia, se establecía como la base de una iglesia casera. La casa de Lidia y la del carcelero en Filipos son un ejemplo (Hch. 16). Las reuniones en las casas fueron un instrumento fundamental de la iglesia neotestamentaria; sin embargo, a través de la historia de la Iglesia, poco a poco se fue perdiendo el interés en la vivencia cristiana para dirigir el énfasis hacia lo ritual, por lo que el valor de los hogares en la enseñanza y práctica bíblicas perdió vigor. Más adelante se prohibió la lectura individual de las Escrituras con lo que se cerró mucho más la posibilidad de usar los hogares como centros de oración, instrucción, propagación y compañerismo.

El ministerio de Jesús en el hogar

El hogar se encuentra asociado directamente al ministerio de Jesús. Los evangelistas registran a Jesús ministrando continuamente en ellos, y es ahí donde obtuvo el mayor número de seguidores. Desde nobles, empresarios, religiosos, publícanos, ladrones, prostitutas y la gente común que había recibido el menosprecio de la sociedad judía, todos ellos disfrutaron la bendición de su presencia en sus hogares (Mt. 9: 10). Milagros y sanidades fueron realizadas en casas donde las personas acudían para ser restauradas física, emocional, familiar, económica, social y espiritualmente (Mt. 9:23, 24).

Una característica peculiar en Jesús es su presencia en los lugares donde la gente se encontraba. No estableció una ofician, un centro misionero, una escuela ministerial o una congregación local en cada ciudad. Él se dirigía a los mercados, a las plazas, a los suburbios, a los lugares de trabajo, a las congregaciones y a los hogares. Donde había gente, allí Jesús se acercaba: *pasaba por todas las aldeas, anunciando el evangelio y sanando por todas partes* (Lc. 9:6). La mentalidad de los ministros de ese tiempo era que el creyente necesitaba asistir al Templo, ya que esto ministros (sacerdotes y levitas), no se contaminaban yendo a una casa. En cambio Jesús acude dónde están los necesitados. La noción de Jesús se centró en el contacto directo con las personas a diferencia del concepto institucional que se centraba en el área geográfica del templo.

La preocupación de los ministros y líderes no eran las personas en sí, sino su asistencia al Templo. Para Jesús era llenar las necesidades de cada persona sin limitación de espacio y tiempo. La plataforma que Jesús usó para tratar directamente con las personas fue el hogar y no el ámbito de la tribuna como lo realizaban los rabinos. Jesús escogió a sus discípulos y realizó en ellos una formación práctica, mientras que los rabinos realizaban una formación intelectual; la relación del rabino con sus discípulos era doctrinal, la de Jesús era personal; el compromiso de los discípulos para con el rabino era relativo, para con Jesús era absoluto; el aprendizaje recibido por el rabino era temporal, por lo que existía un distanciamiento con el maestro; en cambio el recibido por Jesús era de por vida y existía una relación comunitaria.

La tarea central de Jesús no fue en el Templo, fue en los hogares, porque la propagación del evangelio fue relacional; es decir, en base a las relaciones que conformó fue que compartió la Palabra de Dios y los llevó al amor que el Padre tenía por ellos.

Los evangelistas señalan que Jesús enseñó en hogares (Mr. 2:1-2; Lc. 7:36; 10:38-41), dio instrucciones a sus discípulos en ellos (Mt. 13:36; 17:25; Mr.7:17; 9:28-29,33-35; 10:10-12; Jn. 13:2 al 17:26), realizó el milagro de resucitar a una niña en su propio hogar (Mt. 9:23-25; Mr. 5:37-42; Lc. 8:51-55), sanó a la suegra de su discípulo de fiebre en un hogar (Mt. 8:14-15; Mr. 1:29-31; Lc. 4:38-39), bendijo a los niños (Mr. 9:33-37; 10:10, 13-16), sanó al hombre paralítico (Mr. 2:1-2), sanó al hombre que sufría de hidropesía (Lc. 14:1-4), pronunció perdón de pecados a un paralítico (Mr. 2:1-5) y a una pecadora (Lc. 7:36-37, 48) en hogares diferentes, habló la Palabra a una mujer que lo buscaba por causa de su hija y los demonios salieron del joven en su hogar (Mr. 7:24-25,29-30); en el entorno de una casa instituyó y celebró la Santa Cena (Mt. 26:18-20; Mr. 14:14); fue ungido por una mujer con perfume (Mr. 14:3), en otra casa diferente otra mujer limpió sus pies con sus lágrimas y los secó con sus cabellos (Lc. 7:36). La misma María vuelve a ungir a Jesús en una casa (Jn. 12:1-3).

Jesús comió y disfrutó de compañerismo en los hogares y por ello fue condenado y acusado de participar con pecadores y publicanos (Mt. 9:10-13). Cuando Jesús envió a sus discípulos, primero a los doce y luego los setenta, los envió en parejas a los hogares de las aldeas y comunidades, diciendo: *Mas en cualquier ciudad o aldea donde entréis, infórmense quién en ella sea digno, y posad allí hasta que salgáis* (Mt. 10:11; Lc. 9:4; 10:1,5-7). Les dijo que fueran a los hogares a predicar el evangelio (Mt. 10:7), y en los hogares debían tomar autoridad sobre los espíritus inmundos (Mt. 10:1,8; Mr. 6:7; Lc. 9:1). En ellos sanarían enfermos (Mt. 10:1,8; Lc. 9:1; 10:9), y resucitarían muertos (Mt. 10:8). Era su privilegio bendecir el hogar que los recibiera con paz (Mt. 10:13; Lc. 10:5). Los discípulos vivieron experiencias con resultados espectaculares por la predicación y enseñanza en los hogares. Muchas personas oyeron el evangelio y lo recibieron, los enfermos fueron sanos y los endemoniados liberados (Mr. 6:12-13 Lc. 9:6; 10:17).

El ministerio de los apóstoles en el hogar

Dada la importancia de la estructura familiar tanto para israelitas, griegos y romanos, los cristianos se propusieron ganar los hogares para la causa de Cristo. La importancia estratégica del *oikos* en la evangelización de las grandes ciudades del imperio romano fue esencial. Las estructuras y sistemas familiares en cualquier civilización no existen aisladamente, ellas están inmersas en una red de relaciones.

En los inicios de la Iglesia la estructura familiar influenciaba la economía, ya que las profesiones en su mayoría se daban por transferencia familiar. En la política y las monarquías seguían principios de descendencia patrilineales. En la religión, la membresía en el culto era por nacimiento y no por conversión. Por ello, Dios a través de los cristianos primitivos, comenzó a afectar la sociedad por medio del establecimiento de iglesias familiares en casa. Desde el momento de la primera reunión del grupo de los ciento veinte en el aposento alto, para esperar la venida del Espíritu Santo (Hch. 1:13), hasta la iglesia en la casa de Aquila y Priscila (Hch. 18:26; 1Co. 16:19; Ro. 16:35), se observa que utilizar el hogar fue fundamental para la proclamación. Así el hogar se utilizó para numerosas actividades de la naciente iglesia como oración, hospedaje, comunión, enseñanza, formación y evangelismo.

Un investigador del fenómeno del crecimiento de la iglesia (Fulton, 1999) habla de la expansión de la iglesia en el ministerio de Pablo como resultado de su lectura de la obra de Roland Allen, el reconocido misionólogo anglicano. Comenta lo sorprendente que resulta ver cómo se constituyeron las iglesias. Poco tiempo había transcurrido desde que Pablo y su equipo habían pasado por aquellas ciudades hablando por primera vez del evangelio; a su retorno éstas son constituidas, algo que entra en conflicto con nuestra mentalidad occidental llena de protocolos, currículos, metodologías y academicismos. La metodología paulina es resumida en una investigación de trabajo de Allen (1970):

1) Enseñar a las nuevas comunidades los aspectos más elementales de la fe, del credo, los sacramentos, y las escrituras. 2) Transmitir estas enseñanzas en forma netamente práctica. 3) Estimularles al ejercicio corporativo de las prácticas dentro de la nueva comunidad. 4) Establecer un liderazgo plural que permitiese la perpetuación no sólo de la comunidad sino del proceso expansivo. 5) Proveerles dirección y motivación constante pero divorciada de todo intento de control. 6) Garantizar una vida cristiana integrada a los elementos de la vida social de cada ciudad y región. 7) Que las comunidades fuesen auto-sustentables desde el principio (pág. 98).

Es así como las congregaciones cristianas del primer siglo comenzaron a propagarse con gran facilidad en todo el imperio.

(Las comunidades) ya no dependían de Pablo. Si él se iba lejos, o si moría, las iglesias permanecían. Ellas crecían en número y en gracia: eran centros de luz espiritual por medio de las cuales la oscuridad que caracterizaba al paganismo era gradualmente disipada. En Galacia "las iglesias eran confirmadas en la fe e incrementaban en número cada día" (Hch. 16:5). Desde Tesalónica "se ha divulgado la palabra del Señor" hacia Macedonia y Acaya (1 Tes. 1:8). Desde Éfeso el evangelio se esparció a las regiones vecinas y muchas iglesias surgieron, algunos de cuyos miembros nunca vieron a Pablo cara a cara, y él mismo le escribió a los romanos que "ya no tenía más campo en aquellas regiones" (Ro. 15:23) (Allen, 1970, pág. 111).

En la mentalidad eclesiástica evangélica imperante en nuestros días existen pocos paralelos en lo que respecta a la plantación de iglesias. Hoy las organizaciones cristianas se encuentran abrumadas e influenciadas por el modelo clerical centrado en el templo, y no se corresponde en absoluto con la forma de trabajo de estas primeras comunidades cristianas: "el término iglesia hoy en día está demasiado marcado por la tradición como para que podamos tener una visión clara de qué eran estos grupos plantados por Pablo y sus seguidores" (Strom, 2000, pág. 101). Las iglesias de Pablo eran pequeñas comunidades denominadas iglesias caseras.

La palabra griega para iglesia es *ekklesia* y en el mundo grecorromano se refería a todo tipo de reunión social. Las iglesias caseras se reunían para celebrar juntos (Ro. 16:23; 1 Co. 14:23): "Pero el lugar de reuniones preferido y a la vez más influyente siguió siendo la célula familiar, la iglesia casera" (Strom, 2000, pág. 169). El prolífico escritor Banks (1994) señala que estas reuniones tenían un triple significado: "1) Eran de asociación voluntaria, con reuniones periódicas entre gente de características similares. 2) Se basaban en el núcleo familiar. 3) Las células tenían significación supra-nacional y supra-temporal pues se entendía que formaban parte del reinado de Dios sobre la tierra" (pág. 89).

Estos hogares sirvieron para comunicar el evangelio dentro de la actividad normal de la vida cotidiana. La proclamación de las Buenas Nuevas y el cambio de vida se lograron en la intimidad de estas reuniones produciendo un gran poder persuasivo en otros. Los cambios sociológicos del siglo XXI no permiten que se pueda hablar del *oikos* en el mismo sentido y dimensión que la sociedad grecorromana reconocía.

Las ciudades modernas están formadas con grandes cantidades de inmigrantes provenientes de otras regiones del país y diferentes naciones. Muchas de estas personas no están arraigadas a un grupo familiar. Sus parientes están lejos y son prácticamente desconocidos para sus vecinos. Pero tienen el común denominador que su hogar es susceptible a convertirse en un lugar de predicación. Por otro lado, hombres y mujeres identificados con su trabajo desarrollan casi todas sus relaciones amistosas a través del ámbito laboral, pero siempre manteniéndose a la distancia.

...había muy poco que distinguía a las asociaciones fraternales cristianas de cualquiera otra, comprendían también: una iniciación, compañerismo, un banquete cúltico y beneficios mutuos, todos estos eran prácticas comunes. Pero, en la práctica había una gran diferencia, "la calidad del compañerismo". Estas eran sociedades en las que aristócratas y esclavos, ciudadanos romanos y provincianos, ricos y pobres, se mezclaban en términos iguales y sin distinciones, sociedades en las que la calidad del cuidado mutuo y el amor eran únicos. En esto yacía su atractivo. . . (Green M., La evangelización en la iglesia primitiva, 1997, pág. 156).

En relación a estos desarrollos y cambios de la sociedad que padecía un escritor apunta que: "en la década de los ochenta, que el concepto de la familia se modificaría radicalmente hacia finales del siglo XX y principios del siglo XXI. En los actuales momentos esos cambios no son difíciles de ver" (Toffler, 1984, pág. s/p). En el siglo XXI la familia tradicional ha sido completamente modificada por la ausencia de paternidad, el divorcio, las crisis económicas, las migraciones, los cambios en los patrones de autoridad del hombre a la mujer, los roles femeninos en el liderazgo financiero laboral y del hogar, los conceptos morales y la nueva ética asumida.

Los jóvenes citadinos actuales son el resultado de parejas donde ambos cónyuges trabajaban, o son hijos del divorcio, o experimentan una gran carencia paterna. Éstos no valoran a la familia en el sentido tradicional, sino más bien por la calidad de las relaciones que pueden establecer. Hoy es común que los hijos cuando se casan no abandonan el hogar ya sea por conveniencia económica o por dependencia emocional. Muchas mujeres crían a sus hijos solas, jóvenes alquilan apartamentos en las grandes urbes para vivir juntos, y el hacinamiento se vuelve monstruoso. Un ejemplo de estos cambios son los Dink´s que se resisten a tener hijos, impensable adoptar, viven para su orgullo, vanidad y egoísmo inhibiendo cualquier sentido de paternidad y maternidad que ni quieren ni entienden. La clase política europea es un ejemplo de ello.

Es constante encontrar en todo el Nuevo Testamento al hogar como centro de reunión cúltica de los cristianos primitivos (Hch. 2:2, 46; 12:12; 16:34, 40; 20:20; 28:30, 31; Ro. 16:3, 5; 1 Co. 16:19; Col. 4:15; Fil. 2; 2 Jn. 10). Estos testimonios bíblicos demuestran que la Iglesia del primer siglo tenía como común denominador la reunión del hogar donde se formaban y desarrollaban nuevas iglesias. No comenzó como un programa preconcebido de trabajo, simplemente se dejaron conducir por el programa del Espíritu Santo; iniciando con 120 llegaron en poco tiempo a crecer rápidamente en número y en territorio geográficamente hablando. El secreto de este crecimiento abrumador se sostenía en reuniones pequeñas de hogar y en reuniones grandes. La combinación de ambas actividades fue una herramienta para la propagación del evangelio y la conversión de cientos de personas.

Reuniones masivas y reuniones de hogar

En ocasiones especiales, cuando era necesario que toda la iglesia se reuniera, ésta lo hacía en predios extensos como los atrios del templo (Hch. 2:46a; 5:12). Semejantes reuniones de grupos numerosos no rivalizaban con la ubicación normativa de la reunión regular en casa (Hch. 2:46b). Los predios eran lugares públicos que ya existían antes que aparecieran los primeros cristianos. Una de las grandes reuniones de creyentes se dio en la fiesta del Pentecostés (Hch. 2:6-41), donde la predicación fue dirigida a los habitantes de Jerusalén y a los que llegaron del vasto imperio. Otra reunión masiva fue en el pórtico de Salomón (Hch. 3:11-26) después de la sanidad del cojo. También se dio otra gran reunión por causa de la liberación de Pedro y Juan. En ella el Espíritu Santo se manifestó dando pie a que el lugar temblara (Hch. 4:31). En el pórtico de Salomón se dio una segunda reunión con las personas que venían de otras ciudades a buscar respuestas (Hch. 5:12-16).

Cuando se eligieron los diáconos la reunión general fue requerida para solucionar problemas propios de la administración de toda la iglesia (Hch. 6:2). Al recibir al Señor, la gente en Samaria se congregó al unísono para escuchar la Palabra por boca de Felipe y se formó la iglesia (Hch. 8:4-8). La visita de Pedro y Juan en Samaria llevó la convocatoria de todos los creyentes para que recibieran el bautismo en el Espíritu Santo (Hch. 8:14-17). La reunión que se realizaba en la ciudad de Antioquia por el gran número de creyentes es evidencia que fue en una gran área (Hch. 11:21-26). La conversión de las sinagogas completas dio como resultado este tipo de grandes reuniones (Hch. 13:14, 15, 42-44, 48, 49; 14:1; 17:1-4, 10, 11; 18:4, 19; 19:8).

Las reuniones de grupos pequeños en hogares son señaladas en Hechos y en las epístolas. En la casa de María la madre de Marcos (Hch. 12:12), en las diversas casas de Jerusalén (Hch. 2:46; 5:42), la de Dorcas (Hch. 9:39, 40), de Cornelio (Hch. 10:24), de Lidia (Hch. 16:14, 15), del carcelero de Filipos (Hch. 16:32), en el aposento alto de Troas (Hch. 20:7:12), en la de Felipe (Hch. 21:8-14), y en la de Pablo (Hch. 28:30, 31).

La iglesia de Corinto es un ejemplo de la variedad de grupos familiares que tenía y se les llama iglesias. Uno de estos grupos o iglesias estaba en la casa de Aquila y Priscila (Hch. 18:2-4), donde se reunían judíos, exilados políticos y gente del mismo oficio que ellos. Esta se utilizó como base para la predicación de Pablo en las sinagogas los días de reposo. Su casa se convirtió en iglesia, negocio, taller y vivienda y los primeros contactos evangelísticos fueron sus clientes, y vecinos.

Cuando Pablo se mudó a Éfeso, Priscila y Aquila se fueron con él (Hch. 18:18). No fue una mudanza fácil puesto que el negocio requería muchos equipos y empleados como Epeneto y María (Ro. 16:5, 6). El objetivo era comenzar otra iglesia casera en Éfeso. Una vez que las condiciones políticas mejoraron regresaron a Roma (Ro. 16:3-4) para fundar otra iglesia casera allá. Este matrimonio hizo de su hogar una iglesia en la ciudad como lo describe Lucas y Pablo; en Éfeso (Hch. 18:26), en Corinto (1Co. 16:19) y en Roma (Ro. 16:3). La plantación de iglesias misioneras en casa es de gran valor en la vida de esta pareja y lo hacían desde la cotidianidad del hogar.

La casa de Tito Justo, era el hogar de un temeroso de Dios, simpatizante de los judíos (Hch. 18:7). Lugar extraordinariamente estratégico ya que era amigo de judíos y vecino de la sinagoga. En la casa de Crispo se desarrolló una iglesia (Hch. 18:8). Crispo se convierte a través del testimonio de Pablo en la casa de Tito Justo. Toda su familia (*oikos*) se bautiza y abre su hogar para la predicación de la Palabra. La evangelización procede desde esta casa hacia los corintios basada en las relaciones, tanto de amigos, vecinos, conocidos y contactos de negocios. La casa de Febe se convierte en una congregación (Hch. 16:1). En la ciudad portuaria de Cencrea, a siete kilómetros del centro de la ciudad de Corinto. Ella sirve de anfitriona a los asistentes y miembros de esta iglesia que provienen de clase social baja tales como obreros portuarios, marineros, esclavos y prostitutas. La casa de Erasto es otra iglesia local que se planta (Ro. 16:23; Hch. 19:22). Erasto era el tesorero de la ciudad de Corinto, un funcionario importante y se convierte en uno de los líderes principales de la iglesia de Corinto.

La casa de Estéfanas también asume una actividad importante en la expansión del evangelio (1Co. 16:15). Este hombre era un creyente de extraordinaria fe y determinación que constituye junto con el resto de su familia los primeros frutos del evangelio en la región. Posiblemente plantó más iglesias en casas alternas a la suya. En este grupo estaban incluidos Fortunato y Acaico (1 Co. 16:17). Otra casa que desarrollo una iglesia local fue la de Gayo (Ro. 16:23; 1 Cor. 1:14). Ésta se dio como fruto de la predicación de Pablo, junto con Crispo que son los únicos bautizados por el apóstol en la ciudad. Gayo facilitaba su gran casa para que toda la iglesia de Corinto se congregara en ocasiones especiales como la Pascua y Pentecostés. Es posible imaginar la magnitud y el impacto que la iglesia causaba en la ciudad de Corinto cuando las reuniones se realizaban en la casa de Gayo.

Pablo es directo al señalar que este método lo aplica en todas las ciudades donde llega. Cuando está en Éfeso hace señalamiento de tal actividad (Hch. 20:20), en la conformación de la iglesia de Filipo siguió este patrón, la epístola da testimonio de seguir las mismas directrices (Fil. 4:22). El apóstol da indicaciones a Timoteo de cómo se conforman las iglesias desde el hogar (1Ti. 1:16; 4:19), y a Filemón le expresa cómo está conformado el trabajo desde los hogares (Fil. 1, 2). El testimonio del Nuevo Testamento, no obstante, muestra que las congregaciones primitivas se reunían en una variedad de lugares. No hay patrón exclusivo de reuniones en casas. El mandamiento es reunirse (He. 10.25).

La iglesia local urbana como sistema transformacional

Un sistema es un conjunto de elementos que se relacionan entre sí para alcanzar una serie de objetivos. Existen muchos sistemas que son efectivos en sus respectivas áreas de trabajo; en el sector científico y médico se valoran la perspectiva de los sistemas en los organismos así como su interrelación. En la biología humana se posee varios sistemas; circulatorio, nervioso, vertebrado, respiratorio, digestivos y otros. En un momento dado puede haber un problema con la parte del sistema que, sí no se trata a tiempo, afectará a los otros sistemas o subsistemas del cuerpo.

Hay diferentes tipos de sistemas como el llamado cerrado; ejemplo, una olla a presión que no permite el escape de gases, otro ejemplo es un laboratorio o un reactor. Otro sistema es el abierto que interactúa con el medio, recibe energía desde el exterior y mantiene un flujo continuo que le permite generar trabajo en forma permanente. Ejemplos de sistemas abiertos es el motor de un auto que necesita gasolina o la tierra que necesita de la luz y calor del Sol.

La comunidad de fe local es un sistema cerrado o abierto, lo define quien la compone. Lo deseable es que sea un sistema transformacional urbano, es decir, un sistema abierto. La iglesia es un sistema complejo y variado, con muchos subsistemas que interactúan en el medio ambiente; no sólo es una organización (su parte estructural e institucional), también es un organismo (el aspecto vivo y dinámico). Pablo hace referencia a la iglesia como el cuerpo de Cristo y explica que las partes del cuerpo van unidas entre sí (Ro. 12:5; Ef. 4:15, 16). La iglesia está viva porque Dios, mediante su Espíritu, la sustenta y hace crecer. Es un organismo y una organización. Si la iglesia no es un sistema transformacional entonces no está haciendo su tarea, sólo se deja llevar por las circunstancias.

Actualmente se es testigo de un rápido declive en un gran número de iglesias locales. Los factores pueden ser variados, desde seguir aplicando los mismos métodos de antaño como la liturgia, pasando por mantener una estricta ética en la forma de vestir, procurar el mismo tipo de enseñanza donde el maestro habla y el alumno escucha, memorizar grandes cantidades de libros y escribir incansablemente; aunado a ello, mantener una exasperante separación entre el clero y los laicos, sospechar de las aptitudes y capacidades de los que son noveles, subestimar la capacidad de otros y que toda la organización y administración sea sustentada y conducida por una sola persona. Ante esta crisis ese requiere que la congregación y sus pastores apliquen un proceso de aprendizaje continuo.

La historia enseña que todos aquellos que se resisten a adaptarse a los nuevos paradigmas están destinados a desaparecer, ejemplo de ello es la experiencia de los movimientos que surgieron bajo la tutela de Lutero, Wesley y Parham. La iglesia es un sistema transformacional y se debe estar listo para aceptar los cambios que realmente se necesitan. Cambiar por cambiar es conducir a la iglesia local a su muerte, es el Espíritu Santo quien conduce esa tarea, y se espera de los creyentes ser sensibles a su dirección. La salud emocional y espiritual de los líderes es fundamental; sin amargura, ni inseguridad, nada de traumas, sin rencores ni complejos, ya sea de inferioridad o de superioridad. Permanentemente deben mantenerse llenos del Espíritu Santo, sin celos ni revanchas ministeriales. Siguiendo los parámetros que Jesús colocó a los discípulos en un nivel de amigos (Jn. 15:13-16), y les indicó que ellos también debían colocarse a nivel de siervos con la gente (Mr. 10:42-45). Este enfoque urge que sea retomado por la congregación y el ministro.

La iglesia es como una empresa en el sentido de producción. Las fábricas de zapatos, autos, pantalones, sombreros, estufas, salas o vestidos tiene el mismo propósito, que el mayor número de personas usen su producto. Para los dueños de estas fábricas la producción no es anual, bianual o cada cinco años, el propósito es que la producción sea incesante y permanente. Estas fábricas confrontan situaciones al exterior y al interior para llevar a cabo su producción.

La iglesia no ha sido llamada para engordar el corazón, la vida y la mente de los creyentes, ni para elevar su estima, intelecto y ego; es una fábrica que debe producir redimidos constantemente, es una empresa divina que va en expansión día a día. Si alguna fábrica de las mencionadas no está produciendo o su producto no es de buena calidad, terminará por cerrar. Ningún fabricante serio inicia un negocio con el que sólo va a mantener el local abierto para exhibición, y si no ve ganancias después de un tiempo razonable, inmediatamente cierra el local y se dedica a otra actividad.

Pastores y congregaciones se han concretado en abrir la fábrica y mantener el local abierto. Pasan los años y no se genera ningún cambio, por lo tanto la iglesia local no es en lo absoluto un sistema transformacional. Su crecimiento es biológico y se perpetúa como iglesia por este tipo de crecimiento, es decir, sólo se nutre de los hijos de los miembros. Cientos de miles de iglesias reciben en su interior cada año personas nuevas y no producen en ellas cambios sustanciales; como llegan se van. Tal vez algunos ministros deben cambiar de profesión. La iglesia como sistema transformacional necesita ser saber, entender y conocer cada una de sus partes para que la producción sea fluida.

Cuando la iglesia se entiende como sistema abierto y se desarrolla en un medio ambiente particular sabe que de éste, recibe señales y recursos, los procesa y los devuelve. El producto generado bueno o malo, satisfactorio o ineficaz, todo depende de la estructura de la iglesia; es fundamental saber leer el medio ambiente social urbano en el que se encuentra. ¿Quiénes son las personas viven donde se encuentra el edificio de la iglesia local?, ¿cuál es el área urbana donde se encuentra el mayor número de creyentes de la iglesia local?, ¿están donde los habitantes son industriales y empresarios, donde son estudiantes y obreros, donde son trabajadores eventuales?, ¿está en una colonia proletaria, industrial, comercial o residencial?, ¿sus miembros viven en condominios, casas dúplex o en áreas restringidas?, ¿qué situaciones sociales se generan en su entorno?, ¿qué situaciones económicas e intelectuales se manifiestan en rededor de ella? Estas son algunas preguntas a responder para evaluar cuál es el medio amiente social donde está concentrada la congregación y donde se reúnen semanalmente. La iglesia tiene que aprender a leer su medio ambiente social urbano, es decir, conocer su geografía urbana.

Barreras

En esta comprensión de su propio medio ambiente social toda congregación necesita entender la existencia de dos barreras que siempre están presentes. La primera barrera es la mental y rodea toda la estructura de la iglesia, por lo que requiere detectar cambios para adaptarse congruentemente con la realidad urbana en la que está; renunciar al aislamiento social y adoptar la mentalidad de Jesús para reorganizarse y alcanzar su sociedad, no distanciarse de ella. No preservar ciertas acciones que atan su desarrollo, como estructuras organizacionales tradicionales que le han estorbado para influir decisivamente en la ciudad. Está obligada a rechazar el concepto de "no se puede", "nunca se ha hecho", "es imposible" o "no vamos a abrir la puerta al mundo". Con ello se impone la exigente tarea de renovar su mente para generar los cambios necesarios (Ro. 12:2; Ti. 3:5), y no tener nada que le estorbe. Estos cambios nunca deben violentar los principios doctrinales de la Escritura.

La segunda barrera que toda congregación enfrenta es el elemento físico/geográfico. Necesita detectar los cambios estructurales del área para adaptarse congruentemente a su situación urbana. En este rubro debe preguntarse si la ubicación del templo donde la congregación se reúne es estratégico o no. El tipo de colonia donde está edificado el inmueble, si el transporte y las vías de comunicación que conducen al lugar cuentan con todos los servicios básicos. Muchos edificios donde las congregaciones se reúnen, se hallan escondidos y son de difícil acceso, y eso es una barrera que se soluciona cambiando de lugar y pocos están dispuestos a llevarlo a cabo.

Es importante conocer el número de miembros y se requiere evaluar su actitud; ¿son inconstantes?, ¿cuántos de ellos son permanentes y quienes son la población flotante?, ¿quiénes son los que componen la congregación y cuál es el grupo mayoritario?, son algunas de las preguntas que se deben responder. Divorciados, madres solteras, viudos(as), de la tercera edad, jóvenes solteros mayores de treinta años, familias nucleares, familias sin el padre, adolecentes u otros, es necesario conocer el grosor que compone la congregación. Otro factor en esta barrera es estar al tanto de cuál es la economía de la congregación y el alcance de ésta; el tipo de construcción del santuario y el mobiliario que utiliza son elementos importantes que pueden convertirse en una barrera si se adolece de ellos o son obsoletos.

Ambas barreras rodean el entorno de la iglesia local de la urbe y necesariamente deben ser enfrentadas y buscar soluciones prácticas y efectivas. De no hacerlo, la iglesia no avanzará y terminará como una edificación más de la ciudad, sin trascendencia.

Áreas internas

Al interior de cada iglesia local se requiere conocer cuatro aéreas que le ayudan para funcionar en armonía y obtener un producto efectivo. La primera es la visión y misión personal de la iglesia. Lamentablemente en este rubro surgen una serie de problemas. Primero, un gran número de iglesias no tienen definida su visión y su misión, no saben cuál es su razón de ser, sólo se concretan a reunirse. Segundo, aquellas que la han desarrollado y plasmado en el papel solamente el pastor y algunos de sus allegados tienen una idea vaga de cuál es. Tercero, la declaración de misión y la visión es tan extensa que nadie se molesta en aprenderla.

La visión es la impresión espiritual que Dios plasma en el espíritu humano para realizar su voluntad en una iglesia determinada; es la base para desarrollar el plan a seguir y guía para cumplir el propósito de esa congregación. La visión es la que señala hacia dónde se dirige la iglesia, lo que se quiere alcanzar y cómo se ve la iglesia en el futuro; por lo tanto, debe ser escrita de forma clara y sencilla. La visión es el fundamento y la dirección de la iglesia; es un cuadro desafiante del futuro, considera las necesidades de la comunidad, el contexto congregacional y sus valores. Todos los miembros deben conocer y saber expresar sin error su visión de iglesia.

Cada congregación debe asumir su propia visión, la labor de cada congregación y pastor es encontrar su propia visión; son los responsables de alcanzar la realización. Sin la visión la comunidad de fe no tendrá vida y dirección. La visión de Jesús fue que todas las naciones de la tierra conocieran el evangelio. Hoy se define respondiendo una pregunta, ¿qué desea Dios crear a través de nosotros en este lugar? A toda congregación le urge conocer, memorizar y declarar su propia visión que inspira a cumplir su propósito.

La misión de la iglesia es la tarea que realiza a corto, mediano y largo plazo. Es aquello que la comunidad de fe hace en el lugar donde se encuentra. La declaración de la misión es el plan, es el qué y el por qué lo hace la iglesia. Es la razón de ser de ella. El trabajo de la visión y la misión producen desgaste a la iglesia local porque se puede caer en la tentación de hacerlo a un lado. Pablo desarrolla su Misión/Visión y lo plasma en la segunda carta de Timoteo 2:2. Mantener esta área en su ministerio le fue arduo y en ocasiones difícil. Al igual que la visión, la misión debe estar encerrada en una oración para que todos la conozcan, entiendan mejor y la lleven a la acción.

La misión responde a las situaciones y circunstancias cambiantes que confronta la iglesia. La visión y la misión de la iglesia son los rieles por donde transita la iglesia local; sin estos, la iglesia no sabrá hacia dónde dirigirse.

La visión y la misión tienen dos vertientes. Por un lado siempre predica el evangelio de Jesucristo. Por otra parte es de oportunidad, es decir, la iglesia se aboca a ayudar a resolver necesidades que afectan a los individuos ahora; ya sean sociales, emocionales, materiales o espirituales. De esta manera la visión y la misión se desarrollan en función de las necesidades detectadas en el medio ambiente social y no necesariamente se copian de sistemas congregacionales exitosos.

La segunda área a considerar es la espiritualidad de la iglesia. Los miembros necesitan estar apercibidos de que la espiritualidad produce una energía renovadora e impulsa a la congregación a realizar la Misión, saber esto urge la necesidad de mantenerse llenos de Dios y en buena sintonía con el Espíritu Santo. La espiritualidad es el motor de empuje de la iglesia local. Una iglesia espiritual provee un ambiente óptimo para que los integrantes se desarrollen. Es fundamental que la iglesia deseche la carnalidad, los grupos, el individualismo, los pleitos, el yo sé, el yo puedo y el yo soy. Muchos creen que el estado espiritual normal de la iglesia son los pleitos y las divisiones. Esta mentalidad tiene que ser confrontada con la Palabra y llevarla a la Cruz para ser crucificada.

La auténtica espiritualidad se basa en su mensaje Cristo-céntrico y el énfasis en la relación con el Espíritu Santo. La búsqueda y comunión del Espíritu Santo es fundamental pues la espiritualidad exalta la imitación del ejemplo de vida de Jesús en la vida cotidiana de cada uno de sus discípulos. La prédica de la obediencia de los preceptos y mandamientos de la Palabra de Dios, más que un código religioso, es el resultado de la espiritualidad de la iglesia local. Esto lleva a ajustarse a un estilo de vida consagrado a Jesucristo que se aparta de las tendencias pecaminosas del mundo y busca la santidad. Es la manifestación de la espiritualidad de la iglesia local que incluye el aspecto corporativo cristalizado en la integración del cristiano a la comunidad de creyentes.

Al igual que las enseñanzas prácticas evidenciadas en la experiencia de la Iglesia del Nuevo Testamento, hoy la Iglesia no puede aceptar la vida espiritual aislada, ermitaña o retraída, más bien la vida cristiana se incorpora al ámbito de la congregación local. En toda actividad de la congregación se debe generar un mover activo del Espíritu Santo, evaluando constantemente el estado espiritual de ella. El mensaje del púlpito es fundamental para generar espiritualidad al predicar la Palabra, así como la oración en conjunto que facilita a sus integrantes mantener el fervor. Es posible que copiar modelos espirituales de otra congregación sea un elemento que la lleve a retroceder. La experiencia espiritual con Jesucristo es el fundamento de la espiritualidad de la iglesia. En base a ello urge que cada comunidad de fe aplique elementos y herramientas que generen la suya, considerando su entorno para encontrar qué aspectos generan una auténtica espiritualidad propia.

El tercer elemento que la iglesia requiere para funcionar en armonía y así obtener un producto efectivo es su distribución organizacional. Se necesita revisar el diseño organizacional interno de ella. Los buenos resultados dependen de la manera en que se encuentra organizada. ¿De qué manera se alinean sus recursos?, ¿cómo utiliza estos recursos?; entendiendo por recursos los humanos, financieros y materiales. Con seriedad, la iglesia, considera si sus esfuerzos están generando frutos; de no ser así, es necesario cambiar las estructuras internas. Si bien hay que insistir, no debe cambiar algún elemento sólo por cambiar; reconocer que muchos modelos de iglesias son efectivos y están logrando avances sustanciales, los cuales no deben ser cambiados por el simple hecho del surgimiento de un nuevo modelo o porque otras congregaciones lo están haciendo, o porque la organización a la que se pertenece lo imponga; aquello que ha dejado de ser funcional se tiene que cambiar, por encima de cualquier argumento. Sin embargo, es aquí donde la iglesia confronta constantemente la barrera mental.

Existen ideas arraigadas en la mente del ministro y de la iglesia que no ven importante cambiar, y se basan en la comodidad para no hacer los cambios pertinentes. Actualmente las iglesias manejan tres tipos de modelos. El primero es llamado el modelo romano, el cual genera un liderazgo pastoral paternalista. El pastor asume la posición de padre y determina tener a todos bajo su absoluto cuidado. Cualquier hijo que comience a crecer y querer volar, el padre tratará de mantenerlo bajo su resguardo. Con aquellos que no pueda lograrlo, confrontará serios desacuerdos por no estar bajo su autoridad.

La organización de este modelo es piramidal y de acuerdo a la posición en los niveles de administrativos y de gobierno se conducen a los subalternos. El problema constante que se manifiesta en este modelo es la lucha encarnizada que se da por adquirir posiciones de liderazgo. Entre más alto se encuentre en la pirámide, mayor será su poder e influencia; renunciar a tal posición es impensable. Con este modelo las iglesias adquieren un estándar politizado con luchas de poder concibiendo como objetivo primario subir a la cúspide, por encima de cumplir los propósitos como iglesia.

El otro modelo es el llamado cuello de botella y es un modelo burocrático. Este modelo encierra a todos los miembros en una distribución organizacional que se mueve de acuerdo a las indicaciones de quien influye decisivamente en la iglesia, sea el pastor o líder especifico. Sí es el pastor, todos, sin acepción se ajustan a las indicaciones pastorales. Este modelo está asociado al manejo que se da con ciertos partidos políticos. Las decisiones y las direcciones son tomadas por el líder, aquellos que pretendan salir de las normas son excluidos de la membresía.

Las consecuencias de estos dos modelos en la iglesia son la falta de conocimiento y entendimiento con los miembros de la congregación, lo que a su vez conlleva a malas experiencias por esta falta de atención, orillándolos a generar relaciones y compromisos ajenos a la iglesia y en muchas ocasiones dándoles más importancia que a la vida congregacional. Estos dos modelos hacen que sólo unos cuantos sirvan, la mayoría son pasivos, y si algunos son clasificados o señalados como rebeldes, de manera inmediata son aislados o abandonados.

El problema de ambos modelos es que generan una serie de crisis: crean una sensación de ansiedad, promueve la desunión y permiten la disfunción, y aunque tienen líneas claras de autoridad carecen de líneas claras de responsabilidad. Toda la estructura de responsabilidad descansa en la figura pastoral que no delegar autoridad para llevar a cabo tareas específica. La toma de decisiones difíciles y rápidas no es fácil debido a su estructura burocrática. En ambos modelos la exigencia a la membresía es alta y el servicio que se les da es casi nulo. La figura central es el pastor y lo más importante es cumplir con el programa, estos son sistemas organizacionales claramente obsoletos e ineficientes para iglesia que han determinado marcar un rumbo y generar un cambio social en su entorno.

Un modelo más es el de asociación y servicio, y pocas congregaciones lo aplican. Aquellos que quieran seguirlo deben aprender el principio de Jesucristo: *para ser grande entre todos los demás debe servir a todos. El que quiera ser el primero debe ser el siervo de todos* (Mr. 10:42-45). La grandeza está en servir a toda la iglesia, y se puede describir como un sistema de pirámide, pero invertida. Este modelo exige un cambio de mentalidad y reclama asumir actitudes altamente comprometidas con el servicio, empezando por el líder. Jesús dijo que los gobernantes del mundo se posesionan sobre la gente, y esto no se aplica a una iglesia con un sistema organizacional que quiera generar un auténtico cambio social urbano.

La frase: *el que quiera ser grande entre ustedes será su servidor*, aparece siete veces en los evangelios (Mt. 20:27-28; 23:11; Mr. 9:35; 10:43-44; Lc. 9:48,; 22:26-27; Jn. 13:14), de allí la importancia de entender este modelo y aplicarlo en la comunidad de fe local. Habrá que preguntarse qué elementos han llevado a la congregación a la ausencia de siervos y la presencia abrumadora de amos, que sólo quieren mandar, luchan por un puesto de autoridad, pero nadie quiere servir. La respuesta a ello da dirección al futuro de cada iglesia y manifiesta las expectativas que tiene.

El último aspecto para funcionar con efectividad son las relaciones. Todo grupo social experimenta retos y dificultades en sus relaciones y la iglesia no escapa a ello, por lo que hay que generar buenas relaciones entre todos; buscar sabiduría y madurez en vez de la soberbia y ego que sólo produce conflictos. Los miembros necesitan trabajar para lograr respeto en base a la obediencia a la Palabra, usando una comunicación que revele limpia conciencia y amistad sincera. El respeto y la obediencia dan cohesión a la unificación y unidad de la iglesia, mejorando las buenas relaciones y logrando la lealtad entre todos. El objetivo de las relaciones humanas es propiciar la convivencia humana en forma armónica en todas sus manifestaciones. Quien no sabe trabajar en equipo no puede generar relaciones humanas efectivas. Sólo aquellos que están determinados en desarrollar relaciones efectivas podrán defender (Jn. 10:10), alimentar (Sal. 23:2), cuidar (Hch. 20:28, 29), buscar (Lc. 15:4) y conocer (Jn. 10:14, 15), a cada uno de los asistentes a la reunión de la iglesia local.

Aquellos que viven solitarios al interior de la iglesia siempre están en desventaja. Desarrollar buenas relaciones en la iglesia lleva a sus miembros a ser más efectivos mediante el trabajo en equipo, lograr una atmósfera de camaradería y colaboración, fortalecer su estructura organizacional que lleve a valorar a todos los miembros de la iglesia y movilizarlos hacia un objetivo común en armonía y obediencia. Las buenas relaciones unen y hacen más fuerte a la comunidad de fe (Éx. 17: 8-13) y el compañerismo es un distintivo de poder.

Así se alcanza la unidad. El Señor se interesa en que las relaciones al interior de la iglesia estén en orden (Mt. 5: 21-24), pues es un reflejo de su comunión con Él (2 Cor. 5: 18-19). Una iglesia que genera buenas relaciones entre sus integrantes, evitará muchos tropiezos en su tarea de expansión. El testimonio de la iglesia local de Jerusalén manifiesta esta característica que influyó decisivamente en la transformación de su ciudad (Hch. 2:41-47).

Resultados de una salud eclesiástica

El ministro sano siempre busca desarrollar y aplicar un proceso sencillo al interior de la iglesia para que alcance el pináculo de su carrera. Esta acción tiene el propósito de transformar a la comunidad de fe, de la falta de compromiso a un discipulado como estilo de vida. El proceso guiará a la congregación por el sendero de la reproducción de discípulos, está basado en principios bíblicos para que la iglesia lo use sin importar su historia, organización, número de miembros, estilos de liderazgo y estructuras administrativas. El uso y la aplicación de estos principios crean un ambiente equilibrado y un entorno sano. Llevar a cabo la gran comisión con eficaz resultado demanda únicamente ministros e iglesias espiritualmente saludables y llenas del Espíritu Santo. Cinco principios se requieren para producir una iglesia saludable que parta de ministros sanos.

El primer principio es producir un ambiente correcto para generar la madurez. La iglesia necesita recibir la educación y formación de la Palabra. Una iglesia madura no es aquella que es activa y tiene muchas reuniones, tampoco aquella que crece en número de miembros y líderes, ni la que contribuye con sus finanzas; no es la que gana almas, cuando sus miembros traen a sus amigos regularmente, y en poco tiempo se celebran bautismos, ni es la que tiene una mentalidad misionera y dedica un gran presupuesto en apoyo a misiones y misioneros.

Menos es la que funciona a nivel organizativo, con todas sus actividades perfectamente planificadas y en marcha, e incluso no es la que está llena del Espíritu, con grandes dosis de emoción y exaltación en las reuniones, y manifestaciones de milagros, señales y prodigios. No es aquella cuyos miembros asisten en gran número a cada una de las reuniones programadas. Aunque algunos de estos señalamientos están presentes en iglesias maduras, no significa que son indicativos de ello.

El amor y la unidad son la muestra más palpable de una iglesia madura (1 Co. 13; Ef. 4). Una congregación que ha alcanzado este principio tiene la capacidad de expresar amor y manifestar unidad entre sus miembros. Al utilizar términos de arboricultura (estudio de los arboles), la madurez es la raíz que sostiene y hace crecer a la iglesia. Si no hay raíz no hay iglesia, si la raíz no tiene profundidad la iglesia será endeble y enferma. La raíz debe ser profunda y entre más extensa se encuentre, mayor será su fundamento. Un ministro sano entiende que debe aportar toda su capacidad, entrega y amor para que la congregación que dirige alcance a la madurez y los miembros sean sólidos en la común salvación y siempre: *solícitos en guardar la unidad del Espíritu en el vínculo de la paz* (Ef. 4:3).

El segundo principio que produce una iglesia saludable y llena del Espíritu Santo es la adoración. Si la iglesia no tiene un equipo capacitado que realmente adore, será débil. Adorar no es saber cantar, tener buenos músicos, un excelente equipo de sonido, instrumentos apropiados y voces privilegiadas. Jesús le señala a la mujer de Samaria que el Padre está buscando auténticos adoradores (Jn. 4:23) y esta búsqueda deja al descubierto que no existen muchas personas con estas cualidades. No está en busca de un lugar geográfico determinado dedicado a expresarle culto. "Jesús revela con gran efectividad una verdad religiosa a ella en términos del despertar de una nueva aurora en la cual, por la voluntad de Dios, el templo será el corazón mismo de su pueblo" (Nelson, 1986, pág. 82). Al igual que la mujer samaritana, hoy la iglesia necesita comprender: "que el culto que rendía no era aceptable a Dios y que el culto verdadero estaba en un corazón verdadero" (Scott, El plan de Dios en el Nuevo Testamento, 1982, pág. 30). Es a éstos a quienes el Padre busca intensamente.

Personas que realicen un culto totalmente escatológico; es decir, un culto al Cristo vivo y resucitado de entre los muertos que vendrá por su pueblo que le adora. La búsqueda entraña salvación (Lc. 19:10), y el adorador, al experimentar el perdón divino se hace responsable de ajustar su vida y conducta a las enseñanzas y normas del evangelio. Ante tal premisa los adoradores no son tan abundantes, de ahí la búsqueda constante del Padre. "El corazón de Dios se deleita cuando recibe adoración sincera, no cuando la persona sólo cumple formalidades. La adoración en espíritu es el Espíritu Santo. La adoración en verdad es de acuerdo a y con la Palabra de Dios, no como un concepto lejano y abstracto" (Palau, 1991, pág. 103).

Con este indicio Jesús afirma a la samaritana que se hace necesario conocer todas las Escrituras para entender correctamente las exigencias del Padre y amoldarse a ellas. Esta es la única forma de rendir una verdadera adoración a Dios, pues Él busca al ser humano que le adore con su vida, carácter y acciones. Un verdadero adorador que ha sido encontrado y aceptado por el Padre es aquel que finca su vida en la Palabra de Dios.

Estos adoradores siempre concordarán con los principios que Dios ha dispuesto en su Palabra y con su propia naturaleza, pues Dios es Espíritu. Al continuar utilizando el ejemplo de la arboricultura (estudio de los arboles), la adoración es el tronco de la iglesia. Si no hay tronco la iglesia carece de fuerza y sostén. El tronco debe ser fuerte y vigoroso, y entre más crezca y engruese, mayor será su capacidad de expansión. El ministro sano está persuadido de la importancia de la adoración al interior de la comunidad de fe, trabaja con el fin de dirigirla a la adoración a Dios y expresar con satisfacción como David: *de cómo yo fui con la multitud, y la conduje hasta la casa de Dios, entre voces de alegría y de alabanza del pueblo en fiesta* (Sal. 42:4).

El tercer principio que produce una iglesia saludable y llena del Espíritu Santo es el servicio. Una iglesia local sana es un organismo vivo que está en constante actividad, requiere todo tipo de personas redimidas con la disposición de servir con sus habilidades naturales y espirituales. Todos los redimidos son necesarios en el servicio que la iglesia lleva a cabo. El trabajo de la iglesia es multifacético y polifacético, requiere múltiples individuos redimidos. No existe dentro de la comunidad cristiana alguien que sea inútil, pues todo creyente por muy sencillo, el trabajo que realiza en la iglesia es de suma importancia. ¿Qué pasaría en las congregaciones si alguno quitara al que es responsable de abrir el lugar de reunión? ¿Cómo se reaccionará si el lugar de reunión no está aseado porque los de mantenimiento no existen? Todos los miembros son útiles. A lo largo de la historia de la iglesia el Señor se ha encargado de mostrar que todos son importantes en el servicio. Jesús llama, capacita y coloca a cada uno en el lugar correcto, en su Soberanía pone y quita a quien quiere en el lugar que Él quiere.

El cuerpo de Cristo se desarrolla correctamente en base a la pluralidad, somos muchos miembros (1 Co. 12:12, 14). Esta pluralidad es la característica de la nueva sociedad creada por Jesucristo, además, la diversidad en sus funciones va implícita en su naturaleza (Ro. 12:4-6). Todos son útiles, ninguno puede hacer el trabajo solo, todos se necesitan unos a otros (1 Co. 12:21, 22). El que planta y el que riega son miembros del mismo cuerpo (1 Co. 3:8), aunque su trabajo es individual y diferente, los distintos miembros componen la unidad de la iglesia; los colaboradores son de Dios pues sirven a Cristo y dependen de Él para el crecimiento.

La interdependencia en la iglesia es total, si uno de los miembros cumple bien su función o no la cumple, toda la iglesia experimenta las consecuencias. Dios la ve como una entidad, siempre se dirige a ella como a una persona. Es una unidad organizada donde cada miembro en lo individual es sumiso y obediente al otro, tal actitud es indispensable para la excelente salud de la iglesia.

Siguiendo con el ejemplo de la arboricultura, el servicio en la iglesia son las ramas del árbol. Sin madurez y sin adoración no se puede rendir un auténtico servicio porque las ramas son el resultado del crecimiento de un árbol y todo servicio que se desarrolle en la iglesia que no esté sustentado en la madurez y adoración es infructuoso. Cada creyente tiene dones y ministerios que es responsable de usar, entender en qué posición el Señor lo ha puesto y servir. El Espíritu Santo es quién da los dones y ministerios a la iglesia, cada uno de ellos tiene la función de servir y no son para dar imagen a sus portadores. Los dones y ministerios están sujetos y sometidos a la iglesia, Jesús determinó que estemos sometidos unos a otros; el no hacerlo genera inutilidad.

El cuarto principio es la comunión. El testimonio de la iglesia del primer siglo es que los cristianos: *perseveraban en la comunión unos con otros* (Hch. 2:42). Treinta y un veces esta frase es repetida en el Nuevo Testamento en función de la comunión que se da en la iglesia local. Una iglesia saludable es la que desarrolla y provee unidad entre sus miembros, el aislamiento de familias y creyentes en la iglesia es característico de una iglesia enferma. La frase *unos a otros* describe el entorno de la comunidad que Jesús espera de cada iglesia local. El Nuevo Testamento presentan actividades específicas que los cristianos desarrollan para que cada congregación funcione y crezca.

El distintivo de una congregación sana en comunión es que todos somos miembros (Ro. 12:5), y como tal debemos amarnos (Ro. 12:10; 13:8), aceptarnos (Ro. 15:7), amonestarnos (Ro. 15:14, Col. 3:16), llevar las cargas (Gá. 6:2), ser tolerantes (Ef. 4:2; Col. 3:13), edificarse (Ro. 14:19; 1 Tes. 5:11), preocuparse (1 Co. 12:25), confortarse (1 Tes. 4:18; 5:11; He. 3:13; 10:25), animarse en la fe (Ro. 1:12), tener compasión (1 P. 3:8), confesar sus faltas (Stg. 5:16), tener comunión (1 Jn. 1:7), perdonarse (Ef. 4:32; Col. 3:13), esforzarse a hacer el bien (1 Tes. 5:15), saludarse (Ro. 16:16; 1Cor. 16:20; 2 Cor. 13:12; 1 P. 5:14), ser hospitalarios (1 P. 4:9), sujetarse con humildad (1 P. 5:5), ser amables (Ef. 4:32), de una misma mente (R. 12:16), que haya paz (Mr. 9:50; 1 Tes.5:13), que oren (Stg. 5:16), que se consideren a los demás como más importantes (Fil. 2:3), que sirvan como esclavos (Gá. 5:13), poner al servicio sus dones (1 P. 4:10), se estimulen al amor y a las buenas obras (He. 10:24, 25), se sometan (Ef. 5:21), se esperen entre sí (1 Cor. 11:33), se laven los pies (Jn. 13:14) y se honren (Ro. 12:10).

Este principio es significativo en la salud de la iglesia. Aplicando la arboricultura a la iglesia la comunión es el follaje del árbol, éste da evidencia de su salud. Sí la iglesia manifiesta amor y perdón entre los miembros es evidencia de salud, adolecer de follaje es carencia de salud. La grandeza de un árbol estriba en su follaje, al igual que en la iglesia. El ministro sano trabaja constantemente para que los miembros lleguen a desarrollar sus capacidades en beneficio de la expansión e influencia del evangelio en su comunidad geográfica sin importar que algunos de ellos superen sus expectativas, pues el propósito es que la congregación sea como la semilla de mostaza que de algo tan insignificante llegó a crecer de tal forma que albergó en sus ramas a las aves del cielo (Mt. 13:31,32; Mr. 4:30-32; Lc. 13:18-19).

El quinto principio que produce una iglesia saludable y llena del Espíritu Santo es la misión. Jesús describe cual es la misión de la iglesia (Mt. 28: 19-20). La responsabilidad y el desafío planteados por Jesucristo tiene que ver con la redención del mundo, y el plan salvador de Dios. La vida del hombre en su totalidad se encuentra bajo el poder del pecado y necesita ser redimida. El pecado está insertado en la totalidad de la vida humana y el único medio que puede quitarlo es la sangre derramada de Jesús en la cruz del Calvario. La misión de la iglesia es entregar este mensaje de salvación a la humanidad, misión que no es exclusiva ni excluyente. Todo cristiano, los redimidos del pecado, deben responder a este compromiso. El imperativo de Jesús pone atención principal en hacer discípulos y no en mantener instituciones. La iglesia tiene que propagar el evangelio en una forma adecuada al momento y a las circunstancias que vive.

El compromiso de la Iglesia es permanente y aunque se encuentra actualmente en una era donde los resultados se exigen con prontitud, el fruto de la misión se va dando de acuerdo a su crecimiento y desarrollo. Dios no ha dejado en manos de extraños el destino de cada ciudad del mundo. El Señor ha entregado la ciudad en manos de la Iglesia para que cumpla su responsabilidad y las congregaciones locales han sido llamadas a influenciar poderosamente en ella con el mensaje del Evangelio.

El ejemplo tomado de la arboricultura aplicado a la iglesia señala que sí no hay fruto el árbol es estéril y no es capaz de generar lo que su naturaleza demanda. El ministro sano prepara a los miembros para que cumplan la Gran Comisión, que vayan y hagan discípulos en todas las naciones. Así que el fruto de la iglesia es la misión, la acción de la Iglesia a los no cristianos.

El ministro que aplique estos cinco principios en la congregación producirá un crecimiento natural, aunque la tarea es cíclica. La constancia en el trabajo es necesaria para no perder el ciclo de crecimiento. Es una actividad infinita, no termina, es constante y de no hacerlo así, el crecimiento se detendrá y la iglesia tenderá a morir. Una iglesia saludable es aquella en la que todos los integrantes están comprometidos con el crecimiento. "En la gran mayoría de congregaciones se predica lo que Pablo dijo, pero no se hace lo que él dijo" (Castillo Jiménez, 2009).

Llevar a la acción los hechos de Pablo, producirá una iglesia práctica y funcional. El ministerio entonces, debe estar a la vanguardia, evaluando cuáles son las causas que impiden tener una iglesia sana y un ministerio saludable. Aquello que ya no está funcionando en la iglesia local debe ser quitado con el propósito de comenzar a sanear donde se ministra y aquello que esta crónico debe ser prontamente restaurado para que no estorbe su desarrollo.

Conclusión

Cada iglesia local y ministro latino imbuido en el manejo de la iglesia en sus diferentes rubros enfrenta una realidad de la que no puede eludirse. Se necesita entender el medio ambiente social y percibir cuáles son las dos barreras que constantemente se oponen a la iglesia para que con efectividad se desarrolle un auténtico sistema transformacional urbano. Las cuatro áreas que están dentro del sistema han de funcionar en armonía para obtener el producto deseado. ¿Están sanos o enfermos? La opinión de aquellos que los aman puede ayudar a tener un diagnóstico, pero no será tan objetivo y profesional como se necesita.

Es importante buscar personal externo que realice una evaluación amplia y exhaustiva sobre el estado de la iglesia, sus ministros y líderes locales sin importar el costo económico, pues será la base sobre la cual, la comunidad de fe y pastores podrán aplicar la metodología sugerida para que el evangelio se expanda, y esto a su vez traiga el crecimiento deseado. Por el contrario, si no se detecta, diagnóstica y atiende la situación que afecta, de nada servirán todos los recursos que se tengan.

Es aconsejable buscar una consultoría pastoral y eclesiástica que brinde dirección para hacer más eficaz su sistema de trabajo. El objetivo es aumentar la productividad, superar las expectativas actuales y proyectar la expansión como iglesia local. Las que existen tienen la firme convicción de ser el vínculo para el ministerio pastoral, el cumplimiento del llamado y su tarea eclesiástica con su entorno social. Buscar toda la ayuda para cumplir con las responsabilidades en la ciudad es necesario.

11

CRISIS EN LA TEOLOGÍA URBANA NEOTESTAMENTARIA

La urbe moderna constituye una realidad compleja, inabarcable, sorpresiva e inédita. Es un espacio vital lleno de contradicciones, expectativas y frustraciones, sus habitantes, a la vez testigos y protagonistas, la convierten en hábitat indeseable e incitante. Que la iglesia se encuentre en ella es vivir día a día un desafío. Cada congregación tiene un enorme poder de influencia derivado de su profunda capacidad de comprensión bíblica y su llamado a ir. ¿Es posible hacer algo por la ciudad? Sí. ¿Qué hacer entre las mil alternativas que existen? Mucho. ¿Qué estrategias utilizar para llegar a servirla realmente? Todas las posibles.

Cada ministro e iglesia local deben evaluarse a sí mismos y reconocer de qué adolecen y qué es lo que está generando crisis en su teología dirigida a la urbe. Iglesia y ministro confrontan retos, desafíos, llamados, tareas y responsabilidades hacia su ciudad. No hacerlo genera crisis e impide que el evangelio se expanda por las calles y afecte decisivamente a sus habitantes.

Centrar sus fuerzas en solucionar sus problemas internos le roba tiempo y energía. Con sabiduría tiene que dar respuesta a sus propias situaciones y enfocar todos sus programas y finanzas en cumplir la Gran Comisión para que Dios sea conocido en cada rincón de la urbe. Debe preparar el ambiente interno para que Dios se mueva y manifieste su Gracia, salvando personas por medio del mensaje que proclama.

La crisis en la teología urbana se da porque la iglesia se encuentra haciendo tareas a las que no ha sido llamada y está enfocada en cumplir programas que sólo mantienen cierta vida a su interior, vive para sí misma, y no cumple con sus responsabilidad de ir. La Iglesia es quien realmente ha generado esta crisis, no es la ciudad, no es Satanás, no es la sociedad y tampoco es el mundo mismo; cuando se deja de cumplir el programa que el Señor espera se da paso a esta crisis. Toca evaluar su propio comportamiento hacia la ciudad para evitar todo escollo que pueda llevarla a la extinción. ¿Cuál es el propósito principal de la iglesia en la tierra? ¿Cuál es la causa por la cual Jesucristo dejó un grupo de discípulos en el mundo? Antes de ascender al Padre Jesús habló específicamente de este tema, la orden fue clara, concreta y precisa: ir a Jerusalén. En esa ciudad los discípulos tenían que esperar la llegada del Espíritu Santo, recibir su poder y convertirse en testigos para el mundo.

El mandamiento de Jesús es imperativo: *haced discípulos en todas las naciones* (Mt. 28:19, 20). Hacer discípulos implica que hombres y mujeres tengan la experiencia del perdón de pecados por la fe en Jesucristo, que sean bautizarlos en agua, concentrarlos en una comunidad de fe local para que aprendan las enseñanzas de Jesús y enviarlos a predicar la Palabra. Toda iglesia local ministra a su sociedad obedeciendo esta orden y Dios se manifiesta en la medida que entra en contacto con la urbe.

Los nuevos creyentes deben integrarse tan pronto sea posible a la vida de la iglesia local. La comunidad de fe que no realiza esta acción tiende a morir. La presentación del evangelio ha de tener lugar principalmente en las concentraciones urbanas, no al interior de la iglesia local. El crecimiento de la comunidad de fe no es algo que los miembros logran para Dios. Esta es una actividad divina a la que sus discípulos son llamados a participar. El crecimiento es la consecuencia de su relación correcta con Jesucristo.

El estudio de la ciudad se ha vuelto un tema fundamental para cumplir la Gran Comisión. En los siglos pasados, el cumplimiento misionológico se daba fuera de las ciudades. Las áreas rurales tenían el mayor número de habitantes, ahora este gran número se ha desplazado a las urbes. Al estudiar la ciudad se descubre que ésta es impactada constantemente por dos fuerzas. Una de ellas es la fuerza destructiva del pecado que se mueve a través de la idolatría y la injusticia. La idolatría es el fracaso de amar a Dios; la injusticia es el fracaso de amar al prójimo. La otra fuerza es el poder impactante del evangelio a través de cada iglesia local sana.

En medio de estas dos fuerzas está la ciudad. Entender la urbe desde sus aspectos básicos ayuda a comprender mejor la tarea que la iglesia aplicará: ¿la ciudad es histórica, religiosa, comercial, industrial, militar? ¿Está enclavada a la orilla de un río, en las faldas de un volcán, a la orilla del mar, en la montaña, en la sierra? La iglesia debe aprender a leer la urbe e impactarla eficazmente con el evangelio.

La iglesia tiene el poder espiritual, las herramientas adecuadas, las personas correctas, la capacidad logística necesaria, posee la visión de lo que quiere, tiene el tiempo suficiente para desarrollar planes y proyectos. Pero debe hacer esfuerzos por usarlos con precisión y no convertirse en una espectadora urbana. Leer la ciudad implica entenderla, percibir los olores de ésta, escuchar su voz, distinguir los sonidos, comprender su alma, es decir, saber la angustia y el dolor que experimentan sus habitantes.

Iglesias neotestamentarias urbanas

Es fundamental que ministros e iglesias se conviertan en lectores urbanos sagaces para evitarse problemas futuros en su desarrollo ministerial y eclesiástico. El Antiguo Testamento da pauta para que aprender a ser este tipo de lectores. Nehemías leyó su ciudad haciendo recorridos nocturnos para observar la situación de Jerusalén (Neh. 2:11-15). Josué fue excelente lector de las ciudades que conquistó. En cada una de ellas aplicó diferentes estrategias: En Jericó rodeó la ciudad (cap. 6). En Hai la confrontación fue por medio de escaramuzas (8:3-8). En Gabaón aceptaron una alianza de paz (9:15; 10:1). Con las ciudades del sur la conquista fue frontal y en una sola expedición (10:29-42). El asalto de las ciudades norteñas se realizó en diferentes etapas que llevó más tiempo (11:16-23). Todo el libro de Josué da evidencia de ello.

El Nuevo Testamento describe a Pablo como un lector urbano que enseña a leer las ciudades. En Filipos leyó que era importantísimo asistir al río (Hch. 16:13, 14). En Atenas entiende la necesidad de presentar su mensaje en el Areópago (Hch. 17:19). En Corinto desarrolló su actividad artesanal porque comprende que por medio de una actividad empresarial puede plantar una iglesia (Hch. 18:1-4). De no hacer una lectura correcta de la ciudad, Nehemías, Josué y Pablo, hubieran fallado en llevar a cabo las diferentes acciones que el Señor les ordenó hacer.

El gran problema de la iglesia latinoamericana del siglo XXI es que se encuentra inmersa en su situación personal y no ha vuelto sus ojos a la sociedad. En el siglo I Israel se encontraba abocado a sí mismo, sus problemas, sus proyectos, sus sueños, su visión, su razón de ser estaba enfocada en su propio entorno. Para Israel, la sociedad no judía y las demás naciones no eran importantes, sus intereses no estaban orientados en personas que no fueran judías. Samaritanos, griegos, romanos, árabes, esclavos y demás individuos no eran grupos sociales atractivos, y mucho menos de interés escritural; no había motivo para compartirles el mensaje de Dios. Para estos grupos culturales estaba velado el conocimiento de la Palabra porque los judíos señalaban que no eran dignos.

En la actualidad la iglesia, salvo sus excepciones, tiene puesta toda su atención en sí misma. Predica la Palabra de Dios, evangeliza, aplica una serie de estrategias evangelísticas pero su atención más importante es hacia ella misma. La construcción del templo, congresos, la formación del coro, la compra de instrumentos musicales, desayunos ministeriales, la atención a la membresía, la participación de servicios fraternales y otras actividades manifiestan una desmedida atención en sí misma. Un buen parámetro de evaluación es observar dónde la iglesia utiliza más sus recursos financieros y humanos.

Crisis en iglesias paulinas

La decisión de llevar el Evangelio a los no judíos fue una medida aceptada y acordada con todos los líderes de la iglesia después del Concilio (Hch. 15). La actividad misionera intensiva de Pablo y su equipo en las ciudades del imperio da como resultado la plantación de iglesias. De estas congregaciones se esperaba desarrollaran actividades de expansión pero se ven envueltas en una serie de crisis que desestabilizan su hegemonía y retrasa el avance del evangelio. Experimentan tensión por las circunstancias externas e internas que confrontan.

La llegada del evangelio, primero a las comunidades judías y luego a los demás crea una mezcla explosiva y peligrosa cuando no se entiende el concepto correcto de Iglesia; esto da paso a que los judaizantes, un grupo organizado que ponen en entredicho el mensaje y el método evangelístico en los no judíos que afecten decisivamente la vida interna de las iglesias. Las filosofías griegas también hacen su parte en la crisis de estas iglesias locales que se ven considerablemente diezmadas; Pablo reúne a un equipo de apologistas que ayudan en la salud de las iglesias. Para disminuir la confrontación envía una serie de misivas para exponer el error.

La iglesia de Corinto

Corinto es la ciudad capital del Peloponeso y fue una de las urbes más grandes de Grecia, sólo superada por Atenas. Tenía una población de cien mil habitantes; sesenta mil esclavos probablemente estaban incluidos en la cifra señalada. En está en esta ciudad la iglesia confronta una serie de problemas que afectan su compromiso de expandir el evangelio. Experimenta una terrible crisis de división interna que repercute en todos y daña su testimonio en la ciudad; acusada en la primera epístola por practicar más de cuarenta pecados. Estos van desde divisiones (1:10-12), descalificar el ministerio de su padre espiritual (4:18–21; 9:1–6; 16:10–12), tolerar pecados sexuales entre ellos que los no cristianos no practicaban (5:1), prácticas sexuales con prostitutas (6:9–11, 18), problemas de litigio entre ellos en los juzgados (6:1), problemas matrimoniales de tal magnitud que el apóstol describe veinte mandamientos sobre la vida conyugal (cap. 7), orgullo intelectual (8:1-3), pisotear la conciencia del creyente débil (8:9-13), murmuración (10:10), problemas de autoridad en las mujeres (11:3-16),participar de la Cena del Señor borrachos (11:21), frenesí y misticismo en las reuniones culticas (caps. 12-14) y desviaciones doctrinales en el tema de la resurrección (cap. 15), entre otros. Es una iglesia con graves problemas entre sus miembros.

La fisonomía de esa comunidad local presenta dificultades, tensiones, discordias, celos, envidias y rivalidades; el cuerpo está fragmentado y lleva a los respectivos grupos a un constante enfrentamiento. La contraposición de los diversos grupos en nombre de su particular personaje de autoridad, procede de la necesidad de autoafirmarse y buscar prestigio. Su inmadurez los lleva a vivir estas divisiones risibles; de allí la importancia de esta epístola, pues muestra más que ninguna otra los problemas internos de una iglesia del Nuevo Testamento. No se conoce de esta iglesia local ningún proyecto de obra misionera o algún plan de expansión a otras áreas alejadas del puerto de Corinto.

Las iglesias de Galacia

Galacia es una antigua región del Asia Menor donde se encuentra actualmente Turquía. En esta zona se asentaron tribus migratorias de galos procedentes de las tierras germanas a principios del siglo III a. C. Toma su nombre de éstos y sus habitantes se llamaron gálatas. La región se dividía en Galacia del norte y Galacia del sur. Antioquia de Pisidia que era la ciudad más importante de Galacia del sur. "Es probable que la epístola a los Gálatas haya sido dirigida a las iglesias de Antioquia, Icono, Listra y Derbe" (Harrison E. F., 1999, pág. 211).

Estas iglesias experimentan una grave crisis al abrir sus puertas a predicadores descalificados. Un grupo de judíos cristianos llegados de Jerusalén presentaron un mensaje que desestabilizó al poner en entre dicho la validez y legitimidad del evangelio anunciado por Pablo. Lo acusan de predicar un evangelio mutilado al no incluir en él las obras de la Ley de Moisés y no ser un auténtico apóstol que convivió personalmente con Jesús.

Para estos predicadores el auténtico evangelio es el de los apóstoles de Jerusalén, que están en línea con la revelación del Sinaí y que es predicado únicamente por aquellos que fueron llamados personalmente por Jesús. Así que los cristianos de Galacia comienzan a adoptar los ritos del judaísmo en sus reuniones. Estos predicadores son conocidos como judaizantes que pugnaban porque los cristianos cumplieran los preceptos de la Ley judía, imponían la abstinencia de comer carne de ciertos animales, como el cerdo y el conejo, comer pan sin utilizar levadura, promueven la circuncisión entre los varones y obligan a guardar el Shabat, es decir, dedicar exclusivamente el día sábado a Dios y festejaran todas las fiestas judías. Su mensaje estaba mezclado con prácticas del judaísmo.

La iglesia de Colosas

Antigua ciudad de Frigia, en la península de Anatolia, donde actualmente es Turquía, cuyo nombre puede ser una deformación del término colosal. Estaba junto al río Licos, afluente del río Menderes, y se encontraba en una de las grandes rutas de comercio llamada *Vía Magnesia*. Urbe grande y rica que debía la prosperidad a su lana teñida de violáceo llamada *colossinus*. Población compuesta principalmente de frigios, griegos y judíos. Parece que la iglesia fue fundada por Epafras (Col. 1:7) y más tarde Arquipo la lideró (4:17; Flm. 2).

Existe cierta evidencia de que se celebraban reuniones en la casa de Filemón (Flm. 2), el amo de Onésimo. Esta iglesia confrontó errores peligrosos, pues aunque existían una seria tendencia judaizante como la circuncisión (2:11-13), guardar el sábado, las fiestas judías (2:16) y la abstinencia de ciertos alimentos impuros (2:16, 10-22); la mayor atracción que adquirió la iglesia fue hacia el culto a los ángeles. Al parecer había llegado a formas supersticiosas, hasta hacer de los ángeles una especie de dioses guardianes de la Ley (Col. 2:18).

El gnosticismo también fue aceptado. Promovía ritos de iniciación, ascetismo y el conocimiento como medios de salvación plena. Gnosticismo se deriva de la palabra griega gnosis que significa simplemente conocimiento. Es un sistema filosófico y religioso que promete la salvación del individuo por medio de un conocimiento específico guardado por milenios, y que es sólo para unos cuantos. Enseñan que este saber les da la capacidad de transmitir paulatinamente a sus seguidores la información para que también lleguen a alcanzar su propia salvación. La gnosis o el conocimiento es el medio más efectivo de escape por el cual el ser humano puede encontrar su total liberación y la comprensión absoluta de la verdad en su ser.

Este conocimiento, o gnosis, para usar el término griego que dio nombre a esta filosofía, podría alcanzarse únicamente por aquellos que estaban iniciados en los íntimos secretos de los asociados. La enseñanza de los gnósticos iba a formar una desorganizada, pero cohesiva secta en la que sus miembros estarían unidos por ritos comunes y por un mismo modo de pensar, más que por sus oficiales y sociedades (Tenney C., 1996, pág. 444).

El gnosticismo se nutrió de diversas corrientes filosóficas con innumerables extravagancias, que involucraron al cristianismo. Con tal disfraz, penetraron las comunidades cristianas minando su estructura y base.

Con estrafalarios sistemas, producto de absurdas combinaciones de diversos elementos, entresacados de las teorías de Platón, de la teogonía hebraica, del brahmanismo, del panteísmo, del budismo y del Evangelio, pretendían sostener una doctrina superior al paganismo, al judaísmo y al propio cristianismo (Backhouse & Tylor, 1986, pág. 104).

Con tales elementos señalados el gnosticismo es de carácter parasitario, es decir, con la capacidad de absorber y adherirse a elementos ajenos de diversas corrientes filosóficas y doctrinales, y adaptarlos a su propio esquema doctrinal. Se adapta y adopta, cual camaleón para sobrevivir. Para el segundo siglo estaba tan compenetrado en las iglesias, que las corrompió a tal grado que casi extinguió la base doctrinal y teológica del evangelio.

Crisis en las siete iglesias de Apocalipsis

Juan escribe Apocalipsis con una variedad de imágenes que presenta la gran y definitiva confrontación entre los poderes del bien y las fuerzas del mal. En esta final batalla los que salen triunfantes son los creyentes y seguidores de Jesucristo. Juan dirige su atención a comunidades eclesiásticas asentadas en ciudades concretas, con características propias que viven en la provincia de Asia Menor.

Estas ciudades son parte de un conjunto de redes excelentemente comunicadas entre sí por algunas de las principales rutas del imperio. La globalización que Alejandro Magno desarrolla se mantiene por varios siglos, hasta los días de Juan. Siete urbes ofrecen características comunes. El mundo cosmopolita, híbrido y pluricultural de ellas fue parte de la iglesia del primer siglo. Las componen distintas culturas, ideologías y propuestas religiosas siendo poseedoras de grandes, y reconocidas bibliotecas.

La mayor parte de las ciudades a las que se dirigen los mensajes proféticos, estaban dedicadas a la promoción de esta religión civil romana. Éfeso, la mayor ciudad de la provincia romana de Asia, era sede del procónsul y competía con Pérgamo en el reconocimiento de su primacía. Lo mismo que Esmirna, era un centro de culto imperial, famoso por las luchas de gladiadores. Pérgamo, ciudadela de la civilización helenista en Asia, reclamaba para sí, ser el centro del culto imperial. La ciudad había recibido permiso, ya en el año 29 a.C. para construir un templo al divino Augusto y a la diosa Roma... En Tiatira, el emperador era adorado también como Apolo encarnado y como hijo de Zeus. El año 26 d.C. Sardis competía con otras diez ciudades asiáticas por el derecho a construir un templo en honor del emperador, pero lo perdió a favor de Esmirna. Laodicea era conocida no sólo como la ciudad más rica de Frigia, sino también como centro del culto imperial (Scüssler Fiorenza, 1997, pág. 37 y 43).

El Señor apunta sus reflectores a estas ciudades con el fin de poner atención a lo que sucedía en las iglesias. De las siete, Éfeso y Esmirna eran urbes portuarias importantes, Tiatira, Filadelfia y Laodicea eran ciudades industriales y comerciales que disfrutaban de prosperidad e importancia económica, Sardis y Pérgamo habían sido anteriormente capitales de poderosos reinos, y aún tenían gran influencia política en el tiempo de Juan. Las siete ciudades se encontraban relativamente cerca una de la otra, pues la distancia nunca superó los 100 kilómetros entre una y otra. La distancia entre Pérgamo, la que está más al norte y Laodicea, la que está más al sur, es una distancia de poco más de 200 km en línea recta.

Roma mejoró el sistema de rutas que ya existían entre esas ciudades y su proximidad al Mediterráneo le proporcionó un clima agradable. Las ciudades costeras de Éfeso, Esmirna y Pérgamo disfrutan de un clima encantador todo el año. Las ciudades de tierra más adentro como Laodicea y Filadelfia, aunque participan en cierta medida del clima continental de la altiplanicie de la Turquía central, con algo de nieve en el invierno, son beneficiadas con vientos templados la mayor parte del año.

La región es montañosa y en algunas partes escabrosa; florece la agricultura que produce frutas propias de los climas frescos, como damascos, manzanas, fresas, aceitunas y dátiles. La región es regada por un gran número de ríos de un caudal regular como el río Meandro. Estas iglesias enclavadas en las ciudades señaladas confrontan crisis internas y externas que afectan decisivamente su proyecto de expansión. De ellas, a lo menos una no cae en escandalosa crisis.

El mensaje real de Apocalipsis está contenido en el segundo y tercer capítulo. El objetivo es manifestar la condición espiritual, las obras y logros en la realización de la Gran Comisión de cada iglesia en su ciudad. El orden de presentación de cada comunidad de fe local es geográfico. "El mensajero podía iniciar la travesía desde el puerto de Éfeso a 56 kilómetros al norte del puerto de Esmirna y seguir más al norte y encontrar Pérgamo; de allí puede virar hacia el al este y al sur para visitar las otras cuatro ciudades" (Walvoord & Zuck, 2005).

El Evangelio se contextualiza para la situación de cada ciudad y se define en tres elementos, primero, cada mensaje revela la comprensión de la historia, el comercio, y las funciones religiosas y políticas de la urbe; segundo, cada mensaje presenta una interrogante, ¿Cómo han reaccionado a su ciudad, y de qué manera han ministrado en ella? Jesucristo describe el efecto que la ciudad ha tenido en la iglesia y ésta a su ciudad. Tercero, cada mensaje afirma, exhorta, y hace promesas a la comunidad de fe con una segunda pregunta: ¿Qué anhelas que yo el Señor quieres que haga? Con ello cada mensaje es un llamado a la iglesia a la fidelidad en el ministerio de su respectiva urbe.

Éfeso

Esta ciudad compartió junto con Antioquía de Siria y Alejandría, en Egipto, el honor de ser una de las ciudades más grandes e importantes del mundo oriental en el imperio. Pero su mayor honor era que tenía uno de los templos más grandes y más famosos de la antigüedad, dedicado a la diosa Artemisa, que los romanos llamaban Diana. El templo es conocido como una de las siete maravillas de la antigüedad. La famosa estatua de Artemisa, diosa de la caza y de la fertilidad, estaba en el santuario interior del templo.

Algunos escritores como el escribano de la ciudad (Hch. 19:35), afirmaban que había descendido del cielo, por lo que algunos eruditos deducen que fue construida con la piedra negra de un aerolito. Otros afirmaban que estaba hecha de madera negra cubierta parcialmente de oro, pero dejando al descubierto cabeza, brazos, manos y pies. Uno de los bancos más ricos y más hábilmente administrado de la época pertenecía a los sacerdotes de este templo. Grandes sumas de dinero se depositaban en sus bóvedas. La ciudad estaba situada en los márgenes del río Caistro que la hizo un importante centro comercial y daba mayor ventaja su posición geográfica entre dos importantísimos ríos que regaban una rica región agrícola, el Meandro al sur y el Hermos al norte. Esto llevó a que muchas prósperas empresas de negocios radicaran en esta ciudad, haciendo de ella una de las urbes más ricas de la antigüedad.

La iglesia en esta ciudad tenía buenas características que el Señor alaba. La lista de las acciones de ella en la ciudad es impresionante. Sus buenas obras, su duro trabajo, que no tolera gente malvada, que tiene discernimiento para descubrir los falsos ministros, desecha las doctrinas heréticas de los nicolaitas y que ha sufrido por causa del Señor y de su Palabra. En dos ocasiones señala su perseverancia y ánimo para seguir dando testimonio de su fe en la ciudad (2:2, 3, 6). Esta es una iglesia que está en constante acción. A pesar de todas estas características tan significativas, ella no logra distinguir su terrible condición.

Es señalada por desleal, ha olvidado su amor al Señor que significa traición. El activismo de una comunidad de fe local no puede ocultar su enfriamiento. No necesariamente las acciones de una iglesia significan que está en un estado espiritual elevado, por lo que se hace necesario evaluar toda actividad teniendo sumo cuidado con el activismo que sin percibirlo sólo satisface a la iglesia. La influencia que pueda generar en la ciudad una iglesia con esta situación no es significativa.

Esmirna

Situada en el extremo este de un golfo que penetra unos cincuenta kilómetros tierra adentro. En él se encuentra un puerto bien protegido por las montañas que lo rodean. Como ciudad portuaria, grandes naves tienen acceso. Al estar situada en el corazón de la región tiene ventaja frente a las otras urbes del Asia Menor occidental, y se ha convertido en uno de los más importantes centros de comercio de esa región. Un elemento más a su favor es que fue asentada en el fértil valle del río Meles y que disfruta de fácil acceso al interior y a ciudades importantes como Pérgamo, Sardis y Éfeso. Otra atracción de Esmirna eran sus fuentes termales frecuentadas por gente que sufría de artritis. Sus habitantes afirmaban que cuando se bebía esa agua se aliviaban los malestares intestinales. Su clima es agradable y una densa vegetación añade su encanto al paisaje donde se encontraban olivos, cipreses, higueras, granados, sicómoros y datileras.

Los principales productos de exportación son sus famosos higos, tabaco, seda y alfombras. Los minerales que se encuentran en las montañas de la región desde tiempos antiguos, incluyen hierro, manganeso, oro, plata, mercurio, plomo, cobre y antimonio. Estas son razones por las cuales Esmirna se convirtió en una ciudad populosa y rica.

Sus antiguos habitantes se sentían orgullosos de ser la cuna del famoso poeta Homero. En los días de Juan la comunidad cristiana sufrió repetidas persecuciones.

Famosos mártires dieron su vida dentro de los muros de la ciudad, el más ilustre fue Policarpo, discípulo de Juan, que fue quemado vivo en el 155 d. C. en el estadio ante el beneplácito de los asistentes. La alianza de la ciudad con Roma la convirtió en la sede del culto al emperador donde había un templo dedicado a Tiberio. La congregación en esta ciudad es conocida como una iglesia perseguida y se destacan dos características básicas en ella, el valor y la fidelidad en tiempos de persecución (2:9, 10). Es la única congregación, de las siete, que no presenta un estado de crisis al interior o al exterior. La persecución purifica a la iglesia y ennoblece su carácter conduciéndola a manifestar su fidelidad a Cristo en la ciudad.

Pérgamo

La ciudad se encuentra situada en un amplio valle a cinco kilómetros al norte del río Caico y a unos veinticinco kilómetros del mar Egeo. El palacio, los templos, los teatros, los gimnasios y los demás edificios públicos estaban construidos en la cima y en las faldas de una elevada colina. Tenía tantos edificios públicos monumentales que era aclamada como la urbe más rica del mundo. El área residencial de la ciudad quedaba al pie de la colina. El altar de Zeus era una enorme construcción de treinta y seis metros de largo por treinta y cuatro de ancho y doce de alto.

Era una obra maestra de arte y arquitectura que consistía en un edificio de dos pisos construido en forma de herradura, cuya parte inferior estaba cubierta con bellos relieves tallados que conmemoraban la guerra entre Pérgamo y los galos. Esta magnífica construcción naturalmente constituía una gran atracción para la ciudad. "Estos edificios y sus casas se alzaban desde la orilla del mar hasta la cima del monte Pago coronado de templos y otros edificios" (González Ruíz, 1987, pág. 92).

Los edificios construidos en semicírculos fueron llamados la corona de Pergamo. También tenía un templo circular en el cual los paseantes depositaban sus ofrendas antes de marcharse. En el atrio del Asclepión había un monumento con las dos serpientes de Esculapio en relieve, el símbolo de la profesión médica. Galeno (c. 130-c. 200 d. C.), el médico más famoso de la antigüedad, nació en esta ciudad. Sus escritos muestran que los médicos de sus días tenían conocimientos científicos en cuanto al funcionamiento del cuerpo humano y al poder curativo de ciertas medicinas y métodos terapéuticos.

El acueducto de la ciudad proporcionaba agua mediante presión hasta la acrópolis. El agua provenía de vertientes montañosas de un nivel más alto y corría por una cañería de varios kilómetros de longitud que cruzaba la planicie donde estaba situada Pérgamo. Sus habitantes acuñaron sus propias monedas dando mayor valor y realce a su estatus, aunado a la posesión de una biblioteca que creció hasta tener 200.000 manuscritos. La historia registra que esta biblioteca despertó la envidia de Tolomeo V de Egipto (203-181 a. C.). Temiendo que pronto sobrepujaría a la biblioteca de Alejandría, este rey prohibió la exportación de papiro, el material de escritura más común de la antigüedad. Esta situación se convirtió en una gran ventaja para la ciudad de Pérgamo, pues indujo a los libreros a inventar el pergamino, el mejor material de escritura que jamás se haya producido.

Los cristianos de esta ciudad son conocidos como la iglesia casada con el mundo. Juan menciona las excelentes cualidades de la comunidad de fe en medio de una presencia satánica más intensa que en otras ciudades: la maldad depravada, la idolatría, la sensualidad y un espíritu engañoso sostenían el trono de Satanás en esta urbe. En medio de esta situación social, moral, religiosa y espiritual la iglesia no niega su fe y testifica de Jesucristo. Antipas, un fiel mártir, que había sido muerto en esa ciudad es un testimonio de esta situación en la iglesia (2:13). Pero a pesar de tan elocuente testimonio a la iglesia se le reprocha duramente por tolerar la idolatría y la inmoralidad dentro de sus filas. Esta comunidad de fe local ha permitido ministerios a sueldo. Que son habituados a la codicia (2 P. 2:14-16), ministran por lucro (Jud. 11), y no estorba a los ministros que corrompen a la iglesia con pecados sexuales tal y como lo manifestó el malvado Balaam (Nm. 31:15, 16; 25:1-3).

Otra acusación contra de esta iglesia es permitir que doctrinas corrompan el manejo administrativo de la comunidad de fe local. Son mencionados los nicolaitas, personajes que enseñaban la separación entre los laicos y los teólogos, entre los que son miembros y los que son ministros, entre los que estudiaron teología y los que son seglares. Las acciones y doctrina de los nicolaítas jerarquiza a la iglesia. Con ellos nace el clero y el laicado produciendo una separación.

Una casta clerical con privilegios especiales, fuerte vínculo con la política y un evidente dominio sobre el resto de los miembros. Se califica a los clérigos como los doctos, los más espirituales, los que tienen más estudios, mientras que los laicos no tienen nada de ello y deben manifestar absoluta docilidad. La sencillez de la iglesia se vio paulatina e imperseptiblemente reemplazada por el institucionalismo, una institución organizada con jerarquías y con moldes seculares y paganos. Si la iglesia hace alianzas políticas en la ciudad, si promueve ministros a sueldo, si callan los hechos pecaminosos de los ministros y enfatiza su gobierno monolítico clerical, nunca tocará el corazón de la ciudad, de ello la congregación de Pérgamo da testimonio.

Tiatira

Ciudad enclavada sobre el río Lico, tributario del Hermos, en la parte norte de Lidia. En ella es adoradora del dios sol Tirimnos de los lidios, que era representado como un jinete. La ceremonia de la antorcha olímpica originalmente era un tributo al dios Apolo deidad principal de esta ciudad. Fue un centro comercial del área aunque nunca fue una metrópoli como Éfeso, Esmirna, o Pérgamo. De vida tranquila y pacífica que en pocas ocasiones estuvo expuesta a la guerra. Su principal actividad era industrial en la confección de alfombras. Esta sociedad estaba compuesta de gremios bien disciplinados y organizados. Estos sindicatos eran notables por sus celebraciones a los dioses protectores con ofrendas y comidas; el no pertenecer a uno de los sindicatos implicaba ser marginado en el mundo comercial de la ciudad.

Para los creyentes, el problema era que estos gremios estaban vinculados con la idolatría; cada agrupación tenía su propio dios, y practicaba ritos relacionados con la deidad. El conflicto para el creyente era cómo sobrevivir en esta ciudad económicamente, sin ser miembro de una de estas sociedades vinculadas con la idolatría. Una de estas era la de los tintoreros dedicados a teñir las telas con color purpura. Pérgamo tenía un templo dedicado a la deidad Sambate, donde una profetisa daba sus oráculos, la práctica del ocultismo era común en esta ciudad.

La iglesia en esta ciudad es conocida como una comunidad de fe mundana. Se alaba su extraordinario trabajo, con una fiel dedicación al cumplimiento de sus deberes, tanto con sus hermanos como en la propagación del evangelio. Su amor, fidelidad y paciencia también es subrayada (2:19); sin embargo la iglesia está viviendo una doble vida: entre lo santo y lo profano, entre lo espiritual y carnal. El Señor demanda con urgencia arrepentirse de su condición y de no hacerlo el castigo está a la puerta. Se le recalca un personaje femenino llamada Jezabel, mujer que lleva una serie de acciones que conducen a la iglesia al desastre total y se hace llamar profetiza (v. 20), pretendiendo ejercer el ministerio de la Palabra y la dirección del Espíritu Santo.

Con cierta autoridad hablaba la Palabra pero su inspiración era diabólica, pues enseña que la práctica del pecado sexual en todas sus expresiones es correcta, promoviendo con ello la idolatría; enseñanza que sedujo a los ministros del Señor, aunque dicha seducción era quizá más material que sexual, pero presentaba un estilo de vida cristiano promiscuo.

La ciudad era un centro comercial y mucho del movimiento comercial estaba relacionado con la idolatría y la inmoralidad, la seducción se manifestaba en participar en estas festividades idolátricas para desarrollar un trabajo laboral sin prohibiciones bíblicas. La seducción los condujo a ser infieles a Dios por el atractivo de una mujer enseñando las profundidades de Satanás sin estorbo. Con ello la iglesia pierde su pureza y experimenta serias dificultades. Hoy existen congregaciones que han caído en la tolerancia excesiva de los pecados que practican algunos de sus líderes y miembros. Muchos pulpitos se ha mezclado sutilmente el evangelio con el ocultismo y la metafísica, seduciendo a los oyentes. Esto ha generado un remedo de iglesia en la ciudad.

Sardis

Capital del reino de Lidia. Su acrópolis estaba construida sobre una colina de las laderas del norte del monte Tmolo, en torno al río Pactolo, tributario del Hermos, que formaba un foso natural en dos lados. Amurallada y contaba una gran torre donde los vigías tenían una vista panorámica para descubrir cualquier ejército enemigo. Los fuertes muros protectores de la acrópolis que la hizo inexpugnable. Más tarde se extendió a la llanura que está al pie del cerro y se hizo próspera gracias a las grandes cantidades de oro encontrado en el río Pactolo cuyo nombre significa Porta oro.

Sardis inventa las monedas y se usan como dinero por primera vez en la historia. Siendo conquistada por Ciro el Grande la orgullosa y rica ciudad se convierte en la sede de una satrapía. El gran templo de Cibeles, la antigua diosa madre del Asia Menor, a veces comparada con Artemisa o Diana, y cuyo culto era similar al de Diana, se encuentra en esta ciudad. El templo medía cien metros de largo por cincuenta metros de ancho por veinte metros de alto. Las columnas tenían un diámetro de cerca de dos metros. Los habitantes de esta urbe tenían fama de licenciosos, lujuriosos, altivos y corruptos.

El culto a Cibeles era visto extremo aún por los romanos, pues los frenéticos adoradores de esta divinidad femenina eran instados a castrarse. Después de la ceremonia de auto mutilación llegaban a ser sacerdotes eunucos de la diosa, y vestían de mujer el resto de sus vidas. El culto a Hera, diosa del hogar y del parto era popular entre las casadas. Un buen número de sus habitantes eran miembros de sectas misteriosas y sociedades religiosas secretas. La ciudad contaba con muchos edificios y obras de arte. El gimnasio tenía una fachada de dieciocho metros y estaba dedicado a fomentar los deportes y la cultura. Dentro del gimnasio había una alberca para enseñar la natación. Tan sólo el piso de la sinagoga estaba pavimentado de mosaicos y la elegante antesala describe la prosperidad material de quienes se reunían allí.

El famoso Esopo vivió en esta ciudad al igual que el rey Creso conocido por su sabiduría, y el rey Midas, que de acuerdo a la leyenda, todo lo que tocaba se convertía en oro. Ambos reyes fueron renombrados por sus riquezas en la vida real. En el año 17 d. C. Sardis sufre un fuerte terremoto y el emperador Tiberio ayudó en su reconstrucción exceptuándola de impuestos durante cinco años y proporcionándole otras ayudas. La Sardis del tiempo de Juan estaba en proceso de reconstrucción. Su gloria parecía ya haberse esfumado cuando Juan le recordó a la comunidad cristiana en ella que la ciudad había tenido el nombre o la reputación de que estaba viva, pero que en realidad estaba muerta (Ap. 3:1). Volvió a prosperar, llegando a la cúspide de su crecimiento por el año 200 d. C. En ese tiempo tenía más de 100.000 habitantes y a ella se podía llegar por cinco carreteras principales.

La iglesia no recibe ningún elogio, es una comunidad de fe muerta. Se engaña a sí misma al ufanarse de ser una iglesia auténtica, aunque es cierto que tiene un pequeño remanente que no ha manchado sus vestiduras, gente fiel y espiritual en medio de carnales e hipócritas (3:7, 8). La iglesia estaba siendo administrada por mundanos que están muertos espiritualmente, estos muertos ocupan los púlpitos, dirigen la alabanza, enseñan y predican. La iglesia muere porque los no cristianos asumen el liderazgo y la dirección de los auténticos cristianos.

Cuando la forma litúrgica es más importante que la vida espiritual, las actividades sociales son más significativas que el evangelismo, se ama más lo material que lo espiritual, el resultado es tolerar el pecado, y la muerte toma poder en la iglesia. La tolerancia al pecado es el inicio del proceso que resulta en su extinción. De la tolerancia al pecado se pasa a la carnalidad, luego los incrédulos reemplazan a los creyentes en los puestos de la iglesia y los auténticos cristianos se extinguen.

La iglesia cayó en manos de incrédulos que amaban al mundo y sus placeres. En el momento que ella abre sus puertas al mundo para que sea reconocida por la sociedad manifiesta un seudo-evangelio. Iglesias locales y ministros han caído en el error de buscar el aplauso de la sociedad olvidando sus responsabilidades; no denuncian el pecado, callan ante los temas que pueden causar controversia, como aborto, eutanasia, matrimonio gay, violencia intrafamiliar, violación, explotación laboral infantil, corrupción política, sobornos empresarial y laboral, divorcio, acoso sexual, incesto y asumen una actitud complaciente con los "errores" de sus miembros. El propósito es presentarse ante la sociedad como una iglesia vanguardista trayendo con ello inminente muerte.

Filadelfia

Asentada a orillas del río Cogamo, rama sur del río Hermos. Construida a 198 metros sobre el nivel del mar en las colinas orientales del monte Tmolo, en una zona altamente telúrica, haciendo de esta ciudad que su población fuera mínima. Detrás de la ciudad se encontraban picachos volcánicos que se formaron con el tiempo y su Acrópolis estaba rodeada por valles en tres de sus lados. El más fuerte de los temblores ocurrió el 17 d. C., quedando destruida haciendo que los pobladores vivieran a las afueras de la ciudad en tiendas de campaña. Tiberio Cesar mandó reconstruirla y en honor a tan grande gesto del monarca, levantaron un templo a favor de Germánico hijo adoptivo de él. La ciudad disfrutó de relaciones largas y favorables con Roma, estableciendo tempranamente el culto a César.

El suelo de la urbe y sus alrededores es sumamente fértil por ser volcánico, lo que generó áreas fértiles que produjo las mejores viñas de Asia Menor. Por ello sus habitantes daban culto a Baco el dios del delirio extático que promovía las borracheras. Además de las viñas, la ciudad desarrolló la producción textil e industrial en la manufactura del cuero. En materia de religión, una inscripción encontrada en la ciudad menciona a varias divinidades. De acuerdo a ésta, Zeus había mandado que la gente fuera pura y que se abstuviese de engaños, asesinatos, robos, adulterios, y otros tipos del mal. Había un altar a Hestia, diosa del hogar. La inscripción también menciona a los dioses salvadores que incluyen a Fortuna, Virtud, Salud y un altar a Astarté, además de otras deidades.

Filadelfia es la más joven de las siete ciudades mencionadas por Juan. Fundada en el año 150 a. C. durante el reinado del rey Atalo II Filadelfo, de Pérgamo, se le dio el nombre de Filadelfia, amor fraternal, en honor a la lealtad del rey Atalo a su hermano mayor Eumenes II, que lo había precedido en el trono de Pérgamo. Estaba en el camino principal entre la alta Frigia y Esmirna que la convirtió en una importante urbe del interior y acumuló suficiente riqueza para edificar suntuosos templos y otros magníficos edificios públicos como sus majestuosos gimnasios y grandiosos teatros. Escritores antiguos se referían a ella como a la Pequeña Atenas, por sus constantes festivales cúlticos también recibió el apodo Atenitas.

Filadelfia era la puerta a las oportunidades económicas de la región. Aunque nunca alcanzó la importancia política, económica o religiosa de las ya descritas. Los ciudadanos se sentían orgullosos de su historia con respecto a la resistencia a los asaltos de las naciones bárbaras en repetidas ocasiones. Es la segunda comunidad de fe local de las siete que no recibe amonestación. No hay evidencia sólida de que los creyentes de esta ciudad experimentaron una severa persecución, aunque sí enfrentaron oposición por vivir en una ciudad idólatra. Como la iglesia en la ciudad de Pérgamo, la de Filadelfia ha sido fiel a la doctrina y a Jesucristo (2:13).

Jesús tiene conocimiento de la situación de esta iglesia. No importa que tenga poca influencia en la urbe, sí debe mantener su actividad evangelística. Muchas comunidades de fe se frustran por su falta de influencia en la sociedad pero no son culpables de su poca fuerza, cada una de ellas tienen una puerta abierta en su ciudad para predicar la Palabra (1 Co. 16:9), y requiere que persistan en oración para que esta puerta se mantenga desplegada (Col. 4:3), porque es la oportunidad que el Señor da a la iglesia para proclamar las buenas nuevas del evangelio. Ninguna congregación por muy pequeña que sea debe frustrarse, necesita descubrir cuál es la puerta que el Señor le ha abierto y traspasar el lumbral. Toda iglesia local tiene la oportunidad de impactar su área aún más allá de lo cultural, social, financiero o numérico, llevando el mensaje de vida eterna.

Laodicea

Se hallaba en el valle del río Lico, que corre entre montañas que se elevan hasta 2,500 y 2,800 metros sobre el nivel del mar. Este río Lico de Frigia, tributario del río Meandro, no es el mismo que está a orillas de la ciudad de Tiatira. La gran carretera romana de Éfeso pasó por su centro. Probablemente la ciudad fue fundada por Antíoco II (261-246 a. C.), uno de los gobernantes seléucidas de la era helenística, fue quien dio a la ciudad el nombre de Laodicea en homenaje a su hermana y esposa. En su fundación fue poblada con sirios y judíos traídos de Babilonia. Establecida como una base militar para proteger la frontera norte del reino de Antíoco. Llegó a ser la más rica de Frigia y conocida como la metrópoli de Asia, pues fue bendecida con la tierra fértil del valle del río Lico, Laodicea era poseedora de ricos pastos para la crianza de ovejas.

Haciendo uso de cruces cuidadosos, los ganaderos de Laodicea lograron conseguir la producción de una lana negra, suave y brillante cuya comercialización estaba en gran demanda. Con ello la ciudad se convierte en el centro comercial de la lustrosa lana negra y de las vestiduras negras atractivas para la clase alta de su tiempo. Tanto la lana como los vestidos se exportaban a muchas naciones. También es renombrada como centro exportador del famoso polvo frigio para los ojos. La escuela de medicina de la ciudad tenía la fórmula para preparar este polvo que curaba las deficiencias de los ojos y cientos acudían de todo el imperio y más allá de sus fronteras para adquirirlo.

En ella operaba un firme centro financiero con varias casas bancarias que atraían riqueza. Logró fama por estar cerca del templo de Men Karou, donde funcionaba una bien conocida escuela de medicina. Esto generaba abundante derrama económica e intelectual, haciendo una de las más ricas del Cercano Oriente. Nerón la llamó una de las ilustres ciudades del Asia cuando ofreció a sus habitantes ayuda financiera para la reconstrucción de su ciudad después de un gran terremoto (60 d. C). Sin embargo, los orgullosos y ricos ciudadanos no aceptaron su ayuda, y respondieron que tenían suficientes recursos financieros para reedificar su ciudad sin ayuda externa. Más que sus religiones e influencias políticas, la ciudad de Laodicea es conocida por sus riquezas, erudición y comercio.

La comunidad de fe en esta urbe es clasificada como indiferente. La riqueza en la que nadaban los creyentes daba una sensación de superioridad y subsistencia personal. La indiferencia de esta congregación radicó en la idea de que al poseer todo a su alcance no necesitaban nada de nadie. Medicinas, finanza, educación, influencias, relaciones, conocimiento eran una de las vastas herramientas con las que contaban estos creyentes que forjó un carácter y espíritu de absoluta independencia del Señor.

Desde el punto de vista social, hoy congregaciones son consideradas ricas por el número de asistentes, las finanzas que manejan y los edificios que poseen. Tratan de presentar un estado espiritual óptimo por el nombre que han adquirido y que muchas de ellas han desbordado inclusive las fronteras de su nación. En realidad una congregación así es ciega a su propia realidad y se encuentra desnuda de toda fuerza y capacidad espiritual. Miembros y ministros creen que tienen lo suficiente y que no necesitan de nada y con todo su poderío e influencia tienen la idea equivocada de que su fuerza espiritual está garantizada.

Conclusión

El panorama que presentan las iglesias urbanas del primer siglo manifiesta una serie de elementos críticos. Pablo y Juan describen congregaciones con serios problemas internos, problemas que impiden una eficaz tarea de expansión. Estas comunidades de fe cometieron errores que afectaron su visión y misión al permitir doctrinas heréticas, divisiones, carnalidad, menosprecio al liderazgo pastoral, frialdad, miopía eclesiástica, mundanalidad y sectarismo entre otros.

El carácter apologético de todo el Nuevo Testamento da evidencia de la situación que permeaba en las iglesias locales, pues constantemente son amonestadas a guardar la fe con el fin de evitar todo tipo de error. A pesar de estos hechos suscitados al interior de cada una de ellas, los ministros y los líderes fueron determinantes en la propagación del evangelio en todo el imperio. La breve radiografía de estas iglesias debe estimular a cada lector a no sesgar su tarea de proclamación. Pues a pesar de estos elementos nocivos que afectaron la vida interna de las iglesias del primer siglo, los cristianos determinaron responder al mandato de la gran comisión. Dan una voz de alerta para cuidar con suma atención la vida interna de la iglesia donde sirven para seguir siendo esa luz en la ciudad: *que andaba en tinieblas vio gran luz; los que moraban en tierra de sombra de muerte, luz resplandeció sobre ellos* (Is. 9:2).

12

ROBERTO RAIKES: TRANSFORMADOR URBANO

Una de las herramientas más efectivas en el área eclesiástica urbana es la escuela dominical. Entender su historia y origen sirve para tener una comprensión más objetiva de cómo afectó la ciudad donde nació y cómo influyó decisivamente en cientos de miles de ciudades en los cinco continentes. La escuela dominical educa al individuo para ser un mejor cristiano y un excelente, y prolífico ciudadano. La educación cristiana que se imparte es una herramienta que ayuda a la expansión del evangelio y la formación del carácter del individuo.

Para sorpresa de muchos, todavía hoy la educación cristiana no reviste valor alguno: "en realidad, toda la vida y la misión de la iglesia encierra varias formas de "aprendizaje". Al referirnos a esfuerzos deliberados, sistemáticos y sostenidos, queremos decir que necesitamos hacer de tal aprendizaje una experiencia y proceso de "educación" (Schipani, 1983, pág. 14).

En sus albores la escuela dominical cambió la mentalidad del individuo, creó hombres y mujeres que determinaron entregar su vida al servicio eclesiástico, modificó el modo de educar a los niños y fue una norma perene en el programa de la iglesia local. El inglés Roberto Rikes, desarrolló un proyecto urbano que influyó más allá de lo que él mismo imaginó. Cada esfuerzo realizado por él fue una pieza que logró construir un edificio internacional, interdenominacional e interdependiente. Amó su ciudad y buscó solucionar un problema de crisis social urbana propia.

Dejar que el polvo de los siglos sepulte y quede en el olvido esta acción histórica no es razonable, se hace necesario que se mantenga siempre viva en la memoria, en el corazón, en el espíritu, en el alma y en la visión de la congregación y de sus ministros. Existe la seguridad de que siempre hay una respuesta bíblica y divina para las situaciones críticas de la ciudad.

Olvidar por cualquier razón el pasado de la iglesia y las acciones de sus paladines, es dar poco valor al presente y no tener un futuro determinado. Quienes se atrevan a desconocer su historia como Iglesia pueden, sin pretenderlo, caminar a ciegas. Roberto Raikes es el testimonio de un transformador urbano que en su tiempo buscaron silenciarlo con acusaciones infundadas, críticas hirientes y argumentos sin sustentos, por ello se hace necesario analizar el testimonio de este hombre para que cada quien asuma sus respectivos desafíos urbanos.

La ciudad de Roberto Raikes

La ciudad donde nace y crece Roberto Reikes se llama Gloucester. Es una urbe espléndida que tiene 2,000 años de haber sido fundada por los celtas cuyo nombre original era Caer Glow. Se encuentra en la región sur de Inglaterra, cerca de la frontera galesa, a orillas del río Severn, aproximadamente a cincuenta y un kilómetros al noreste de Bristol y a setenta y dos kilómetros al sureste de Birmingham. Roma hizo de Gloucester la municipalidad romana de Colonia Nervia Glevensium, o Glevum, fundada en el reino del emperador Nerva.

Establecieron un puesto de avanzada en el año 49 d. C., y a finales del primer siglo ya era una de las cuatro poblaciones británicas que alcanzaron la más alta clasificación urbana de colonia, edificaron un puerto fortificado y establecieron un campamento del ejército que protegía el río para cruzar rumbo a Gales. Con el tiempo se convirtió en la capital del reino sajón de Mercia y a principios del siglo XI contaba con un palacio real y una casa de moneda.

La importancia de la ciudad se reavivó cuando se fundó una abadía benedictina en el año 681 d. C. que más tarde se erigió en Catedral. En esta ciudad William El Conquistador pidió el libro del Día del Juicio Final. Ya en los años 1043 y 1062 fue sede del Parlamento y en 1378 se reafirma el Parlamento. Gloucester se convierte en un puerto importante en la Edad Media, en 1655 es visitada por Cuáqueros y para 1700 se torna en el primer lugar de importancia en el comercio británico. En 1827 se construyen canales artificiales que desembocan en el río Severn y así se transforma en el mayor puerto de su tiempo. Es el principal puerto interior de Inglaterra, conectado por un canal con los muelles del estuario del Severn.

La época en que Roberto Raikes desarrolló su transformación urbana comprende entre 1757 y 1811 (cincuenta y cuatro años). La situación socioeconómica que confrontó Gloucester fue la misma que permeó en toda Inglaterra, la clase alta en opulencia olvidándose de las demás. El grosor de la población inglesa vivía sin un sostenimiento económico fijo, y la mayoría de las familias sobrevivían de la caridad o de la mendicidad. El enriquecimiento nacional que se inició a partir de la revolución industrial transformó la sociedad: "Para los historiadores, el término Revolución Industrial es utilizado exclusivamente para comentar los cambios producidos en Inglaterra desde finales del siglo XVIII; para referirse a su expansión hacia otros países se refieren a la industrialización o desarrollo industrial de los mismos" (Encarta, Revolución Industrial, 2003).

Está revolución tuvo como consecuencia una mayor urbanización y, por tanto, procesos migratorios de zonas rurales a zonas urbanas. En el ambiente social se respiraba cierto sentimiento de nuevas oportunidades y de mejores horizontes para todos, muy en especial para las familias de nivel económico más holgado. Se pensó que los adelantos científicos e industriales ayudarían, primero a la clase alta y por consiguiente a las clases proletarias, a quienes el desarrollo llegaría retrasado, pero sí mejoraría su condición de vida.

Convertirían a Inglaterra en una nación poderosa, que daría ejemplo de civilidad y ayuda social a las demás naciones del mundo, convirtiéndola durante muchas décadas posteriores en el primer productor de bienes industriales del mundo. Generó una serie de excesos en la sociedad como salarios bajos, enfermedades, plagas y grandes cantidades de niños que trabajaban en las fábricas los seis días de la semana desde las 6 a.m. hasta las 10 p.m.

Cientos de familias llegaron a las ciudades y el grosor de habitantes de Gloucester procedía de áreas rurales. Las familias se apilaron en comunas generando un terrible y profundo deterioro moral; hombres, mujeres, jóvenes y niños cayeron en total y absoluta vulgaridad, impureza y embriaguez. Fue una época donde el común denominador era la ginebra consumida en grandes cantidades por mujeres, jóvenes y niños. La ignorancia era colectiva en cada uno de los miembros de las familias, quien supiera leer o escribir en estos grupos era como buscar una aguja en un pajar; la educación básica era velada para todos ellos.

En los barrios de cada ciudad de Inglaterra de cada cinco casas una era una cantina. Estos lugares eran centros de prostitución donde las peleas callejeras eran comunes y la degradación era terrible. ¿Qué llevó a Inglaterra a tal estado nacional de alcoholismo? Durante las últimas décadas del siglo XVII el gobierno había animado a la industria licorera nacional para impedir la compra de productos franceses. Esto resultó ser un negocio jugoso para algunos, pero para la mayoría trajo miseria, devastación social y moral, y en buena parte enajenación de su condición.

Fortunas inmensas fueron creadas en las fábricas de licor para pocos, mientras que los pobres adictos en miles de sucias cantinas compraban una copa por un penique. Un testimonio terrible se suscitó cuando "Judith Dufour estranguló a su hijo, lo desnudó y botó el cadáver en un riachuelo. El propósito era vender la ropa nueva del niño que le habían regalado por un chelín y cuatro peniques para gastarlo en licor" (Dorothy, 1965, pág. 41). El escepticismo había hecho presa la conciencia y el corazón de la totalidad de estas familias inglesas que se apilaban en las riberas del río y en la zona conurbada.

A medida que avanzó la urbanización se agudizó la separación entre los grupos acomodados que habitaban en barrios confortables, y los obreros, condenados por la miseria a apretujarse en hileras de casas malolientes. El aire impuro que se respiraba en los barrios obreros y la carencia de servicios elementales, como agua potable y drenaje, acortaba la vida de sus habitantes (Arteaga Tiscareño, 1997, pág. 39).

Esta situación produjo abundantes grupos de ladrones, homicidas, prostitutas y falsificadores. El infanticidio, el hambre, el suicidio, la decadencia y la locura fueron la marca social en esta época. Las mujeres se prostituían por una copa de ginebra sin importar que las ulceras sifilíticas invadieran sus cuerpos. "Los goces de los pobres eran dos, las relaciones sexuales con quien fuera y la borrachera con ginebra. Pero la borrachera era la mejor porque costaba menos y sus efectos eran más prolongados" (Paulson, 1993, pág. 25).

Transformación urbana

Roberto fue un hombre común, laico, miembro de su congregación y sin la menor intención de servir en el ministerio. Nació en 1735, hijo mayor de Mary Drew y Robert Raikes y fiel a la usanza anglicana el pequeño Roberto fue bautizado en su congregación el 24 de septiembre de 1736. La familia Raikes era prominente, de clase alta y empresarial y Roberto es descrito "como alegre, hablador, vistoso y de buen corazón" (Kelly, 1970, pág. 75). Hombre refinadamente culto contrae matrimonio el 23 de diciembre de 1767 a los treinta y dos años con Anne Trigge con quién procrea tres hijos y siete hijas. Servía a su padre en el periódico del que era dueño y posteriormente tomaría las riendas del mismo: El *Gloucester Journal* era el nombre del periódico en el que redactaba y editaba juntamente con su padre.

La problemática social en que se vio inmersa la ciudad fue llevada a los Raikes, en especial al padre como dueño del periódico. El propósito era que a través de su periódico se hiciera una denuncia pública y las autoridades competentes, tanto civiles como eclesiásticas dieran pronta respuesta a la ciudad, en especial a la clase alta. La crisis se dio cuando la abundancia de niños, adolescentes y jóvenes de los barrios bajos estaban dedicados a robar, provocaban riñas, alborotos y de conducta absolutamente violenta.

Las familias pudientes creyeron que al proponer la denuncia de estos hechos el efecto sería exitoso, creyeron que el mal se podía detener al tomar acciones concretas los padres de estos infractores azuzados por las autoridades. Junto a esta propuesta Roberto presentó apasionadamente la propuesta de reformar la prisión, también hizo uso de su periódico para presentar al público las condiciones terribles dentro de la prisión después de una visita que realizó. En 1760 hubo un gran descontento por los precios altos del maíz, esto generó que muchos alborotadores fueran encarcelados; aunque habían actuado por hambre.

Todo se acentuó aún más cuando Roberto buscó a un jardinero para que le trabajara en los jardines del colegio de St. Catherine's, que es uno de los colegios que constituyó la Universidad de Cambridge. Roberto notó un grupo de niños harapientos, mugrosos y sucios. La esposa del jardinero le dijo que la situación empeoraba los domingos cuando la calle estaba llena de niños que maldecían y perdían el tiempo alborotando y escandalizando. De acuerdo a la política del gobierno inglés para este tipo de niños la solución era deportarlos a Oceanía o a las Indias como criminales y así alejarlos de las ciudades. Algunos más eran ejecutados en el puerto como escarmiento para aquellos que no querían viajar. Esta situación no le agradó, y sabedor de estas acciones gubernamentales su corazón se angustiaba por saber que nadie hacía nada por evitar estos hechos.

Roberto se dedicó a realizar una investigación personal del por qué el comportamiento de estos niños que le llevó a descubrir un escenario aterrador, los padres de estos chicos vivían en la peor marginación, en toda clase de vicios; alcoholismo, prostitución, en la ignorancia absoluta en violencia intrafamiliar degradante y con hambre. Las madres vendían su pelo, sus dientes y sus cuerpos para tener un mendrugo de pan. La mortalidad infantil era espantosa, de cada cuatro niños de cualquier clase social, tres morían antes de cumplir los cinco años. Las falta de higiene, enfermedades contagiosas como el cólera, tifus, tifoidea, sarampión y la plaga bubónica, mal nutrición, y alcoholismo eran las causas.

Un magistrado de Londres más de cien mil personas en la ciudad consumían licor. La esperanza de sobrevivir de niños concebidos en estados de embriaguez, lactados por madres borrachas era nula. El descuido de miles de cientos de niños desheredados hizo que procuraban por sus propios medios para subsistir sin importar que se delinquiera. La mayoría de ellos eran empleados en la industria de fabricación de broches y alfileres, otro tanto se ocupaba en la limpieza de chimeneas abundantes en Gloucester. Trabajaban jornadas difíciles durante seis días a la semana. La novela del escritor Carlos Dickens, *Oliver Twist* retrata vívidamente las condiciones sociales de la sociedad inglesa.

Roberto determinó hacer algo por ellos. Decidió rescatar sus vidas de la ignominia, de su condición paupérrima y de la maldad, para que en el futuro llegaran a ser ciudadanos ejemplares. Compartió el problema con el Rev. Thomas Stock en el pueblo de Ashbury, Berkshire y concibieron el proyecto de una escuela de enseñanza dominical.

Como era amante de los niños, él proponía dar instrucción moral y religiosa a los muy pobres en el día de la semana en que la mayoría de ellos no estaba trabajando. Esto incluía enseñar a leer a muchos de los escolares. La idea no fue nueva, pues se conocían tentativas algo parecidas tan temprano como en el siglo diecisiete (Lautorette, 1982, pág. 417).

Usaron a cristianos disponibles, el plan de estudios fue basado en la Biblia aunque Raikes escribió cuatro libros de texto. El propósito era: "prevenir el vicio, animar la industria y las virtudes, dispersar la oscuridad de la ignorancia, difundir la luz del conocimiento y ayudar al hombre a entender su lugar social en el mundo" (Amstrong, 2007, pág. 87).

Contrario a lo esperado surgió oposición al proyecto, las burlas, la antipatía y la condenación de la sociedad, pero en especial de las iglesias fue violenta e incisiva. Se le acusó de violentar la santidad del domingo con su escuela, las críticas que se levantaron señalaban que Roberto estaba debilitando los hogares, que era la base de la educación religiosa de las familias. Sus enemigos señalaron que desacreditaba el día del Señor y en 1790 se generó la "querella del sábado que trató de impedir las actividades de la escuela dominical: Varios epítetos injuriosos y denigrantes se dirigieron a él así como a los niños que asistían a su escuela, tales como este: 'Robi, el Ganso Salvaje y su harapiento o andrajoso regimiento" (Bazan, 1948, pág. 10).

Los apodos iban desde maestro de andrajosos; padre de los harapientos; profesor de mendigos, hasta con ironía fue señalado bienhechor de los pobres. Las escuelas fueron llamadas burlonamente las escuelas despreciables de Raikes. Las críticas intentaron debilitarlo pero n tuvieron éxito.

En 1790 los enemigos de Roberto intentaron que dejara de escribir en el periódico de su padre para que cesara la enseñanza dominical. Aun así Roberto mantuvo su empeño, buscó y encontró una casa de alquiler en los barrios pobres y por primera vez en la historia de la Iglesia la escuela dominical abrió sus puertas; fue en *el barrio de las cenizas*. Llamado así porque en ese lugar vivían los limpiadores de las chimeneas de las casas y de los barcos, el lugar estaba atestado de ceniza y sus moradores, que difícilmente se bañaban, estaban totalmente cubiertos del mismo material. "Su escuela de los domingos funcionaba en la cocina de una casa del llamado "Callejón Tiznado", el peor de los barrios bajos de aquellos contornos. . . Lo único que se les pedía era llegar bien peinados y con las manos y la cara limpias" (Benson, 1971, pág. 6).

El periodista contrató maestros para que cada domingo enseñaran a los niños del lugar a leer y escribir. Los primeros estudiantes oscilaban en edades de entre cinco y catorce años. El horario y las lecciones tenían como propósito conducirlos hacia Jesucristo. Roberto aplicó un estricto programa de educación pero nunca impuso restricciones a los niños por el estado de su ropa.

> Los niños deben llegar antes de las diez de la mañana, y tienen que quedarse hasta las doce; después se irán a su casa y volverán a la una. Después de leer su lección, deberán ir a la iglesia. Al terminar, los alumnos deberán ocupar su tiempo en repetir el catecismo hasta las cinco de la tarde. Entonces serán enviados a su casa en orden y sin hacer escándalo (Moses, 1907, pág. s/p).

Roberto recompensaba los buenos estudiantes con Biblias, libros, peines, juguetes y otros artículos, pero castigaba los alumnos que se portaban mal.

> Él alquiló a cuatro maestros y les pagaba 25 centavos cada domingo por su trabajo. Ellos tenían que recoger a los "niños salvajes" de la calle y enseñarles a leer, a escribir, a ser buenos niños, y a memorizar textos de la Biblia. La instrucción se daba de diez a doce y de las dos a las cinco cada domingo (Luce, 1935, pág. 10).

Roberto asumió la responsabilidad financiera en los primeros años de este trabajo, el pago real de la época fue un chelín con seis peniques. La escritora y novelista Fanny Burney lo calificó como un buen amo liberal que paga buenos sueldos. Se enfrascó, juntamente con los maestros en una lucha tenaz, ya que los niños en principio no aceptaron nada de estos extraños, pero su tenacidad le proporcionó resultados efectivos y la casa rebasó en poco tiempo el lleno. A ésta le siguieron otras más, hasta que parcialmente las escuelas dominicales abarcaron la totalidad de todos los barrios bajos de la ciudad con cientos de ellas.

Influencias

Expulsados de la Iglesia Anglicana, los hermanos Wesley iniciaron el movimiento metodista. Usaron en su programa de expansión del evangelio la estrategia de Roberto Raikes que ayudó decisivamente en el fortalecimiento de sus propósitos. Los hermanos Wesley fueron desterrados de las iglesias y se les prohibió acercarse a los templos, entonces ellos determinaron predicar en las calles. La pasión que mantenían los Wesley y sus seguidores por la clase baja era conocida por toda la nación, estaban profundamente interesados en los esfuerzos de Roberto Raikes y buscaron toda la información sobre sus actividades que publicaron en el *Arminian Magazine* órgano oficial de este movimiento.

Estimularon el interés entre sus seguidores a aplicar el método de Raikes. Los Wesley solían expresar que el mundo era su púlpito y con el empleo de la escuela dominical entre otras acciones, alcanzaron a miles con el mensaje de salvación, así en comunidades alejadas de Inglaterra se levantaron congregaciones metodistas con su respectiva escuela dominical. Todas en su mayoría compuestas por individuos de la clase social más baja que eran enseñados a leer y escribir el día domingo. "Conforme pasaban los años el nuevo movimiento que en su principio había atraído principalmente a la clase proletaria, llegó a contar en su número a personas de mayor distinción social y hasta algunos miembros de la alta nobleza de Inglaterra" (Burguess, 1989, pág. 168).

La clase alta que fue alcanzada se debió a la educación secular y la influencia de los líderes del movimiento Metodista, pues este había iniciado en la prestigiada Universidad de Oxford y más tarde dirigido por los universitarios que habían formado el Club Santo. "Los miembros de dicho club debían cumplir con rigor y 'método' determinados preceptos y prácticas religiosas, entre ellas visitar a los presos y confortar a los enfermos, por lo que sus compañeros de universidad los llamaron, de forma irónica, metodistas" (Encarta, 2003). Por doquier se levantaron congregaciones metodistas, todas ellas con el anhelo ferviente de compartir el mensaje de salvación, pues la sed espiritual era agobiante en Inglaterra.

Una influencia generada a raíz de la enseñanza bíblica en la escuela dominical fue el carácter misionero que se desarrolló entre los creyentes. Se realizó un trabajo educativo y formativo serio para que cada miembro recibiera el conocimiento del evangelio y fuera responsable de la gran comisión, esta fue una premisa fundamental en las predicaciones y enseñanzas para los creyentes ingleses. "El siglo XIX presenció una constante extensión de las actividades misioneras, protestantes y catolicorromanas, un sentido más cabal de obligación misionera, y un constante aumento en el número de hombres y mujeres que se consagraban a la difusión del Evangelio" (Walker, 1991, pág. 523).

La escuela dominical ayudó a despertar una conciencia misionera y fue uno de los vehículos para la propagación de nuevas comunidades de fe locales. Creyentes se embarcaron a la India, Birmania, África, China, Asia, Australia, Nueva Zelanda y a otras tantas naciones llevando la Palabra. Los continentes hasta entonces poco explorados se vieron invadidos por centenares de misioneros llegados de Europa deseosos de cumplir con el mandato de Jesucristo.

El énfasis que se dio a la salvación por fe y la eficacia de las Sagradas Escrituras fue una influencia emanada de la escuela dominical. Predicadores, evangelistas, pastores y maestros de Biblia insistieron profusamente en la salvación por la fe en Jesucristo, sosteniendo que sin esta experiencia nadie podría ser considerado un verdadero discípulo de Jesucristo. El mensaje central fue la necesidad de la salvación para realizar un servicio a Dios; como resultado la conversión de muchos fue evidente. Además se hizo hincapié en el sacerdocio de todos los creyentes, dando así oportunidad a que todos participaran en el servicio eclesiástico. Tanto en el evangelismo, como en la enseñanza, en la dirección de los servicios, en la predicación y en las demás actividades propias de la Iglesia, la salvación era base para servir.

El énfasis en las Escrituras provocó en las iglesias que la vida de oración se acentuara entre los creyentes, llevándoles a formar grupos dedicados a este ejercicio espiritual. El ayuno, la vida de santidad, una vida moral intachable, una auténtica adoración expresada en cientos de himnos compuestos por los nuevos creyentes metodistas comenzó a generar fuerte influencia en los cristianos de ese tiempo. En este ambiente eclesiástico, espiritual, social, económico, bíblico, y de alcance nacional, el terreno fue propicio y sirvió para ver la expansión del evangelio a través de la escuela dominical.

La aceptación del laico en el servicio eclesiástico también fue propicio en el novedoso proyecto de Roberto. Todo creyente tiene la capacidad de servir por los dones que se le han conferido por voluntad del Espíritu Santo. Al entender y conocer que todo creyente es poseedor de capacidades espirituales, el laico se hacía responsable de su uso ante la sociedad, pero sobre todo ante la comunidad de fe.

El sacerdocio de todos los creyentes no es una casta especial de ministerio; involucra a cada miembro del Cuerpo de Cristo, como responsabilidad individual y colectiva. Cada persona, de hecho, es su propio sacerdote, por el acceso inmediato a Dios por medio de Cristo, pero también cada uno comparte la mediación de Cristo al mundo (Taylor, Grider, & Taylor, 1995, pág. 610).

Grupos filantrópicos, sociales y eclesiásticos se dieron a la tarea de realizar una serie de esfuerzos en beneficio de los grupos marginados de las ciudades. Para ellos era urgente aliviar el sufrimiento de los individuos más necesitados y dar una solución real a los males sociales de la ciudad. Se buscó por todos los medios posibles transformar el ambiente de los desposeídos, promoviendo la creación de instituciones de servicio dirigidas específicamente a los enfermos, hambrientos, ancianos, huérfanos y desvalidos. Casas de asistencia, hospitales, orfanatos, asilos y demás lugares comunitarios apilaban cientos de personas llegaron a ser insuficientes porque una gran mayoría vio como respuesta vivir en la calle. El propósito fundamental de estos grupos de ayuda social cristianos radicó en ayudar al prójimo más necesitado.

Una influencia más que se dio desde su inicio en el programa de Roberto fue la participación activa de la mujer. La sociedad aún consideraba a la mujer como sujeto pasivo y la Iglesia no era la excepción, pero Roberto confrontó estos conceptos y restricciones sociales dando a la mujer áreas de servicio, desarrollo y realización personal en la Iglesia. Se valió de un sinnúmero de mujeres para cumplir su cometido con la niñez de su país y esta acción permeó en todas las congregaciones de su nación y de aquellas que tomaron muy en serio su proyecto de formación y educación. La mujer aumentó en importancia e influencia y su presencia fue base fundamental para alcanzar las metas deseadas.

Algunas de ellas apoyaron con dinero, otras hacían de comer, algunas más vestían y calzaban a los pequeños, no faltaron aquellas que personalmente bañaron un número indeterminado de niños; prestaron servicio para desinfectar los lugares de enseñanza, hubo quienes se dedicaron al convencimiento de los familiares de los niños que comenzaron a llegar a los lugares de educación. La mujer encontró en el proyecto de Raikes un lugar dónde servir y desenvolverse sin restricciones, miles de maestras enseñaban domingo a domingo.

La preservación de la iglesia inglesa en contra del ateísmo fue la cuarta influencia fundamental que ejerció la escuela dominical en la sociedad inglesa. Francia sumida en sus guerras había llegado a convertirse en una república eminentemente atea y se había encargado de diseminar por toda Europa tal actitud y carácter. El proyecto pujante y activo de Roberto, sin buscarlo, fue fundamental para detener dichos embates ateístas en la sociedad londinense y en toda su nación. Alcanzar a la niñez y por ende a sus familias enseñando la Biblia detuvo sustancialmente dicha corriente anticristiana y evitó que Inglaterra se sumiera en una revolución parecida a la de Francia.

La tremenda tempestad de la Revolución Francesa estaba por estallar y arrasar a la iglesia, junto con la nobleza, la monarquía y las instituciones antiguas parecidas. Los jefes revolucionarios estaban llenos del espíritu del racionalismo. Consideraban a las iglesias como clubes religiosos. . . En 1793 los jefes jacobinos intentaron la abolición del cristianismo. Centenares de eclesiásticos fueron decapitados. Después de que pasó "el terror", en 1795, fue proclamada otra vez la libertad religiosa, aunque el estado como tal, no tendría religión. Era, en realidad fuertemente anticristiano (Walker, 1991, pág. 558).

La carga religiosa que había vivido por siglos Francia, llevó a tomar tan drásticas determinaciones pero fueron imposibles de influir en Inglaterra de la misma manera.

Una quinta influencia se vio sustancialmente en la diseminación de las escuelas dominicales en las nacientes colonias americanas. La llegada del evangelio a América traía consigo injertada ya la escuela dominical, en estas colonias creció y se desarrolló con mayor rapidez que en la misma Inglaterra. Entre los niños blancos la escuela dominical sirvió para enseñar los principios fundamentales de las Escrituras y con los niños de color y de los grupos indígenas locales el proyecto comenzó por enseñarles a leer y escribir, y después aplicar la enseñanza bíblica. Los templos que se erigieron en cada comunidad fueron utilizados entre semana como escuela pública.

Guillermo Eliot en 1802, fundó la primera escuela dominical en América en su casa y después en una iglesia. Esta fue la primera relación entre la escuela dominical y una iglesia local en el mismo edificio. Hasta antes la escuela dominical se encontraba separada de la iglesia en espacios físicos diferentes. Por su parte Esteban Paxson organizó 1,314 escuelas dominicales en el oeste de los Estados Unidos durante el período de los pioneros con una matrícula de 83,405 estudiantes (Rainer, 2006).

A causa de esta experiencia Paxson se convirtió en un vehemente propulsor de la escuela dominical. Esto sucedió, motivado por el testimonio de su hija que había recibido la salvación de sus pecados en una escuela dominical. Los cristianos de las nuevas colonias aplicaron la misma política educativa de Inglaterra. Esto evitó el vandalismo entre los niños y para los pobres llegó a ser el centro de enseñanza educativa y evangelística dentro de las iglesias protestantes. En 1872 la Convención Internacional de Escuelas Dominicales, realiza un plan para que las lecciones fueran uniformes, el propósito fue que en toda iglesia y denominación estudiaran el mismo pasaje cada domingo. Para 1900 estas lecciones se habían traducido a cuarenta idiomas.

Una sexta influencia de la escuela dominical de Roberto Raikes fue el cambio que en sus valores vivió la sociedad inglesa.

El código penal, junto a la administración legal, revela una capa delgada de cultura que enmascara el salvajismo profundo del siglo XVIII. Robar el valor de más de un chelín, robar un caballo o una oveja, extraer fruta del jardín de alguien, tomar un conejo en el terreno de un rico, andar en los caminos con la cara ennegrecida, eran todos crímenes de niños castigados por la muerte. Frecuentemente niños fueron ahorcados junto a los adultos (Wesley Bready, 1938, págs. 126, 127).

Tener la cara ennegrecida por la mugre era susceptible de sospechas y cientos de niños fueron castigados con la muerte por cualquier mínimo recelo. Por otra parte, los esclavos negros no escaparon al interés por la barbarie practicadas en los barcos que los traían de África, los testimonios de estos actos son espeluznantes. Las crónicas señalan que los esclavos varones fueron encadenados en filas y muchos de los que comenzaron el viaje nunca llegaban vivos. Los muertos, que eran cientos, eran tirados al mar. En intercambio por los esclavos, los ingleses traían el algodón que impulsó en parte la Revolución Industrial.

El comercio de esclavos demuestra lo más sórdido dentro del corazón de la sociedad inglesa, el deseo era hacerse rico a expensas de pobres y extranjeros, que no podían defenderse: "El número de esclavos saqueados de África era de 46,000 por año" (Wesley Bready, 1938, págs. 99-110). David Livingstone fue figura fundamental en dicho cambio: "su influencia ayudó para abolir esta práctica y humillante situación" (Anónimo, 1984, págs. 139-142). Además de ello, la Iglesia luchó en contra de las bebidas embriagantes y empujo a la Cámara de los Lores para que emitiera leyes que prohibieran la manufactura y venta de alcohol. Este movimiento educativo social fue el precursor del actual sistema de educación inglés.

Por medio de las escuelas dominicales las iglesias y las agrupaciones cristianas se vieron involucradas en beneficiar a un gran número de emigrantes y en abolir la esclavitud. El trabajo más notable fue realizado por Hannah More y su hermana Martha. A finales de la década de 1780 realizaron obras filantrópicas en el área rural de Mendip, luego de ser alentadas por Willam Wilberforce miembro del Parlamento Británico que lideró una campaña en contra de la esclavitud.

Para 1800 las hermanas More habían fundado doce escuelas donde impartían clases de lectura, escritura y enseñanza bíblica a los niños pobres. Las hermanas More encontraron mucha oposición en su trabajo, los granjeros señalaban que la educación que ellas daban era perjudicial para la agricultura y para la iglesia anglicana y fueron acusadas de tener tendencias metodistas. Durante aquellos años, filántropos provenientes de todo el mundo fueron a Inglaterra para observar el trabajo de las hermanas More.

La actividad de las hermanas More trajo otro efecto que se vio en el desarrollo de la educación. Establecieron una pedagogía innovadora que involucraba actividades extraescolares, estas acciones aplicadas en la educación cristiana fueron publicadas y animaron para que las escuelas seculares llevaran a cabo sus métodos pedagógicos. Se valieron de períodos escolares variados y entretenidos, sus programas fueron planeados para satisfacer el nivel de los estudiantes, la variedad en las clases tenía como propósito atrapar la atención de los alumnos, así los niños eran involucrados en la enseñanza, su opinión, su participación, y su experiencia era escuchada en el aula. Con este método, el profesor no era el único que hablaba en clase.

Cuando la atención y la energía menguaban en clase, la herramienta que utilizaban era el canto. El periodo escolar debía entretener y despertar la curiosidad del niño, señalaban. Defendieron que era posible conseguir: "lo mejor de un niño si sus emociones eran comprometidas por la bondad" (Young & E. T., 1956, pág. s/p). Plantearon y defendieron la tesis de que era un "error esencial considerar a los niños como seres inocentes en lugar de saber que eran seres de una naturaleza corrupta y disposición a la maldad" (Palmer Thompson, 1958, pág. 441). La metodología de Hannah y Martha More fue paulatinamente aplicada en las escuelas seculares hasta el día de hoy.

En el marco de la reforma educativa que se desarrolló, surgió un séptimo elemento que influyó para evitar la segregación sexual que dejó de ser impuesta. Las escuelas dominicales desecharon el ideal de mantener separadas las clases para varones y para señoritas. Asistieron juntos al mismo salón de clase, esta modalidad generó un ambiente de igualad que inició a transformar no sólo el entorno eclesiástico, sino también el social. Con ello aprendieron la igualdad que existían en ellos y que era Dios había señalado en la Biblia.

La situación al interior de las comunidades de fe locales se transformó, las iglesias tenían mejor música, el servicio de adoración era más efervescente, la respuesta a los mensajes bíblicos era copiosa, la necesidad de superación iba en aumento y el deseo de servir proliferó. En los templos había clases de costura, bazares, conciertos y obras de teatro, se constituyeron equipos de cricket y fútbol, además de clubs de perros lebreles que se usaban para competencia de carreras, y se crearon asociaciones para el mejoramiento y la ayuda mutua, y excursiones a la playa.

La influencia que produjo Roberto Raikes con su programa fue sin precedentes, ciudades y naciones fueron transformadas más allá de su expectativa. A principios de la década de 1990 se realizó un estudio sobre el efecto de las escuelas dominicales en Inglaterra y encontraron que alrededor de doce millones de mujeres y hombres estaban involucrados en actividades de 1.3 millones de escuelas dominicales en todo el país. Descubrieron que los asistentes a estas reuniones dominicales tenían un alto grado de aprendizaje, una constante transformación personal y gran satisfacción a diferencia de aquellos que no tenían ningún compromiso eclesiástico.

La clave estaba en la confianza que se generó en los asistentes a las escuelas dominicales, la libertad en las relaciones y el servicio que realizaban; además de la fe en sí mismos y en el potencial que se veía en los demás miembros, aunado a la flexibilidad para cambiar los programas y los objetivos de la organización. "El estudio concluye señalando que cada escuela dominical es la base de la democracia inglesa y que las metas de estos grupos eclesiásticos dominicales determinan las metas de la sociedad" (Elsdon, Reynolds, & Stewart, 1995, págs. 39, 47).

Estas influencias fueron las que transformaron la sociedad inglesa al iniciar, desarrollar e impulsar la escuela dominical. Inmediatamente después de que se afirmó en Europa, en la naciente Unión Americana la escuela dominical asentó sus reales que ayudaron a conformar en cierto sentido el nacionalismo de la nueva nación. La escuela dominical se diseminó y transformó el concepto de educación en las iglesias locales del mundo entero, el despertamiento o avivamiento que se vivió entre las iglesias protestantes europeas y norteamericanas fue espectacular. Este avivamiento no tuvo restricciones porque invadió a todas las iglesias;

moravos y pietistas en Alemania, reformados y luteranos en Suiza. Esta experiencia revolucionó su estructura eclesiástica trayendo consigo una expansión rápida y efectiva de la propagación del evangelio.

Este despertar fue resultado de enseñanzas de hombres como el teólogo Jonathan Edwards, de las campañas evangelísticas de George Whitefield y Gilbert Tennet y otros. Provocaron numerosas conversiones, trajeron el ardor religioso e incrementaron el número de miembros de la Iglesia. Señalaron que el profesionalismo ministerial sin salvación personal había llevado a las iglesias a la decadencia y muerte espiritual. Esta experiencia hizo que los grupos de moravos, pietistas, hermanos libres, luteranos, episcopales, congregacionales, los de menor número de miembros y los grupos independientes crecieron notablemente.

Así, la transmisión de los valores cristianos a la clase obrera y a la más pobre ayudó a enfatizar la autodisciplina, la fidelidad en el trabajo, el beneficio de la industria, la administración financiera, una economía ordenada en el hogar, una mejora en el ambiente hogareño, el igualitarismo y la vida de comunidad. Las nacientes escuelas dominicales inglesas dieron a luz instituciones en la clase obrera como los sindicatos y las cajas de ahorros entre otros. Estas escuelas dominicales no fueron únicamente lugares de enseñanza bíblica y alfabetización, indiscutiblemente forjaron una nueva cultura en la vida de la clase obrera. Con estos elementos la sociedad inglesa y americana fue transformándose y sin preverlo fue asentando las bases de una sociedad progresista que hasta nuestros días siguen disfrutando.

Efectos

Roberto Raikes muere el 5 de abril de 1811 a la edad de setenta y seis años en su ciudad natal de un ataque cardiaco. A todos los niños de las escuelas dominicales que asistieron a su entierro se les entregó un penique y una rebanada grande de pastel de ciruela, así lo señalan las crónicas de la ciudad. Esta acción fue una orden dada en su lecho de muerte y sólo se conoció hasta ese momento. Roberto nunca imaginó la trascendencia de su ministerio que rebasaría las fronteras, no sólo de su ciudad y su país, sino de su continente, transformando cientos de miles de ciudades.

El establecimiento de escuelas dominicales en cada ciudad europea fue arrollador. El fin primario de Raikes siempre fue educar a la niñez valiéndose de la Biblia y enseñar a los niños las buenas costumbres, pero sobre todo confrontar a los niños con su necesidad de salvación. Juan Wesley, padre del metodismo, fue uno de los más fervientes promotores de esta visión y determinó que cada congregación metodista que se fundara, como norma, debía incluir en su programa educativo a la escuela dominical: "Juan Wesley escuchó acerca de la idea y le gustó mucho. Con su respaldo, esta actividad inició un movimiento, del cual proviene la idea moderna de la Escuela Dominical" (Martin, 1987, pág. 28).

Wesley sabía que la escuela dominical era un instrumento esencialmente necesario para ganar familias para Cristo a través de los niños. Siendo absolutamente fieles a la verdad, la escuela dominical ayudó enormemente al desarrollo, formación, crecimiento y expansión del metodismo en el mundo. De esto Juan Wesley escribió: "creo en verdad que estas escuelas dominicales son las instituciones más nobles que han aparecido en Europa por siglos. Se aumentarán más y más si los maestros y los oficiales son fieles a sus deberes" (Williams & Handy, 1996, pág. 4).

Otros siguieron y aplicaron el mismo método a mineros, enfermos, ancianos, presos, militares y viudas. William Fox era un vendedor de telas y paños en Cheapside y un miembro de la Iglesia Bautista *Prescot Street Church* que pastoreaba Abraham Booth. Por años había considerado formas de mantener la educación abierta para los pobres, pero llegó a la conclusión que sería una tarea demasiado grande. Cuando escucho de las acciones de Raikes y de sus resultados animó a cada iglesia local para que establecieran una escuela dominical que fuera de corta duración: fue un éxito. En 1798 su iglesia preparó una escuela dominical en los Campos de Goodman. A esta se le proporcionó 100 libros de ortografía, copias del cancionero Watts's que contenía canciones para niños, el Catecismo de la iglesia Bautista, así como tinta y pizarras. Se recolectaron fondos para proporcionar ropa a los niños pobres y se agregó una clase de escritura las tardes de los lunes. Algunas escuelas dominicales bautistas pensaban que no era correcto ni conveniente enseñar la Escritura el domingo, día del Señor, por lo que se avocaron exclusivamente a la enseñanza secular.

William Fox basó la creación de las escuelas dominicales bautistas en una serie de preceptos como la prevención del vicio, animar la industria y las virtudes, el confrontar y dispersar la oscuridad de la ignorancia, difundir la luz del conocimiento y ayudar a las personas a entender cuál es su lugar en la sociedad. A pesar de las negativas tuvo la gracia de unir a sus amigos para iniciar una sociedad llamada *Unión de Escuelas Dominicales*. Pero en 1785 establecieron *La Sociedad para el Establecimiento y Apoyo de Escuelas Dominicales*.

El consultor de iglesias y pastor Thom S. Rainer realizó un historial en sus dos obras sobre los efectos de la escuela dominical en las principales ciudades de la Unión Americana. En su primera obra (Rainer, Iglesias evangélicas efectivas, 1996, págs. 81-98), y en la segunda (Rainer, Altas espectativas: el secreto extraordinario para mantener a las personas en la iglesia, 1999, págs. 29-48), señala que justo antes de 1800, la escuela dominical se había difundido hasta Massachusetts, New York, Pennsylvania, Rhode Island, y New Jersey. Dicho de forma sencilla, los que estaban activos en la escuela dominical fueron cinco veces más propensos a permanecer en la Iglesia que los que sólo asistían a las reuniones dominicales de la tarde.

Después de 1800, el propósito de la escuela dominical se expandió para incluir la educación bíblica y el evangelismo. El primer esfuerzo nacional de escuela dominical comenzó en 1824. El propósito era organizar, civilizar, y evangelizar. La Unión de Estados había preparado líderes, publicado literatura, y formado miles de escuelas dominicales evangelísticas. Aunque el movimiento de la escuela dominical comenzó con la educación de niños en Inglaterra, llegó a ser el brazo de la iglesia para enseñar, alentar, y evangelizar. El alcance evangelístico fue especialmente eficaz y para 1900, casi 80% de todos los nuevos miembros de iglesias en América llegó a ella gracias a la escuela dominical.

Un testimonio vehemente se dio en la isla de Madeira de Portugal. El Dr. Robert Kalley, médico escocés, se había formado una iglesia de habla portuguesa con su escuela dominical. Este médico junto con su familia fue objeto de la más enconada hostilidad por parte de las autoridades católicas, incluyendo el encarcelamiento. El obispo católico llamó al Dr. Kalley el lobo de Escocia. En 1844 el Comité Colonial envió a un joven pastor, William Hewitson, a cooperar con el Dr. Kalley. El trabajo de ambos dio frutos, creció la obra, pero creció también la persecución, obligando finalmente a casi todos los creyentes a huir de la isla. Emigraron algunos a Trinidad en el Caribe, otros a Brasil y algunos más a EE.UU. En 1847 el Comité Colonial envió a Hewitson a Trinidad, no sólo para traer consuelo a la grey, sino también para organizar la iglesia de una manera ordenada, adaptada a su nuevo ambiente. En el camino Hewitson, a pesar de los peligros visitó a los creyentes que aún quedaban en Madeira, pero en 1850 falleció de tuberculosis, poniendo fin a la conexión de la Iglesia Libre de Escocia con el mundo de habla portuguesa. La escuela dominical fue un elemento fundamental para que la iglesia local siguiera avanzando con un liderazgo local.

En 1836 en Brasil, Justin Spaulding, primero misionero metodista organiza en Río de Janeiro la primera escuela dominical. Actualmente las escuelas dominicales católicas y judías están organizadas de forma general en un orden más local que nacional o internacional, siguiendo el modelo de las escuelas dominicales evangélicas cristianas. Ni el catolicismo ni el judaísmo restringen sus clases religiosas a los domingos, mantienen clases en otros momentos, dependiendo de las condiciones locales y las conveniencias de los miembros de sus congregaciones. Las escuelas dominicales judías son conducidas casi en exclusividad por congregaciones reformistas y conservadoras; pocas congregaciones ortodoxas mantienen este tipo de reuniones. En ellas a menudo se ofrecen clases de historia y tradiciones judías, además de temas estrictamente religiosos.

Algunos han señalado que en 1769, once años antes que Roberto Raikes iniciara su proyecto, Anna Ball funda la primera escuela dominical historia no muy documentada. Es admirable reconocer que Raikes puso en práctica su visión a la edad de cuarenta y seis años, en 1781. Cuando muchos llegan a pensar que a esta edad se es demasiado viejo para servir en su iglesia local y en su ciudad. Roberto recibió el reconocimiento ante propios y extraños, amigos y enemigos y por los cambios sociales, económicos y espirituales generados en su ciudad, y en todo el reino de Inglaterra, llevaron a la reina a llamarlo al palacio real.

Allí, ante la realeza, expuso su proyecto educativo y a partir de ese momento Roberto Raikes recibió muchas contribuciones por parte de los nobles ricos. Esto hizo que más escuelas fueran creadas, produciendo frutos abundantes en la vida de los niños, cambiando aún más la sociedad. Jorge III, rey de Gran Bretaña e Irlanda al conocer los resultados del trabajo de Roberto dijo: "es mi deseo que cada niño pobre en mis dominios debe ser enseñado a leer la Biblia" (Wesley Bready, 1938, pág. 355). El reconocimiento fue nacional y trascendió en el mundo, pues se crearon organizaciones y convenciones en torno a la escuela dominical con énfasis misionero que la llevó a los demás países.

En 1782, dos años después de su fundación, la escuela dominical contaba con varias escuelas alrededor de Gloucester. El 3 de noviembre de 1783 Roberto publicó un informe del avance de la escuela dominical en las columnas de su periódico, estimulando su expansión, luego cedió la publicación a una revista dirigida a hombres de negocios. En 1784, cuatro años después, la escuela dominical tenía en asistencia 250 mil niños en diversas ciudades de Inglaterra. En los siguientes siete años, en 1787 la escuela de Roberto era recomendada por los líderes más prominentes de la Iglesia Anglicana, iglesia oficial del Estado, pues su escuela ya alcanzaba los 20,000 alumnos.

El entusiasmo por esta actividad fue esparcido en todas las clases sociales, pues los resultados eran patentes y reales. En el año de la muerte de Roberto Raikes (1811), había 400,00 mil alumnos en escuelas dominicales. En 1831 la escuela dominical de la Gran Bretaña atendía por semana a 1, 250,000 niños y niñas, aproximadamente el 25% de la población. Estas escuelas precedieron el primer fondo estatal de escuelas para el público general y fueron precursoras del sistema escolar actual.

En el año 1889 se celebró en Londres la primera convención mundial de escuelas dominicales con la participación de más de 60 países. Estas reuniones siguieron celebrándose periódicamente en varios países y dieron lugar para que en 1907 se conformara la Asociación Mundial de las Escuelas Dominicales que aglutinó numerosas organizaciones nacionales e internacionales. Para 1947 el nombre fue sustituido por el Concilio Mundial de Educación Cristiana y Asociación de la Escuela Dominical.

El 2 de octubre de 1930 una estatua de Roberto Raikes se constituyó en Victoria Embankment, Londres y fue esculpida por Thomas Brock, R. A., para celebrar el centenario del movimiento de la escuela dominical. La estatua se erigió en el Parque de Gloucester. La inscripción a los pies de la estatua dice: Roberto Raikes fundador del movimiento de escuelas dominicales nacido en Gloucester en 1735 y muerto en 1811. En el tercer aniversario del movimiento celebrado en 1930 la estatua es erigida por las contribuciones de maestros y alumnos de la escuela dominical del mundo. La colecta se realizó bajo los auspicios de la junta unida de organizaciones de escuelas dominicales y de la unión nacional de escuelas dominicales presentes en esta su ciudad natal. Develada el jueves 2 de octubre de 1930.

Desafío

La obra de Roberto Raikes afectó considerablemente su urbe, las ciudades de Inglaterra, y todo el continente de Europa, y en poco tiempo las ciudades de otros continentes. El ejemplo de este hombre desafía a la iglesia y a los líderes actuales. Su ciudad experimentó cambios sociales, económicos y eclesiásticos, e influyó decisivamente en su país; la clave: primero pensó en su entorno urbano, antes de pensar en su nación. Hoy se ha acuñado la idea de ganar para Cristo a la nación antes que la ciudad propia, y esto ha generado grandes pérdidas de influencia social.

Los parámetros de Raikes se enfocaron en su ciudad a pesar de que su nación estaba en franca crisis moral. No salió a la calle a iniciar un movimiento nacional de restauración, sino una tarea urbana. No hizo un llamado a la comunidad cristiana para que desarrollaran estrategias para alcanzar a su país, desarrolló una estrategia para alcanzar un grupo social urbano específico de su entorno. Antes de pensar en cambiar su nación, primero afectó a su propia ciudad. Antes de buscar que el gobierno le apoyara con recursos y reconociera su trabajo, primero dio de sí para su propia ciudad.

Transformar nuestra respectiva ciudad es imperativo antes de pensar en el país. No es malo pensar en la nación, pero entrar en este proceso difícilmente se cumplirá el propósito. Se debe, como Roberto Raikes lo hizo, evaluar las situaciones y condiciones de la propia ciudad, leerla y descifrar cuáles son los elementos espirituales, morales y sociales que la esclavizan. Desconocer tales elementos que agravian la ciudad llevará a realizar una tarea deficiente en la propagación del evangelio. El Señor espera que se cumpla cabalmente la Gran Comisión en el entorno urbano propio y entonces, como Roberto Raikes, ser realmente un transformador urbano.

13

DESAFÍO DE LA TEOLOGÍA URBANA

Un buen número de iglesias cristianas en este siglo XXI han entrado en una carrera peligrosa y vertiginosa para demostrar quién tiene más influencia y reconocimiento en la sociedad. Temas como el pecado, la cruz, el servicio, rapto, el compromiso, la segunda venida de Jesús, la santidad, nacimiento virginal de Jesús, el infierno y otros más no son propios de estos púlpitos; por el contrario, temas como el amor, el dinero, el poder, el éxito, las buenas relaciones, el equilibrio emocional y el prestigio son recurrentes en sus cantos y mensajes.

Elementos buenos y malos de la sociedad se han entretejido y entrelazado con las iglesias más allá del punto de separación, haciendo difícil extraer uno del otro. Parece que lo bueno y malo se levantan o caen juntos. Ha llegado a ser difícil en este mundo holístico catalogar algo como puramente bueno o puramente malo. Estas acciones han hecho que la Iglesia confronte una de sus mayores crisis en la historia. Lo grave es que las iglesias son indiferentes a la situación que permea todas sus áreas.

Buscando el éxito personal

Espeluznantemente estamos siendo testigos de una serie de merolicos predicadores que se arengan el título de enviados del cielo y que enseñan una sarta de sandeces. Esto es el cumplimiento de las palabras de Jesús: *Porque vendrán muchos en mi nombre, diciendo: Yo soy el Cristo; y a muchos engañarán* (Mt. 24:5). En las redes sociales aparecen predicadores que se proclaman a sí mismos como ungidos y que hablan en nombre de Dios, se presentan con apariencia de piedad, y las masas se beben su veneno, sin importar que sean esquilmados hasta la ignominia. Las iglesias pequeñas y los auténticos ministros no tienen cavidad. El concepto del siervo es motivo de desprecio por parte de estos traficantes del evangelio.

La ciudad se ríe de estos amantes de las luces reflectoras del escaparate que da la pantalla. La Iglesia está lejos de hacer apologética y teología, está engordando las carteras de estos hacedores de maldad que han entrado encubiertamente a las filas ministeriales. Es tal la crisis que se vive, que la polución de apóstoles y profetas es abrumadora; todos estos se mofan del Evangelio y desprecian a aquellos que los cuestionan. Se presentan como la única autoridad y enseñan que ellos son el pasaporte para lograr tener acceso a Dios.

Públicamente se burlan de los cinco postulados de la Reforma Protestante. La *Sola Gracia* es la que ellos dan y no la que el Señor otorga. La *Sola Escritura* no les es suficiente, pues adoptan fabulas y enseñanzas torcidas a su mensaje. La *Sola Fe* que ellos enseñan es a su persona y a su "ministerio", nunca a la obra expiatoria de Jesús en la cruz del Calvario. El *Solo Cristo* son ellos y nadie más, pues buscan que los hombres los amen, los veneren y repudian a todos aquellos que no convergen con sus enseñanzas. La *Sola Gloria* es la que ellos adquieren por sus obras, y que exponen para asombrar a sus oyentes, convirtiendo a Dios en su siervo.

Cada uno de estos pulula por todo el orbe, manifiestan tres características básicas. La primera es que tienen una predicación que da más énfasis al poder que a la justicia. El mensaje del Calvario ha sido opacado por el poder económico y la influencia social que la iglesia está determinada en adquirir. El mensaje que Jesucristo da al pastor de la iglesia en Laodicea se escucha en muchos de estos ministerios. Jesús expresa: **Yo estoy a la puerta y llamó** (Ap. 3:20); literalmente Jesús está a la puerta de estas congregaciones y ministros llamando para que le abran, pero hoy la Iglesia se ve a sí misma como una Iglesia autosustentable que no necesita de nada (Ap. 3:17), y esto incluye a Jesucristo. Usan su Nombre, oran, cantan, realizan hechos extraordinarios, enseñan, predican, construyen templos, hacen viajes misioneros y todas sus vidas la presentan en su Nombre; pero Él no los conoce, nunca ha estado con ellos (Mt. 7:22). Su mensaje, vida y razón están proyectados en la adquisición de poder y como mantenerlo.

En la mayoría de estos ministros la máxima preocupación es el poder del dinero. Desde sus tribunas enseñan que si tienes cierto nivel económico, intelectual o social, tienes valor y eres importante. Si careces de poder, no sirves porque das mal testimonio de su evangelio. Si posees poder financiero entonces tienes un lugar asegurado en el liderazgo de la iglesia. Dicen que tu desarrollo y crecimiento económico es evidencia de la bendición de Dios en tu vida.

Estos cuasi-ministros sustentan su poder en los grandes edificios y el número de asistentes que conglomeran semanalmente. Creen que esto les da autoridad en lo que dicen y hacen. Tienen la idea de que su gran edificio impactará a la ciudad y adquirirán influencia entre los demás. Piensan que sus dotes ministeriales son tan efectivos que la ciudad volteará a ver la obra que han realizado y los seguirán. Además se apoyan en el poder que da el conocimiento. Tienen la idea errónea de que sus títulos seculares y teológicos son sinónimo inequívoco de capacidad, llamado y sabiduría. Han llegado al punto de idealizar su estatus intelectual; el cual los demás no tienen la capacidad de alcanzar.

Estos fariseos modernos han olvidado que el poder de la iglesia y del ministerio descansa en el Calvario. El auténtico poder está en la Cruz. Es en ella donde la conducta del hombre es medida y siempre es encontrado reprobado. En el Calvario el hombre es declarado justo si llega con fe y es perdonado totalmente, de lo contrario es declarado incompetente e incapaz. La justicia está en Cristo, no en el dinero, logros, títulos o en las posiciones de liderazgo organizacional. Ser justificado por Dios, es recibir la bendición de Él de no ser declarado culpable de pecado.

Muchos púlpitos ya no presentan el mensaje del Calvario porque por naturaleza es ofensivo, antisocial. A nadie le gusta que le señalen sus pecados porque es tomado como una falta de educación. A la gente le gusta escuchar únicamente que será bendecida, que es amada por el Señor, que todo va bien y que puede mantener su pecado. Creen, porque así les han dicho, que mientras den dinero, obedezcan a estos charlatanes sin cuestionar, y asistan a sus reuniones, nadie tiene derecho de señalar sus pecados. En cambio, la Cruz señala el pecado y describe una condena para el que permanece en él. El mensaje de la Cruz no cambia, es el mismo ayer, hoy y por los siglos. Dar más énfasis al poder en vez de la justicia es ir en contra de la esencia del evangelio de Jesucristo y de la Cruz. Aquel ministro que pretenda tener un auditorio repleto de gente semanalmente debe desechar en su prédica el mensaje de la Cruz; pero si realmente desea impactar su ciudad, sólo el mensaje de la Cruz tiene el poder de hacerlo.

La segunda característica es que da más énfasis a la alabanza que a la consagración. Hay tantos profesionales de la alabanza que ahora compiten con los mundanos. Estos profesionales llevan a las multitudes al éxtasis emocional, haciendo de la alabanza su prioridad, su razón de ser. Debido al hecho de mover tanta gente en conciertos y congregaciones genera la sensación de poder que infla su ego. Su profesionalismo rompe con el concepto de servicio y amor a la congregación; estos profesionales cobrarán por servir con sus cantos y música. Con esto no se quiere decir que se está en contra del profesionalismo en la música de la iglesia local, más bien, se señala la incorrecta actitud que presentan para ejercerlo. En torno a la alabanza se han levantado enseñanzas falsas que degradan el carácter de Dios.

Una de estas falsas enseñanzas es que Satanás es el inventor de la alabanza en el cielo y que por consiguiente a través de la música tiene el poder de persuadir al mundo. No existe ninguna evidencia exegética, bíblica y hermenéutica de esta afirmación. El diablo no tiene nada que ver con ser inventor de música. Quien lo enseña así, falla a la verdad bíblica.

Una gran mayoría de aquellos que dan excesivo énfasis a la alabanza no están dispuestos a vivir bajo la autoridad pastoral. Su propósito es impresionar a la congregación de cómo son, según ellos, usados por Dios. Viven en un pedestal que es sostenido por la arrogancia y el orgullo. Algunos usurpan la autoridad pastoral y sutil, y paulatinamente debilitan el ministerio pastoral que los cobija.

Estos profesionales de la alabanza dan poca importancia a la oración y más importancia a las habilidades. Desarrollan y sostienen su actividad musical en sus estudios y no en su consagración. La adoración es dirigida de acuerdo al director de la alabanza y no a la dirección del Espíritu Santo. El nombre del grupo es más importante que el nombre del Señor. En el fondo estas congregaciones y ministros no ven como prioritaria la consagración. Con todo un equipo impresionante de tecnología, músicos, predicadores, cantantes, vocalista y otros les es suficiente para atraer multitudes.

El desafío de la ciudad requiere de comunidades de fe locales consagradas. Urge la dirección del Espíritu Santo en la vida del que ministra la alabanza y la Palabra. Quien se mantiene en la plataforma de la oración y consagración manifiesta fortaleza espiritual, y la dirección del Espíritu Santo se evidencia en su vida diaria.

La oración es un estilo de vida para los que dirigen la alabanza, los que predican, sirven y para toda la iglesia local al enfrentar la urbe. En la oración, el Espíritu Santo dirige el corazón del que guía a la congregación en la adoración. El concepto de alabanza es la alegría de Dios expresada en cantos, himnos, acción de gracias, ofrendas, diezmos, asistencia y testimonio personal. El énfasis que se da a la alabanza debe ser el mismo que se dé a la oración. Sin consagración no hay auténtica alabanza y una dirección adecuada en la liturgia.

La tercera característica es dar mayor énfasis en los dones sobre el señorío de Jesucristo. Estos ministros y congregaciones enseñan que si no se tiene un don adecuado o determinado ministerio, la persona no sirve para Dios. Cada persona, dicen, debe pedir el don que más le guste y usarlo. ¿Será esto lo que ha generado la existencia de tanto apóstol y profeta? Parece que sí. Esta actitud convierte a Dios en siervo de la iglesia. Estas personas se sostienen de lo espectacular, lo llamativo. Presentan como indicio de su poder espiritual dones y ministerios espectaculares, generado una incesante búsqueda de señales espectaculares.

La mentira es enseñar que el carisma es de mayor importancia que el señorío de Jesucristo. No viven bajo ninguna autoridad pastoral, ellos son su propia autoridad. Se bautizan, se reúnen, diezman, aprenden y sirven en todas partes y en ninguna. Su lema es: *solamente me guío por Dios y no por los hombres. Porque me es necesario obedecer a Dios antes que a los hombres.* Ellos son su propia congregación y su propio pastor. Producen un fenómeno con cientos de familias que andan de seminario en seminario, de campaña en campaña, de congregación en congregación, aprendiendo y no aprenden nada; son señores de sus vidas y creen que se deben únicamente a Dios. Confían en el resultado de sus ministerios y en el número de personas que los siguen. Son ovejas de muchos rebaños y no dan importancia a la autoridad pastoral. La Biblia establece que una vida cristiana ordenada se manifiesta al congregarse en una iglesia bajo la autoridad de un pastor.

El dar más énfasis al poder que a la justicia divina y dar más énfasis a la alabanza que a la consagración, han creado una profunda crisis en la Teología Urbana. La iglesia local se ha enfrascado en asuntos que están fuera de su naturaleza y no tiene nada que ver con su carácter. Este desvío ha llevado a la mayoría de los cristianos a creer que la división en la iglesia es algo común; que el pleito, desacuerdos, grupos y las divisiones son el estado normal de la iglesia. No pueden concebir en sus mentes una iglesia unida, que sirve y penetra las tinieblas en la ciudad.

La Biblia dice que Dios dio dones a los hombres y los ha puesto en la iglesia para ministrar bajo autoridad (1 Co. 14:12; Ef. 4:8). Estos dones recibidos, para ser efectivos deben estar bajo el señorío del Cristo y la autoridad pastoral y eclesiástica. Una persona que ejerza dones sin autoridad pastoral es un lobo rapaz. La iglesia del primer siglo confrontó este problema. Pablo, Pedro y Juan fueron despreciados por este tipo de personas. Decían que Pablo estaba loco y no debían sujetarse a él (2 Co. 11:16). Señalaban que Juan era un anciano decrépito que sus días habían terminado y que no había porque escucharle (3 Jn. 10). La congregación necesita tener la sensibilidad de realizar una exhaustiva evaluación de la Palabra en beneficio de su entorno social. No renunciar a su carácter, más bien actuar con pasión y responsabilidad. Dar respuesta a todas las necesidades que enfrenta la ciudad; esgrimir correctamente las Escrituras ante cualquier situación urbana, y estar dispuesta a enfrentar su reto con todos los elementos suficientes para pelear la batalla de la fe en la ciudad.

La Iglesia de hoy es responsable ante su pasado histórico de presentar defensa. El reconocido líder mexicano reiterativamente ha señalado que: "somos un puente entre generaciones" (González Vázquez, 2000). Por lo tanto la responsabilidad del futuro de la Iglesia es permanente. Dar mayor énfasis en los dones sobre el señorío de Jesucristo se contrapone al principio de que todos los cristianos tienen la responsabilidad y la autoridad de rendir cuentas. Esta acción de rendir cuentas promueve la unidad porque funciona en un alto nivel de confianza.

Estorbos de la iglesia urbana

La evangelización es un imperativo de Jesús a la Iglesia. Sin embargo, la impotencia e intimidación que genera la ciudad impiden cumplir con tal responsabilidad a muchos cristianos. Toda iglesia urbana responsable está consciente de este compromiso y a pesar de sus recursos divinos, financieros y humanos no cumple con ello. Debe analizar su situación y descubrir las barreras reales que se oponen al avance, y se resisten a las disposiciones de Dios. Si cada comunidad de fe percibe que alguna de estas barreras son superiores a ellos, debe recurrir a la fuerza del Espíritu porque: *no es con espada, ni con ejército*.

Pero si es un asunto de estrategia o carácter, la iglesia debe cambiar sus parámetros de comportamiento. Con tal discernimiento las comunidades cristianas serán instrumentos eficaces en la proclamación del evangelio. Algunos de los estorbos o barreras que enfrentan los grupos cristianos urbanos son los siguientes:

1. Satanás: Las huestes demoniacas de maldad intentan detener el crecimiento de cada iglesia local. Continuamente arremete en contra de ellas para que no publiquen la Palabra, que los creyentes no se comprometan, no comprendan correctamente la Biblia y desarrollen una equivocada, y torcida doctrina. Incita a los paganos para que persigan a los cristianos hasta el punto de extinguirlos. Las actividades de este enemigo no son inocentes o accidentales. Su participación es a conciencia

y pretende afectar decisivamente a toda la iglesia, por lo que se debe estar consciente de sus actividades.

2. Paganismo: La sociedad del siglo XXI ha dado un giro en torno a una cultura pagana y la ha abrazado sin recelo. Se introdujo a todos los estratos sociales de la ciudad. Religiones antiguas se han asentado con fuerza en la urbe y se han diseminado por todas las aberturas sociales que han encontrado. La Iglesia no escapa a tal influencia pagana. Algunas de las doctrinas que hoy se exponen en el púlpito ante las iglesias tienen matices paganos que afectan gradualmente. Es común encontrar creyentes místicos, fanáticos, híper espirituales y absolutamente ignorantes de los principios bíblicos.

Hacen uso de fetiches cristianos con los que manifiestan, según ellos, su espiritualidad. Son carentes de la verdad, sin identidad eclesiástica, manifiestan arrogancia y derrochan superstición. Son adoradores de ídolos musicales y ministeriales, y expresan un culto que intenta conmover a Dios para que responda a sus demandas. Con ello convierten al evangelio en uno de los tantos cultos que pululan por la ciudad, generando en los no cristianos practicar el evangelio como una moda.

3. Teología urbana equivocada: La forma en que la iglesia local confronta a la sociedad determina cuál es su teología. Sin que los creyentes y los ministros lo perciban, asumen una posición teológica hacia la ciudad. Por naturaleza los miembros de la congregación rechazan todo aquello que se asocie con su pasado. Ser nacido de nuevo entra en conflicto con todo aquello que tenga que ver con su antigua vida. Sí el creyente no alcanza la madurez terminará en una situación de enajenación social.

El rechazo hacia la sociedad puede ser una característica de mantener una teología torcida. La mentalidad del aislamiento cristiano ha permeado en muchas comunidades de fe urbanas. Este tipo de creyentes señalan que no pertenecen al mundo y actúan como un grupo cerrado, con rejas de seguridad donde nadie pasa sin ser estrictamente evaluado. Estas iglesias se encuentran distantes y protegidas del público creando una comunidad cerrada para todos aquellos que quieran entrar. El miedo a la secularización y no saber comunicar el evangelio es la causa de esta actitud.

4. Condena desmedida hacia la sociedad: Estas iglesias locales han reaccionado hacia la ciudad condenando todo y a todos. El carácter de estas congregaciones es descrito por Jesús en la parábola del fariseo y el publicano (Lc. 18:9-14). Cual fariseo, las comunidades de fe no tienen el

cuidado hacia las personas y juzgan desmedidamente su forma de proceder. Todos los demás están equivocados, son pecadores, merecen el castigo, menos ellos. La arrogancia y la vanidad en el mensaje de estas iglesias son una señal de fariseísmo urbano. Estas actitudes crean una cultura cristiana mediocre. Tales creyentes ven los espacios políticos, culturales, militares, industriales, histriónicos y sociales plagados de pecadores y llenos de mundanalidad. Y todo aquel que se dice cristiano y participa en alguno de ellos no es digno de la Iglesia. Esto es evidencia que los cristianos no tienen el carácter de enfrentar una sociedad secularizada. Jesús enseñó que se debe amar al enemigo, nunca juzgarlo, y en su entorno debe ser alcanzado.

5. Adaptación: Los creyentes se vuelven camaleónicos; es decir, aplican una teología situacional. Esta se manifiesta con una mezcla de rechazo y aceptación dependiendo del grupo social con quien se relaciona. Se adaptan a las situaciones sociales y a su vez las rechazan. Los miembros de estas congregaciones manifiestan su cristianismo en el entorno de la Iglesia y manifiestan un comportamiento diferente al estar en otro grupo social no cristiano. Esta bipolaridad cristiana ha causado incongruencia en el mensaje y descrédito entre los no creyentes. Coquetean con el mundo y pierden su esencia como iglesia con tal de identificarse con una cultura urbana influyente.

6. Falta de credibilidad: La sociedad está enfrentando serios escándalos que han surgido en el seno de la Iglesia. Adulterios, fraudes, engaños, alcoholismo, abortos, explotación financiera, homosexualidad, drogadicción y apuestas han permeado la vida de los ministros y miembros de las iglesias. Aunado a ello, el legalismo que se impone a ultranza en los miembros han sido elementos que desacreditan decisivamente el mensaje del evangelio. Estas acciones presentan un evangelio incoherente en la ciudad, el testimonio está desasociado de su mensaje y la ética que practican es flexible. El evangelio ha sido desacreditado por la conducta de los cristianos, por lo que la Iglesia debe asumir sus errores y rectificar sus actitudes hacia la ciudad para que su testimonio sea veraz y acorde a su misión.

7. Modelos defectuosos de evangelismo: En la práctica muchas iglesias hacen evangelismo. Comparten la Palabra, entregan folletos, visitan hogares y regalan Biblias. Pero realmente no impactan a la ciudad. Un método de evangelismo errado es presentar un evangelio de oferta donde se espera que la persona muerda el anzuelo y acepte, el mensaje es presentado como un producto de mercadotecnia. Otra equivocación que se comete es presionar y chantajear a quienes se invitan a aceptar el

evangelio. Las personas que son llevadas a estas reuniones no tienen idea de lo que les espera.

En el lugar de reunión se descargan todas las armas de convencimiento para que acepten la adhesión a la Palabra y en este ambiente regularmente se acepta para no sentirse avergonzado delante de los demás. Otro método defectuoso es empujar a la congregación local a traer personas nuevas a la reunión. Esta acción en los creyentes se da en base a acusaciones que parten del púlpito, calificativos como irresponsabilidad, falta de amor, falta de compromiso, inmadurez y otros se escuchan semana a semana.

8. Relativismo: Hoy los absolutos han sido descartados de la sociedad. La verdad se presenta subjetiva e individualista, se enseña que cada persona tiene su propia verdad. El objetivo es lograr la felicidad personal justificando cualquier método para alcanzarla. Cada persona, basada en sus propias concepciones, determina qué es bueno y qué es malo, qué es verdadero y qué es mentira, qué es auténtico y qué es falso. Con ello la sociedad ha perdido la trascendencia de la ley moral que da equilibrio y esto también ha penetrado en las iglesias. Muchas de las convicciones y fundamentos de cientos de miles de cristianos y ministros han sido terriblemente afectados y se encuentran bajo sospecha. El evangelio es guía moral en la sociedad, pero éste ha perdido significado en la sociedad urbana y en la Iglesia también. Por ello la fe de muchos creyentes es parca, llena de incertidumbre y sin fruto.

9. No sabe cómo comunicar el Evangelio: Los cristianos no se han preparado para testificar de Jesucristo y no saben cómo proclamar las Buenas Nuevas, no se preocupan por prepararse, y su falta de formación se manifiesta al no saber cómo iniciar una conversación que comunique la Palabra de Dios. El indicativo de esta falta de preparación es el miedo que tienen por testificar, piensen que serán rechazados o crean que fracasarán y prefieren guardar silencio. Algunos han llegado a la conclusión errónea que la comunicación del evangelio es tarea exclusiva de su ministro. Los miedos y las debilidades son el punto para no propagar la Palabra. En la medida que la Iglesia deseche sus miedos saldrá a comunicar correctamente el evangelio. Las congregaciones necesitan ocupar tiempo en su preparación para entregar el mensaje de Salvación correcta y eficazmente.

10. Pérdida del idioma urbano: La comunicación verbal es la conexión por excelencia entre las personas. Para que sea efectivo el trasmisor debe hacerlo de tal manera que el receptor entienda el mensaje. La gente urbana desconoce el lenguaje bíblico, no comprenden

correctamente los conceptos usados por la comunidad de fe, términos como hermanos, pecado, congregación, pastor, ir a la iglesia, aleluya, predicar el evangelio, culto de alabanza y otros no son propios del lenguaje urbano cotidiano. La ciudad no habla el mismo idioma que la Iglesia y ésta tiene que saber usar un lenguaje apto para todas las tribus y naciones que habitan en la ciudad. Hacer uso de un vocabulario evangélico es una gran barrera para alcanzar la ciudad; la Iglesia necesita hacer uso de un vocabulario menos eclesiástico y más urbano para ser realmente escuchada.

11. El activismo: Tantas actividades y ocupaciones que se generan al interior de la iglesia local como congresos, talleres, seminarios, reuniones de trabajo y juntas son sólo un ejemplo del auténtico estorbo para alcanzar la ciudad. La congregación vive ocupada y no tiene tiempo de proclamar la Palabra en su geografía urbana. El programa local y el organizacional no dan tiempo de cumplir con su responsabilidad bíblica, no tiene tiempo para desarrollar un evangelismo personal, existe poco tiempo para la familia, para los vecinos y mucho menos para los compañeros de trabajo. Esto genera en miembros y ministros el deseo de salir huyendo en la primera oportunidad que se tiene para vacacionar, y la tarea de proclamación queda una vez más pospuesta. En medio de tantas actividades es necesario buscar primero el reino de Dios para llevar a cabo su tarea de publicación y expansión.

Las iglesias necesitan evaluar y reconocer cuáles son las barreras que le impiden cumplir con la proclamación para encontrar soluciones inmediatas. Toda congregación tiene los recursos para dar respuesta y solución a su crisis, y con ello, ser coherente en las demandas que la ciudad presenta. En el poder de la Palabra y del Espíritu Santo, la ciudad se convierte al evangelio. De no confrontar su realidad, la iglesia local dificultará su penetración en la sociedad y terminará por extinguirse. ¿Será que esta falta de análisis personal e interno está llevando a cerrar templos?

Atributos de la iglesia urbana

El éxito de una empresa no se mide por su tamaño, programa o finanzas, sino por el cumplimiento de su propósito. Una iglesia de éxito es aquella que cumple con el propósito de ir y llevar las buenas nuevas. El ejemplo son las acciones de Pablo que poseía un carácter responsable de llevar la Palabra al mundo entero de su tiempo. Jesús era su tema principal y entendió, al igual que su equipo, que anunciar su Palabra iba la vida o muerte de la ciudad. Cuatro atributos de la iglesia local en su perspectiva urbana se basan en el credo apostólico que manifiesta una fuerza santificadora, redentora, unificadora y proclamadora a la ciudad.

Santa

La iglesia es responsable de mantener en su interior una vida santificada. El Nuevo Testamento nunca llama santo a un incrédulo y mucho menos pecador a un cristiano nacido de nuevo; porque el que es nacido de nuevo es santo, pues está muerto al pecado y vivo para Dios (Ro. 6:3-11). Los que son nacidos de nuevo andan conforme al Espíritu (Ro. 8:1, 4, 9, 12, 13), y con la ayuda del Espíritu se apartan del pecado, y así cumplen la justicia exigida por Dios (Ro. 8:4). La iglesia se purifica porque espera la venida del Señor (1 Jn. 3:2, 3), y se abstiene de pecar conscientemente (1 Jn. 3:6-9). Esta santidad no se consigue por esfuerzos propios, sino por la obra del Jesucristo (Fil. 2:13; 1 Co. 15:10; Jn. 15:4-6; Ef. 2:10). La iglesia que es santa no se esfuerza por hacer lo bueno o lo correcto; pero se esfuerza por permanecer en Cristo. Una iglesia santa es aquella que está compuesta de individuos perdonados de sus pecados, redimidos con la sangre de Jesucristo.

Una iglesia santa es una iglesia sana y está completa para cumplir su ministerio en la ciudad. Siendo santa, puede ministrar a las naciones como profeta (1 P. 2:4, 5), tiene la fuerza para encarar el pecado de la ciudad y denunciarlo con precisión. Esta fuerza se sustenta en su relación con Dios; así se convierte en vocera para la ciudad. Cada iglesia local se relaciona con otras comunidades de fe locales en su pureza, propia de su relación con el Señor, y ante la ciudad refleja la presencia del Espíritu Santo que se mueve en su interior. Esta separación del mundo y del pecado la lleva a servir compasivamente a los habitantes de la urbe. El carácter y modelo que la Iglesia presenta a la ciudad se sustenta en las enseñanzas de las Bienaventuranzas (Mt. 5:3-12).

La santificación de la iglesia se manifiesta en tres implicaciones ordenadas por el Nuevo Testamento. Primero, separada de la corrupción del mundo y de sus consentimientos impíos (Stg. 4:4). Segundo, separada de los que se llaman cristianos pero persisten en pecar y no pretenden arrepentirse (Mt. 18:15-17; 1 Co. 5:9-11). Tercero, separada de grupos, ministros y maestros falsos que enseñan errores doctrinales y teológicos que niegan verdades bíblicas (Mt. 7:7, 8; Ro. 16:17; 2 Jn. 10, 11). Es importante la santidad para las iglesias locales, pues ayuda a cumplir su llamado a la ciudad y evitar crisis en su Teología Urbana.

Católica

El concepto implica que la Iglesia reconcilia a todos los habitantes de la ciudad con Dios, porque católica, es universal. Es católica porque ha sido enviada por Cristo en misión a la totalidad del género humano (Mt. 28:19). En el Pentecostés se manifiesta un carácter católico a una expresión en la diversidad de lenguas y culturas (Hch. 2:8-11), y Dios ordena a todos los hombres de todo lugar que se arrepientan (Hch. 17:30). Apocalipsis culmina con una extraordinaria canción de la Iglesia redimida por la sangre del Cordero de toda tribu, lengua, pueblo y nación (Ap. 5:9), manifestando así su catolicidad, es decir, su universalidad.

Aquellos que se aíslan dentro del estrecho círculo de una pequeña congregación no conocen la verdadera catolicidad y nunca experimentarán el poder y la consolación de este carácter de la Iglesia en su propia vida. Quien por fe se reconoce unido a la Iglesia, llamado de entre toda la raza humana del principio del mundo hasta el fin, no puede ser inflexible de corazón ni de mente en cuanto al pueblo de Dios.

Este atributo en la iglesia le lleva a buscar todas las formas posibles para que la ciudad pueda ser cristiana (Fil. 2:1-11). Se abre a todos sus habitantes, los acepta tal cual son (Ro. 12:3-10). La iglesia actúa como embajador en la ciudad (2 Cor. 5:11-21); es garante de realizar una serie de redes de comunicación en toda la urbe para comunicar el evangelio correctamente y es responsable de construir puentes de comunicación y relación en toda la ciudad. Con ello rompe las barreras que impiden la comunicación. Esta catolicidad hace que la iglesia se dé a sí misma y exprese el amor de Dios sin cortapisas (1 Co. 13). Este atributo en la iglesia local fortalecerá su entorno evitando retraso en su cumplimiento misionero hacia la ciudad.

Unida

La primera vez que se menciona la unidad de labios de Jesús es en el aposento alto, cuando Jesús dijo a sus discípulos que se amaran los unos a los otros. Lo ilustra cuando señala: *En esto es glorificado mi Padre, en que llevéis mucho fruto, y seáis mis discípulos* (Jn. 15:8). La preocupación de Cristo por sus discípulos como por la misión que desarrollarían, se encuentra enunciada en su oración sacerdotal registrada en Juan 17. Jesús oró por la unidad entre sus seguidores, pero la unidad no es automática. El ataque primario de Satanás sobre los creyentes de la iglesia consiste en tratar de destruir esa unidad. El testimonio de Lucas en el libro de los Hechos se ve claramente en la historia de la Iglesia. Satanás quiere destruir la unidad entre los verdaderos cristianos, de esta manera los incrédulos no son atraídos al cristianismo doctrinalmente puro.

Al mismo tiempo Satanás trata de acrecentar toda clase de cultos que propaguen falsas doctrinas, especialmente los conceptos falsos respeto a la deidad de Cristo. Es importante para la ciudad ver una iglesia local unificada que se muestre como la gente de Jesús (Col. 1:28), que invita a la ciudad a la gran fiesta (Mt. 22:2-10), e incorpora a todos aquellos que así lo quieran. Esta unidad en Jesucristo hace de la iglesia una cohesión orgánica (Ef. 1:9, 10), siendo uno (Jn. 17). Así se construye el Cuerpo de Cristo (Ef. 4:11-13) y se preparan para el retorno del Señor (Ap. 19:7), manteniendo la unidad con el vínculo de la paz (Ef. 4:3). Sin esta verdadera unidad la iglesia local será un grupo de tantos que sólo engrosan la lista de grupos sociales en la ciudad. La unidad dará cohesión y empuje para penetrar las estructuras sociales y transformará decisivamente la ciudad.

Apostólica

El atributo apostólico de la iglesia implica su tarea de proclamación en la ciudad. La tradición apostólica de la Iglesia implica continuidad en las características permanentes de la iglesia de los apóstoles. Jesús llamó a doce para que estuvieran con él y para enviarlos a predicar (Mr. 3:13, 14). Desde entonces fueron sus enviados, palabra de la que se desprende apóstol. Así la iglesia es enviada a la ciudad a proclamar el mensaje de Salvación. Jesús asocia a sus seguidores con la misión que recibió del Padre (Jn. 5:19, 30). La iglesia tiene que mantener un programa constante para alcanzar a la urbe a través del servicio y la predicación del evangelio, pues ha sido enviada a hacer discípulos en todas las naciones. Jesús promete estar con ellos en esta misión hasta el fin del mundo (Mt. 28:20).

La misión a la que fueron llamados los apóstoles continúa siendo la misión de toda la Iglesia a lo largo de la historia. En la medida en que esta misión da forma a la iglesia, es acertado que se denomine apostólica. En la ciudad la iglesia local proclama a los no cristianos, enseña, y disciplina a sus miembros con el fin de realizar su tarea misional. En su acción apostólica la Iglesia mantiene instrucción constante (1 Co. 11:23), siendo receptora de instrucción. Cual apostólica, la Iglesia es capaz de elaborar su propia teología, sabe teologizar.

Jesús espera que ella alcance su madurez y responsabilidad. Posee las llaves del Reino, es decir, el Señor le ha dado la autoridad para predicar el evangelio y tiene la responsabilidad de dar testimonio, y deshacer las obras de las tinieblas; por ello está siempre en movimiento;

se expande, camina en la ciudad y está capacitada para enviar (Hch. 13:1-3). La apostolicidad de la iglesia marca la dirección que debe tomar hacia la ciudad y cumplir su cometido ministerial.

La comunidad de fe es santa porque el Padre es su autor, Cristo su Esposo que se entregó por ella para santificarla y el Espíritu Santo la vivifica. Aunque está compuesta de pecadores, estos son redimidos y ahora santos que manifiestan santidad. Es católica porque es enviada a todos los pueblos y aglutina a todos los que creen. Se dirige a todos los hombres porque su naturaleza es misionera. Es apostólica porque continua la obra que Jesús dio a sus discípulos de cumplir con la Gran Comisión; manifiesta unidad porque tiene un sólo Señor, confiesa una sola fe, nace de un sólo bautismo, forma un sólo Cuerpo, es vivificada por el Espíritu Santo y está orientada a una única esperanza (Ef. 4:3-5).

Exegesis Urbana para hacer Teología Urbana

Iglesias y ministros urbanos deben aprender a ser observadores de su ciudad. Es importante que conozcan de primera mano los mercados, templos, calles, centro de la ciudad, parques, avenidas, condominios, colonias, zonas conurbadas, ciudades flotantes y de la periferia, centros comerciales, edificios gubernamentales, y otros. De esta forma sabrán dónde se encuentran los puntos de concentración de los diversos grupos sociales. El desafío de la iglesia local consiste ser visible en estos lugares de reunión. Con ello la iglesia sabrá dónde centrar la propagación del evangelio y hacer una correcta radiografía de toda ciudad para comprenderla mejor. Así la comunidad de fe aprende a integrarse con la diversidad de la ciudad y lograr conectarse con los grupos sociales. Percibir los desplazamientos humanos; tanto aquellos que se van como los que llegan le dará un mejor panorama de los cambios que se están suscitando.

En las ciudades de Europa hay cientos de desplazados del continente Africano. Lo mismo pasa en las ciudades de USA con la llegada de una diversidad de grupos latinoamericanos. Es necesario conocer los múltiples centros y periferias de la geografía social para comprender mejor la idiosincrasia de los habitantes de la ciudad. De acuerdo a la geografía, el alimento y el clima que experimentan se afecta decisivamente su carácter. La falta de entendimiento de la idiosincrasia de cada uno de los grupos sociales urbanos hace ineficaz a la iglesia local y a sus ministros. El grave error de muchos ministros que llegan a ministrar de una ciudad a otra es aplicar los mismos parámetros trayendo con ello crisis y frustraciones. En un alto número de casos, el resultado ha afectado contundentemente la vida interna de la iglesia local donde muchas de ellas quedan profundamente fracturadas.

Entender la historia del desarrollo de la ciudad es una herramienta poderosa en las manos de toda iglesia local, igual que conocer el origen y desarrollo del evangelio en ella. Ninguna ciudad tiene la capacidad con suficiente infraestructura urbana para solventar las necesidades de sus habitantes. Esto genera problemas de salud, educación, desempleo y violencia trayendo caos y crisis complejos a sus habitantes. Es importante que cada iglesia local y sus ministros tengan un mapa de su ciudad para visualizar los lugares donde están las demás iglesia locales. El profeta Ezequiel lo aplicó en su momento para diseñar un plan para enfocarse en su ciudad (Ez. 4:1). La investigación por medio del mapa no es solamente una recopilación de datos, es para tomar decisiones razonables. ¿Qué evangelización se necesita hacer? ¿Quién debe participar? ¿Dónde? ¿Cómo? Y demás preguntas son las que la iglesia debe hacer y responder para descubrir las necesidades de los habitantes de la ciudad.

El mapa ayuda a marcar dónde existe más concentración de iglesias cristianas y en qué áreas adolece de las mismas. De esta manera se puede enfocar la fuerza en establecer centros de predicación en las áreas donde se necesite de iglesias locales. Tener a la mano un directorio de templos y ministros de la ciudad ayuda a vigorizar los lazos, con ello el ministro fortalece sus relaciones con las demás iglesias y ministros locales, así logra percibir cuáles son los desafíos reales de la ciudad, aplicando correctamente las estrategias para transformar las condiciones de vida urbana. Cada ministro y miembro de la iglesia debe entender el sentido de su vocación, que es la oportunidad de transformar su entorno. De esta manera la iglesia ha de comprender la visión de una misión integral.

La radiografía de la ciudad que se lleve a cabo refuerza la expansión de la Iglesia. Por ello es importante conocer con fidelidad la estructura social del área donde se encuentra. Los aspectos geográficos e históricos como ya se apuntó, los políticos, religiosos y sociales son indispensables en esta tarea para confrontar cualquier barrera que impida la penetración del evangelio en el punto urbano definido.

La expansión de la iglesia en la ciudad demanda una definición concreta de una teología de contexto y de misión; es decir, que su presencia en la ciudad es real y con un mensaje definido. De esta manera logrará impactar cada una de las esferas sociales para dar a conocer el mensaje de la cruz.

En el contexto de la ciudad, la comunidad de fe ha sido llamada para realizar el trabajo de anunciar el mensaje de Salvación y por lo tanto ha de mantener viva la premisa de: *Orad al Señor de la mies que envíe obreros a su mies* (Lc. 10:2). El derecho de enviar obreros es prerrogativa del Espíritu Santo. Por todas partes se oye el gemido: *faltan obreros*. El mayor privilegio que una persona puede recibir y la mayor gloria que una iglesia puede obtener en la ciudad, es ser una comunidad de fe local guiada por el Espíritu Santo para bendecir a su ciudad.

Compromiso

¿Cuál es el tipo de iglesia que se anhela para la familia en la ciudad? ¿Qué iglesia está construyendo? ¿Se encuentra comprometido en salvar su ciudad? Estas preguntas demandan respuestas pertinentes, objetivas y actuales. El territorio donde emergen cientos de miles de casas y edificios, allí vive gente siempre de prisa con el bullicio de la urbe. A pesar del constante trajín en sus calles, y aparente desinterés en el mensaje, ellos necesitan urgente respuesta a sus múltiples necesidades y la respuesta debe ser coherente, práctica y clara pero sobre todo bíblica. Y esa respuesta la tiene la Iglesia. Año con año las ciudades aceleran su crecimiento desproporcionado, y es en cada urbe que la Iglesia adquiere un serio compromiso.

No es posible asumir la actitud de Jonás esperando el juicio de la urbe. Se llega a creer que la ciudad donde se vive no merece misericordia por tantos pecados que cometen sus habitantes, y como este profeta equivocadamente se espera cruzados de manos el castigo que recibirá. Aunque parece asombroso, muchos ministros e iglesias locales piensan así; pero como a Jonás, el Señor envía a la ciudad a cada creyente; por más violenta que sea, por más perversión que destile, por más pecadora que se manifieste; para proclamar su amor y su misericordia. Cada iglesia debe ser un símbolo de misericordia y amor en la ciudad.

El problema que la comunidad de fe confronta diariamente es que se envuelve de tal manera en sus problemas eclesiásticos que olvida su tarea y misión hacia la ciudad, y se mantiene al margen de ella. No existe evidencia bíblica de que Jonás llegara al palacio real y diera el mensaje al monarca, tampoco existe un sólo registro que señale que Jonás se presentó en el centro de la ciudad o en el lugar de mayor influencia de la sociedad o en la zona donde vivían los industriales, políticos y empresarios. Sólo se observa que recorre las calles sin ton ni son, anunciando la llegada de un inminente juicio. La gente de los barrios fue quien escuchó su mensaje y fueron ellos los primeros que comenzaron a ayunar, a orar, a buscar el perdón y a arrepentirse. Esta transformación en la periferia fue lo que llamó la atención de los poderosos e influyentes de la ciudad.

Se tiene un compromiso con la ciudad donde vivimos y por qué no, comenzar desde la periferia de la ciudad con un plan bien trazado. Sí Jonás tuvo éxito sin un plan, sin motivación alguna, sin un amor entregado, solo, sin una ambición ministerial correcta y totalmente solo, cuanto más nosotros, si ponemos en las manos del Señor todos nuestros recursos para impactar nuestra ciudad.

CONCLUSIÓN

Teología Urbana es una ciencia que requiere constante aplicación, observación, investigación, análisis, participación y actualización. Los que estamos involucrados en algún sector de nuestra iglesia local necesitamos mantener un espíritu vivo, una sed de conocimiento y un amor por nuestra urbe. Hoy sigue siendo un elemento esencial, así como una tarea incumplida el hacer Teología Urbana en nuestras comunidades de fe locales. Estamos en el proceso de aprendizaje y se requiere de toda nuestra atención para no cometer las equivocaciones que la historia de la iglesia en general y en el contexto latinoamericano nos ha plasmado en sus páginas. Hoy la Iglesia enfrenta desafíos concretos y apabullantes pero no por ello debe evadir su responsabilidad.

La Teología ya no puede menospreciar o incluso pasar por alto la importancia de la correlación de los miembros de la iglesia y la práctica social de la vida en la urbe. Los problemas y posibilidades, los defectos y las luchas que se libran en la ciudad deben ser estudiados a conciencia para entenderla y alcanzarla. La realidad de las grandes ciudades tiene que ser enfrentada e investigada a conciencia por la Iglesia. La Teología y su relación con las condiciones sociológicas, socio-psicológicas y urbanas tienen que ser analizadas con una interpretación bíblica adecuada. El resultado de dicho análisis llevará a la Iglesia a tomar con seriedad su responsabilidad de Misión.

Requiere reordenar los presupuestos organizacionales, ideológicos y de contextualización, de no hacerlo será un ente miope en la ciudad. Un debate crítico de la imagen que proyecta la Iglesia en la ciudad, en particular su estructura eclesiástica, le ayudará a comprender acertadamente el fenómeno urbano de manera auténtica, no ideológica ni sentimental. Una congregación con una visión urbana correcta hacia la calle constituye un factor importante en la integración y la estabilización en la ciudad.

La calle es un puente potencial de los grupos sociales y debe ser vista como plural y necesita desarrollarse de manera diferenciada, esta diversidad debe ser aceptada para alcanzar a cada individuo. Al mismo tiempo, la calle puede ser un elemento trascendental en la reconciliación entre la gran ciudad y Dios que aún no se ha logrado. La calle puede funcionar como fuerza entrelazada, no se limita a la propia ciudad, que se extiende más allá de sus fronteras hacia otras comunidades.

Para la Iglesia la ciudad debe convertirse en un laboratorio de experimentación consciente en el encuentro de culturas, las formas de éstas, lenguas, religiones, industrias, comercios y otros. En esta actividad en colaboración con una filosofía correcta de Teología Urbana puede contribuir a crear un lenguaje común entre las diferentes congregaciones y ministerios urbanos. Este lenguaje es más que una acumulación de elementos lingüísticos, debe ser la expresión de una conciencia múltiple de la identidad entre todos los involucrados; pero sobre todo de una clara visión para cumplir con la Gran Comisión.

La Teología Urbana debe estar abierta a otras instituciones y formas para eclesiásticas sin negociar la sana doctrina. Tal intercambio no tendrá éxito si se mantiene la falta de respeto por las tradiciones evangélicas de los demás. La negación de la auténtica identidad de los grupos cristianos clásicos, nuevos o pequeños iría en detrimento de la comunidad de las ciudades del mañana. Todos, incluido las iglesias, tienen que reunir la voluntad de escuchar y comprender a los demás en su diversidad; esto tomará tiempo y paciencia. La necesaria comprensión y la interpretación tendrán que superar el individualismo; se tendrá que hacer frente a las actitudes a menudo hostiles de aislamiento y orgullo, y exclusivamente se han de cultivar las virtudes del respeto.

La Teología Urbana tendrá que cavar más profundo en los problemas concretos de la ciudad si se quiere hacer justicia al hecho de que los problemas teológicos y sus soluciones no se encuentran en el cielo, pero están ahí afuera en la calle. Necesitamos reflexionar de manera crítica y constructiva sobre la historia y transformación de nuestras ciudades. La teología no puede hacer frente a todo sin la cooperación de otras disciplinas extensivas como se ha señalado. Teología Urbana como área de investigación es nueva en nuestro contexto latinoamericano por lo que debemos transformar nuestra manera de hablar pero sobre todo de hacer teología.

No importa el modelo de iglesia en el que trabajemos, no es absolutamente decisiva la organización en la que nos encontramos, mucho menos es fundamental el número de miembros con que contemos, menos es determinante la falta de fluidez económica, el aparecer en Televisión, tener una página web, disfrutar de un programa de radio, hacer presencia en las redes sociales o cualquier otro elemento de comunicación. Lo que realmente importa es que la iglesia local desarrolle una Teología Urbana que realmente influya y sea un impacto en los habitantes de la ciudad. Debemos dejar la burbuja del santuario para salir a las avenidas; es necesario dejar de mantener a una iglesia bebé por décadas y enseñarla a caminar por las calles. De no hacerlo, la iglesia perderá realmente influencia y poder de penetración en la urbe.

La iglesia tiene que salir a la calle y caminar por ella para oler y percibir las emociones de la ciudad. Necesita conocer de primera fuente el dolor, el miedo y las luchas que confronta día a día. Una iglesia que pretenda realizar Teología Urbana desde el púlpito, desde la oficina pastoral o desde el santuario sólo está destinada a engrosar un programa más.

No olvidemos la responsabilidad que desde un principio la máxima bíblica ha señalado: *Por la bendición de los justos la ciudad es engrandecida* (Pr. 11:11).

BIBLIOGRAFÍA

Alvin, B., & Palmer, M. (1984). Mientras el sol esté en alto: La historia de las misiones de la iglesia libre evangélica en América del Sur. Minneapolis. MN.: Free Church Publications.

Allen, R. (1970). La expansión espontánea de la iglesia. Buenos Aires, Argentina: La Aurora.

Amstrong, H. (2007). Bases para la educación cristiana. El Paso, TX.: Casa Bautista de Publicaciones.

Ancilli, E. (1983). Diccionario de Espiritualidad. Barcelona, España: Herder.

Anderson, N. T., & Mylander, C. (2007). Remodelando a fondo la iglesia. Miami, FL.: Vida.

Asambleas, D. d. (s.f.). Distrito hispano del este de las asambleas de Dios. Recuperado el 2011, de Raíces del movimiento pentecostal hispano: https://spanisheasterndistrictag.com/historia/

Ayana Calvo, J. J. (1992). Fuentes Patristicas T. 3. Madrid, España: Ciudad Nueva.

Banks, R. J. (1994). La idea de Pablo de la comunidad. Los hogares en la iglesia primitiva en el escenario histórico. Peabody, MA.: Hendrickson Publisher.

Barber, C. J. (1982). Nehemías la dinámica de un líder. Miami, FL.: Vida.

Barclay, W. (1994). Compendio del Nuevo Testamento, Volumen 4 - Lucas. Barcelona, España: CLIE.

Bartel, F. G. (1979). Una nueva mirada al crecimiento de la iglesia. Newton, KS: Faith and Press.

Bauren, J. B. (1985). Diccionario de Teología Bíblica. Barcelona, España: Herder.

Bergier, A. (1887). Diccionario de Teología T. 3. París, Francia: Garnier Hermanos.

Brown, J. (2006). Las implicaciones de Génesis 4:17 para la formación de una teología de ciudad.

Bruce, F. F. (1998). Hechos de los apóstoles. Buenos Aires, Argentina: Nueva Creación.

Burguess, P. (1989). Los XX siglos del Cristianismo. Barcelona, España: CLIE.

Canto, J. (2010). Guerra espiritual, perspectiva pentecostés. Mérida, Yucatán, México.

Castellanos, C. (2009). Visión g12. Recuperado el 2011, de Quién somos nosotros: http://www.visiong12.com/

Castillo Jiménez, V. (2009). Estrategias urbanas. Asignatura: Estrategias Urbanas. Mérida, Yucatan, México: Facultad de Teología de las Asambleas de Dios en América Latina.

Chaney, C. L., & Lewis, R. S. (1977). El plan para el crecimiento de la iglesia. Nashville, TN.: Broadman.

Cordeiro, W. (2004). La iglesia como un equipo. Miami, FL.: Grupo Nelson.

Cueva, S. C. (1992). La iglesia local como misión transcultural. Barcelona, España: Clie.

de Fiores, S., & Goffi, T. (1983). Nuevo Diccionario de Espiritualidad. Madrid, España: Ediciones Paulinas.

Deiros, P. A. (1998). La acción del Espíritu Santo en la historia. Miami, FL.: Caribe.

Douglas, J. D., & Hillyer, N. (1982). Nuevo Diccionario Bíblico. Downers Grove, IL.: Certeza.

Douglas, J. D., & Tenney, M. C. (1997). Diccionario Bíblico Mundo Hispano. El Paso, TX.: Mundo Hispano.

Duro, A. (1989). Vocabulario della lingua italiana III. Roma, Italia: Roma.

Earle, R. (1985). Explorando el Nuevo Testamento. Kansas City, MO.: Casa Nazarena de Publicaciones.

Ellul, J. (1970). The mening of the city. Grand Rapids, MI.: Eerdermans Publishing Company.

Encarta, B. M. (2003). Antioquía. USA.

Encarta, B. M. (2003). Caronte.

Encarta D. M. (2003). Panteón.

Española, R. A. (2001). Diccionario de la lengua española. Recuperado el 2011, de http://dle.rae.es/?id=KuOOEhr

Fickett, H. L. (1988). Principios del pescador. Barcelona, España: CLIE.

Frick, F. S. (1977). The city in ancient Israel. Missoula, MT.: Scholars Press.

Fulton, B. (1999). Movimiento de iglesias Viyenard. Recuperado el 1911, de Ministerio de Pablo: http://reocities.com/WallStreet/Bureau/9060/webpag3.htm

Getz, G. (1982). Refinemos la perspectiva de la iglesia. Miami, FL.: Caribe.

González, J. (1970). Historia de las misiones. Buenos Aires, Argentina: La Aurora.

González, J. L. (1992). Comentario Bíblico Hispanoamericano - Hechos. Miami, FL.: Caribe.

Grayson, A. K. (1975). Assyrian and Babylonia Chonicles. Locust Valley, NY. y Glückstadt, Alemania: J. J. Agustin.

Green, H. L. (1972). ¿Por qué mueren las iglesias? Minneapolis, MN.: Bethany Fellowship.

Green, M. (1997). La evangelización en la iglesia primitiva. Buenos Aires, Argentina: Nueva Creación.

Green, M. (1996). La iglesia local agente evangelizador. Buenos Aires, Argentina: Nueva Creación.

Greenway, R. S. (1981). Apóstoles de la ciudad. Grand Rapids, MI.: TELL.

Greenway, R. S., & Monsma, T. M. (1989). Cities: Missions' New Frontier. Grand Rapids, MI.: Bake Book House.

Grigg, V. (1994). Siervos entre los siervos. Buenos Aires, Argentina: Nueva Creación.

Groh, J. (15 y 16 de mayo de 1999). Con Cristo somos una iglesia misionera urbana. Recuperado el 2011, de http://www.sanlucas.org/modules.php?name=News&file=print&sid=77

Grower, R. (1990). Nuevo manual de usos y costumbres de tiempos bíblicos. Gran Rapids, MI.: Portavoz.

Guthrie, D. J., & Motyer, J. A. (1977). Nuevo Comentario Bíblico. El Paso, TX.: Casa Bautista de Publicaciones.

Gutzke, M. G. (1979). Los hechos de los apóstoles. Miami, FL.: Logoi.

Haag, H., van de Born, A., & de Ausejo, S. (1975). Diccionario de la Biblia. Barcelona, España: Herder.

Harrison, E. F., Bromiley, G. W., & Henry, C. F. (1993). Diccionario de Teología. Jenison, MI.: TELL.

Hemphill, K. (1996). El modelo de Antioquía: Ocho características de una iglesia efectiva. El Paso, TX.: Casa Bautista de Publicaciones.

Henry, M. (1999). Comentario de la Biblia Matthew Henry en un solo tomo. Barcelona, España: Clie.

Hoge, C. B. (1977). Quiero que mi iglesia crezca. Nashville: Broadman.

Horton, S. M. (1987). El libro de los Hechos. Miami, FL.: Vida.

Hunt, E. (2009). Comunicación transcultural. Mérida, Yucatán, México.

Hurn, R. W., & Orjala, P. R. (1993). Descubra su ministerio. Kansas City, MO.: Casa Nazarena de Publicaciones.

Hygiene, N. Y. (junio de 2008). Recuperado el 2011, de http://www.nyc.gov/html/doh/html/pr2008/pr039sp-08.shtml

Jenson, R., & Stevens, J. (1981). La dinámica del crecimiento de la iglesia. Grand Rapids, MI.: Baker Book House.

Kim, B. (2000). Motivos para evangelizar. Ámsterdam, Paises Bajos.

Kistemaker, S. J. (1987). Comentario del Nuevo Testamento - Primera y segunda de Pedro y Judas - Vol. 17. Grand Rapids, MI.: Desafío.

Kürzinger, J. (1985). El Nuevo Testamento y su mensaje. Barcelona, España: Herder.

Lalive D'Epinay, C. (1968). El refugio de las masas. Estudio sociológico del protestantismo chileno. Santiago, Chile: El Pacífico.

Latourette, K. S. (1988). Historia del Cristianismo Tomo 1. El Paso, TX.: Casa Bautista de Publicaciones.

Leupod, H. C. (1942). Exposition of Genesis. Grand Rapids, MI.: Baker Book House.

López, D. (1997). La misión liberadora de Jesús. Lima, Perú: Ediciones Puma.

MacArthur, J. (1980). ¡Cuidado con los falaces! Grand Rapids, MI.: Portavoz.

Martínez Domínguez, L. M. (2013). Teoría de la educación para maestros. Tomo I. Fundamentos de la educación. Madrid, España: Biblioteca Online.

Mayfield, J. H., & Earle, R. (1965). Comentario Bíblico Beacon T. 7 Juan - Hechos. Kansas City, MO.: Casa Nazarena de Publicaciones.

McGravan, D. A., & Arn, W. (1977). Diez pasos para el crecimiento de la iglesia. Nueva York, NY.: Harper and Row.

McKim, D. K. (2003). The Cambridge Companion to Martin Luther. Cambridge, Inglaterra: Cambridge University Press.

Mears, E. C. (1979). Lo que nos dice la Biblia. Miami, FL.: Vida.

Meeks, W. A. (1988). Los primeros cristianos urbanos. el mundo social del apóstol Pablo. Salamanca, España: Sígueme.

Meryland, U. d. (2010). Liderazgo que transforma. Recuperado el 2011

Nelson, E. (1986). Que mi pueblo adore. El Paso, TX.: Casa Bautista de Publicaciones.

Palau, L. (1991). Comentario bíblico del continente nuevo. San Juan, Puerto Rico: UNILIT.

Pariasca, D. (enero-marzo de 2002). Revista conozca, la voz de la educación cristiana en latino américa. Recuperado el 2011, de http://www.conozca.org/articulo.cfm?art_id=46&rev_id=A2002N1

Paul, A. (1982). El mundo judío en los tiempos de Jesús: historia política. Madrid, España: Ediciones Cristiandad.

Pfeiffer, C. F. (1982). Diccionario Bíblico Arqueológico. El Paso, TX.: Mundo Hispano.

Pollock, J. (1969). El apóstol, la vida de Pablo. Miami, FL.: Vida.

Queiros, E. (1990). La iglesia local y las misiones. Barcelona, España: CLIE.

Robinson, D. W. (1977). La evangelización, prioridad uno. El Paso, TX.: Nundo Hispano.

Rocci, L. (1998). Vocabulario greco-itno. Roma, Italia: Dante Alighieri.

Rode, D. J. (2002). Para que su iglesia florezca: factores que promueven el crecimiento de la iglesia. Libertador San Martín, Argentina: Universidad Adventista del Plata.

Rush, M. (1985). Administración un enfoque bíblico. Miami, FL.: Unilit.

Sawatsky, B. A. (1982). World class city: Frontier projet training manual. Minneapolis, MN.: Evangelical Free Church of América.

Schaller, L. (1994). 21 puentes para el siglo 21: El futuro del ministerio pastoral. Nashville, TN.: Abingdon.

Schultz, S. J. (1960). Habla el Antiguo Testamento. Grand Rapids, MI.: Portavoz.

Schwarz, C. (1999). Desarrollo natural de la iglesia en la práctica. Barcelona, España: CLIE.

Scott, J. B. (1980). El plan de Dios en el Antiguo Testamento. Miami, FL.: Logoi.

Scott, J. B. (1982). El plan de Dios en el Nuevo Testamento. Miami, FL.: Logoi.

Señor, J. e. (2011). En defensa del evangelio. Obtenido de https://www.jesucristo7.com/apologtica/

Shannon, F. (1977). La crisis del crecimiento en la iglesia americana: Un estudio del caso presbiteriano. Pasadena, CA.: William Carey Library.

Silvoso, E. (2000). Mi ciudad, Ciudad de Dios. Como cambiar el clima espiritual de su ciudad. Ventura, CA.: Gospel Ligth / Regal Book.

Strom, M. (2000). Replanteamiento de Pablo: Conversaciones en gracia y comunidad. Downers Gove, IL.: InterVarsity Press.

Taft, Z. (2825). Biografia y apuntes de la vida y el ministerio de varias mujeres santas Vol. 1. Londres, Inglaterra: Kershaw.

Taylor, G. D., & Campos, E. (1993). Las misiones mundiales. Miami, FL.: UNILIT.

Telford, J. (1931). Las cartas del reverendo Juan Wesley Vol. 4. London: Epworth Press.

Theissen, G. (1985). Estudios de sociología del cristianismo primitivo. Salamanca, España: Sígueme.

Toffler, A. (1984). La tercera ola. Barcelona, España: Plaza & Janes.

Trenchard, E. (1977). Los hechos de los apóstoles. Grand Rapids, MI.: Portavoz.

Unger, M. F. (1985). Nuevo Manual de Unger. Grand Rapids: Portavoz.

Urban Ege. (s.f.). Obtenido de www.urban-ege.net

Valles C., R. (1991). Nehemías la revolución espiritual. Barcelona, España: Clie.

Van Egen, C. (2004). El pueblo misionero de Dios. Miami, FL.: Desafío.

VanEgen, C. (1994). Constructing a theology of mission for the city. Moravia, CA.: MARC.

Vega, M. (2007). Elim Internacional. Recuperado el 2011, de Modelo celular: http://www.elim.org.sv

Vidal, C. (2002). El legado del cristianismo en la cultura occidental. Madrid, España: Espasa.

Viertel, W. (1988). Los hechos de los apóstoles. El Paso, TX.: Casa Bautista de Publicaciones.

Vine, W. E. (1999). Diccionario expositivo de palabras del Antiguo y Nuevo Testamento exhaustivo. Nashville, TN.: Caribe.

Vine, W. E. (1984). Diccionario Expositivo V. 2. Barcelona, España: CLIE.

Vine, W. E. (1984). Diccionario Expositivo Vol. 3. Barcelona, España: CLIE.

Wagner, P., & Torres, H. (2000). Como enfrentar a la reina del cielo. Nashville, TN. - Miami, FL.: Caribe.

Wales, J. (2011). Wikipedia la enciclopedia libre. Recuperado el 2011, de http://es.wikipedia.org/wiki/V%C3%ADa_Maris

Wales, J. (2011). Wikipedia la enciclopedia libre. Obtenido de Guerra Urbana: http://es.wikipedia.org/wiki/Guerra_urbana

Warren, R. (1998). Una iglesia con propósito: Como crecer sin comprometer el mensaje y la misión. Miami, FL.: Vida.

Wenham, G. J., Motey, J. A., Carson, D. A., & France, R. T. (2003). Nuevo Comentario Bíblico Siglo Veintiuno. El Paso, TX.: Mundo Hispano.

Wilton M., N. (1974). Diccionario Ilustrado de la Biblia. Nashville, TN.: Caribe.

Yamamori, T., & Lawson, E. L. (1975). Introducción al crecimiento de la iglesia. Cincinnati, OH.: New Life Book.

Made in the USA
Las Vegas, NV
06 June 2022